빠른시작
빠작

중학 국어
고전 문학 독해

중학 국어 빠작 시리즈

비문학 독해 0, 1, 2, 3 ㅣ 독해력과 어휘력을 함께 키우는 독해 기본서
문학 독해 1, 2, 3 ㅣ 필수 작품을 통해 문학 독해력을 기르는 독해 기본서
문학x비문학 독해 1, 2, 3 ㅣ 문학 독해력과 비문학 독해력을 함께 키우는 독해 기본서
고전 문학 독해 ㅣ 필수 작품을 통해 고전 문학 독해력을 기르는 독해 기본서
어휘 1, 2, 3 ㅣ 내신과 수능의 기초를 마련하는 중학 어휘 기본서
한자 어휘 ㅣ 한자를 통해 중학 국어 필수 어휘를 배우는 한자 어휘 기본서
첫 문법 ㅣ 중학 국어 문법을 쉽게 익히는 문법 입문서
문법 ㅣ 풍부한 문제로 문법 개념을 정리하는 문법서
서술형 쓰기 ㅣ 유형으로 익히는 실전 tip 중심의 서술형 실전서

이 책을 쓰신 선생님

신장우(창문여고)　이경호(중동고)

빠른시작

빠작

중학 국어
고전 문학 독해

차례

구성과 특징

✔ 고전 문학의 갈래별 특성에 맞게 체계적으로 학습할 수 있게 하였습니다.

✔ 필수 고전 문학 작품들을 선정하여 내신과 수능에서 한발 앞서 갈 수 있도록 하였습니다.

✔ 〈알아두기〉와 〈깊이 읽기〉를 제시하여 깊이 있는 학습, 확장 학습이 가능하게 하였습니다.

❶ 개념 잡기 갈래별 핵심 개념을 한눈에 정리합니다!

• **갈래 기본 개념**

앞으로 배울 고전 산문과 고전 시가에서 알아두어야 할 기본 개념을 학습할 수 있습니다. 갈래별 기본 개념을 미리 정리해 두면 앞으로 작품들을 이해하는 데 도움이 됩니다.

❷ 작품 미리 보기

산문 작품 전문(全文) 읽기의 부담은 줄이되, 작품 내용은 충분히 이해할 수 있게 하였습니다!

시가 주제별로 고전 시가 작품을 엮어 이해도를 높이도록 하였습니다!

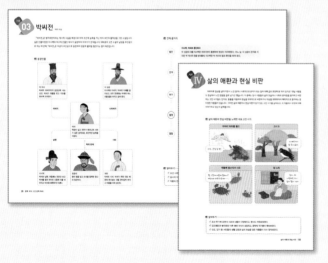

• **등장인물 / 전체 줄거리**

산문은 작품의 핵심 인물에 대한 설명과 각 구성 단계별 중심 내용을 바탕으로 한 자세한 전체 줄거리를 통해 작품 전체의 내용을 쉽게 이해할 수 있습니다.

• **주제별 대표 고전 시가**

시가는 주제별로 작품을 엮어 안내하고 작품의 핵심 내용을 보여주는 한 컷 만화를 통해 작품을 쉽게 기억할 수 있습니다.

• **알아두기**

작품과 관련하여 알아둘 필요가 있는 포인트를 제시하여 작품 이해에 도움이 되도록 하였습니다.

❸ 작품 살펴보기 내신과 수능에서 다루는 대표 작품들을 한발 앞서 살펴봅니다.

- **작품**

  중고등 교과서 수록 작품, 수능 및 모의평가 기출 작품 등 반드시 알아 두어야 할 필수 작품들을 학습할 수 있습니다.

- **문제**

  실제 수능에 출제되는 유형의 문제들을 풀어 보며 문학 독해력을 기를 수 있습니다.

- **어휘**

  관용어, 속담, 한자 성어 등을 익힐 수 있는 어휘 문제를 풍부하게 수록했습니다.

- **개념+**

  문제와 연관된 문학 개념을 익히며 문학 실력을 탄탄하게 다질 수 있습니다.

고전 시가 특화 구성
어렵게 느낄 수 있는 고전 시가를 쉽게 이해할 수 있도록 단계를 주어 구성하였습니다.

- **독해 연습** 현대어로 풀어 읽기-시적 상황 파악하기-시어의 의미/표현 방법 파악하기 등의 단계에 따라 고전 시가 독해법을 터득할 수 있습니다.
- **실전 확인** 독해 연습 후 실제 출제 유형의 실전 문제를 풀어볼 수 있게 하여 체계적으로 고전 시가를 학습할 수 있습니다.

❹ 확장하기 작품 이해와 더불어 배경지식을 쌓을 수 있습니다.

- **작품 독해**

  작품의 핵심 내용을 바탕으로 작품을 분석하고 정리하며 문학 독해 방법을 자연스럽게 익힐 수 있습니다.

- **깊이 읽기**

  작품의 시대·사회적 배경, 주제 또는 작가와 관련된 배경지식을 제시하여 확장 학습이 가능합니다.

고전
산문

• 갈래 기본 개념

갈래 기본 개념

▣ 설화

(1) 개념
한 민족 사이에서 입에서 입으로 전해 내려 온 이야기로 신화, 전설, 민담을 아우르는 말.

(2) 분류
- 신화: 신적 존재의 업적을 다루거나 자연이나 사회 등 어떠한 현상의 근원을 설명하는 이야기.
- 전설: 옛날부터 민간에서 전하여 내려오는 이야기로, 공동체의 내력이나 자연물의 유래·이상한 체험 따위를 소재로 하며, 그 내용과 관련된 증거물이 있고 인간이 사건과 행위의 주체가 됨.
- 민담: 예로부터 민간에 전하여 내려오는 이야기로, 신화의 신성성과 위엄성, 전설의 신빙성과 역사성 등이 배제되고 흥미 위주로 꾸며진 이야기.

(3) 대표 작품
단군 신화, 주몽 신화, 박혁거세 신화, 도미 설화, 온달 설화 등

▣ 고전 소설

(1) 개념
설화를 바탕으로 조선 시대에 생겨난 산문 문학의 한 종류로, 갑오개혁 이전까지 창작된 옛 소설.

(2) 특징
- 주제: '권선징악'과 '인과응보'가 주류를 이루며 대체로 행복한 결말로 끝맺음.
- 인물: 주인공은 영웅적 인물과 일상적 인물의 두 부류로 나누어지며, 대부분의 소설에서 선악의 대결 구도가 나타남.
- 배경: 평민 소설과 박지원이 쓴 한문 소설의 배경은 주로 우리나라이지만, 양반층에서 좋아한 소설은 중국을 배경으로 한 경우가 많음.

(3) 유형

영웅·군담 소설	• 개념: 영웅적인 능력을 갖춘 주인공이 전쟁에서 큰 활약을 하고 나라를 위기에서 구한다는 내용의 소설. • 명칭: 영웅적 능력을 지닌 주인공의 일대기를 다룬 소설인 '영웅 소설'과 전쟁을 배경으로 주인공의 활약상을 그린 소설인 '군담 소설'이 합쳐져 만들어진 유형임. • 구조: 영웅의 일대기를 그린 소설로, 다음과 같은 보편적인 구성을 따르는 경우가 많음. 고귀한 신분을 가진 주인공의 기이한 출생 → 유년기의 비범한 능력 → 부모와의 이별 등 어린 시절의 고난(개인적 고난) → 조력자의 도움으로 고난 극복 → 성장 후의 고난(국가적 고난) → 개인의 능력으로 고난 극복 → 성공 • 대표 작품: 유충렬전, 소대성전, 조웅전, 임경업전, 박씨전 등

판소리계 소설	• 개념: 조선 후기 민중들 사이에 구전되던 판소리 사설이 문자로 정착되면서 만들어진 소설. • 형성: 지역별로 전해지던 여러 근원 설화가 판소리 사설로 만들어진 후에 다시 소설로 정착된 것임. • 표현: 운문체와 산문체가 섞어 쓰이고, 생생한 의성어와 의태어가 많이 사용되는 등 판소리 사설의 흔 적이 남아 있는 표현이 사용됨. • 대표 작품: 춘향전, 흥부전, 심청전, 토끼전 등
애정 소설	• 개념: 남녀 간의 사랑을 주된 내용으로 하는 소설. • 결말: 행복한 결말을 선호하는 우리 고전 문학의 특징상 남녀가 사랑의 결실을 맺는 결말이 주를 이루 나 가끔 주인공들의 죽음으로 끝을 맺는 비극적 결말도 있음. • 대표 작품: 이생규장전(김시습), 운영전, 숙향전, 춘향전
풍자 소설	• 개념: 우회적인 방법으로 당대 사회에 대한 비판이나 특정 계층에 대한 비판을 담은 소설. • 내용: 인간 사회의 그릇된 가치관이나 봉건 사회의 모순, 양반 계층의 허위 등을 고발함. • 표현: 해학적인 표현을 통해 비판을 우회적으로 드러내는 경우가 많음. • 대표 작품: 이춘풍전, 양반전(박지원), 허생전(박지원)

■□ 고전 수필

(1) 개념

고려 시대부터 조선 후기까지 창작된 자유로운 형식의 글.

(2) 특징

생각이나 느낌을 형식이나 내용에 구애받지 않고 자유롭게 쓴 글로, 한문 작품으로 시작되어 임진왜란과 병자호
란 이후 일기, 서간, 기행, 야담, 전기 등 다양한 형태로 창작되었고, 순 한글로도 쓰였음.

(3) 대표 작품

이옥설(이규보), 규중칠우쟁론기, 조침문(유씨 부인), 수오재기(정약용) 등

■□ 판소리

(1) 개념

• 음악(창), 문학(아니리), 연극적 요소(발림)가 결합되어 형성된 종합 예술 양식.
• 노래하는 사람(창자)이 북 치는 사람(고수)의 장단에 맞추어 창(음악)과 아니리(이야기하듯 엮어 나가는 사설)를
  엮어 발림(몸짓이나 손짓)을 곁들이며 구연함.

(2) 특징

• 주로 평민들의 현실적인 생활을 그리고 있음.
• 익살스러운 표현으로 웃음을 주며, 현실의 문제를 해학적 · 풍자적으로 그려냄.

(3) 대표 작품

흥보가, 춘향가, 심청가, 적벽가, 수궁가

01 주몽 신화 | 작자 미상

「주몽 신화」는 고구려를 건국한 주몽의 생애를 다룬 건국 신화입니다. 고귀한 혈통을 지닌 주몽은 알에서 태어나 여러 시련을 이겨 내고 나라를 세우게 됩니다. 이 작품은 주몽이 고구려를 세웠다는 역사적 사실에 토대를 둔 이야기이면서 신화적 상상력을 결합하여 고구려 건국에 신성성을 부여하고 있습니다.

등장인물

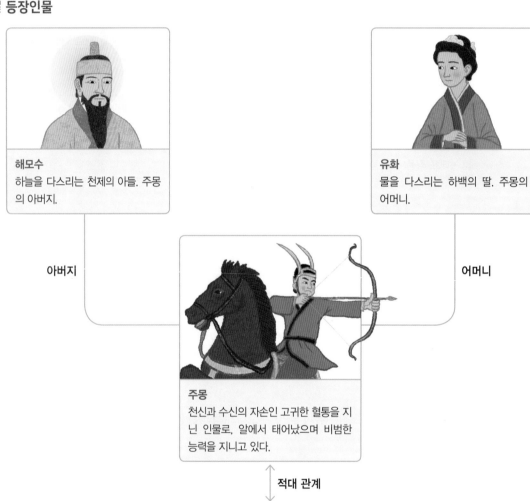

해모수
하늘을 다스리는 천제의 아들. 주몽의 아버지.

유화
물을 다스리는 하백의 딸. 주몽의 어머니.

아버지

어머니

주몽
천신과 수신의 자손인 고귀한 혈통을 지닌 인물로, 알에서 태어났으며 비범한 능력을 지니고 있다.

적대 관계

대소
금와왕의 맏아들. 주몽의 능력을 따라가지 못해 시기하여 주몽을 없애려 한다.

🕮 전체 줄거리

기

하늘의 계시로 부여가 천도하고, 금와왕과 유화가 만나다

아들이 없던 부여의 왕 해부루는 곤연에서 금와를 발견하여 태자로 삼는다. 그 후 해부루왕은 하느님의 자손이 나라를 세우게 될 것이니 동쪽으로 옮겨 가라는 계시를 듣고, 도읍을 옮기고 동부여라고 한다. 부여가 있던 땅은 하느님의 아들이라고 하는 해모수가 나라를 세운다. 해부루가 죽고 왕위에 오른 금와왕은 어느 날 천제의 아들 해모수와 인연을 맺어 집에서 쫓겨난 하백의 딸 유화를 만나고 그녀를 궁으로 데려온다.

승

주몽, 알에서 태어나다

유화는 햇빛을 받고 잉태하여 알을 낳는다. 금와왕은 알을 버리고 깨뜨리려 했으나 실패한다. 알에서 태어난 아이는 생김새가 준수하고 비범하였으며 일곱 살이 되었을 때 스스로 활을 만들어 쏘았는데 그 솜씨가 남달랐다. 그래서 사람들은 그 아이를 활 잘 쏘는 사람을 뜻하는 '주몽'이라고 불렀다.

전

주몽, 물고기와 자라 떼의 도움으로 위험을 피하다

주몽은 능력이 뛰어나 그 누구도 그의 재주를 따라갈 수 없었다. 이에 금와왕의 아들들이 그를 시기하여 해치려 하자 유화는 주몽에게 떠나라고 하고, 주몽은 오이·마리·협보와 함께 동부여를 떠난다. 병사들이 주몽을 붙잡기 위해 뒤쫓아 왔지만 물고기와 자라 떼의 도움으로 위험을 피한

결

주몽, 고구려를 세우다

졸본천에 이른 주몽은 나라를 세우고 나라 이름을 '고구려'라 하였으며 '고'씨를 성씨로 삼았다.

🕮 알아두기

- ☑ 금와왕 시기의 동부여와 고구려의 도읍인 졸본을 배경으로 하고 있다.
- ☑ 알에서 신성한 존재(임금)가 탄생한다는 난생 설화로, 박혁거세·김알지·수로왕 등의 다른 탄생 신화에서도 이러한 난생과 관련한 이야기가 나타난다.
- ☑ 고귀한 혈통을 지닌 주인공이 기이하게 태어나 고난 끝에 위업을 달성하는 영웅 일대기의 서사 구조를 갖추고 있다.

01 주몽 신화

해모수와 인연을 맺은 유화가 햇빛을 받아 잉태하여 알을 낳고 그 알에서 후에 고구려를 건국한 주몽이 태어나는 상황이다.

고구려의 시조인 동명성왕은 성이 고씨고, 이름은 주몽이다.

주몽이 고구려를 세우기 전이었다. 부여에 해부루라는 늙은 왕이 있었는데 아들이 없었다. 그는 아들을 낳게 해 달라고 산이나 강의 신에게 자주 제사를 드렸다. 하루는 곤연이라는 물가에 이르렀는데 그가 탄 말이 큰 돌을 보고 눈물을 흘렸다. 왕은 너무도 이상해서 사람을 불렀다.

"돌을 치워 보아라." / 아랫사람들이 힘을 합쳐 돌을 굴리자 그 밑에서 어린아이가 울고 있었다. 그런데 아이는 신기하게도 금빛 개구리 같았다.

"이 아이는 틀림없이 하늘이 나에게 주신 아들일 것이다."

왕은 아이를 안고 몹시 기뻐했다.

왕은 아이를 궁궐로 데리고 와서 길렀다. 생김새가 금빛 개구리 같다고 해서 금와라는 이름을 붙였다. 세월이 흘러 아이가 장성하자 왕은 금와를 태자로 삼았다.

그 뒤 재상 아란불이 왕께 아뢰었다.

"어느 날, 하느님이 ㉠꿈에 나타나 '앞으로 내 자손에게 여기에 나라를 세우게 할 것이다. 동쪽 바닷가에 있는 가섭원이라는 곳은 땅이 기름져서 농사짓기에 좋아 도읍지로 정할 만하니 너희는 그 곳으로 옮겨 가라.'고 말씀하셨습니다."

해부루왕은 아란불의 말을 따라 도읍을 옮겼다. 동쪽에 있는 부여라고 해서 나라 이름을 '동부여'라고 했다. 부여가 있던 땅은 스스로를 하느님의 아들이라고 하는 해모수가 차지하고 그곳에 나라를 세웠다. 그가 어디서 왔는지는 알 수 없었다.

해부루가 죽자 금와가 왕위에 올랐다. / 어느 날, 금와왕은 태백산 남쪽에 있는 강가에 나갔다가 어떤 여자를 만났다. / "누구신데 이런 곳에 혼자 계시오?"

"저는 하백의 딸 유화입니다. 동생들과 물가에서 놀고 있었는데 자신이 천제의 아들 해모수라고 하는 사람이 나타나 듣기 좋은 말로 꾀었습니다. 그런데 웅심산 근처 압록수 강변에 있는 집에 함께 가서 잠시 인연을 맺고는 도망치듯 가 버렸습니다. 그 뒤 저는 허락도 없이 남자를 만났다고 아버지에게 쫓겨났습니다."

금와왕은 이상히 여겨 유화를 데려다가 궁궐 방에 가두어 두었다. 그런데 햇빛이 유화를 비추더니, 그녀가 피해도 자꾸 따라다녔다. 그로 인해 유화는 아이를 가졌는데 낳고 보니 큰 알이었다. / 왕은 유화가 낳은 알을 버리라고 했다. 신하들이 알을 개와 돼지에게 주었지만 짐승들이 먹지 않았다. 이번에는 길에 버렸는데 소와 말이 밟지 않고 피해 갔다. 나중에는 들에 버렸더니 새가 날개로 품어 주었다. 이상한 일이라고 생각해서 다시 가지고 온 알을 쪼개 보려고 했지만 쪼개지지 않았다. / 금와왕은 어쩔 수 없이 알을 유화에게 돌려주었다. 어머니 유화가 알을 잘 싸서 따뜻한 곳에 두었더니 사내아이가 껍데기를 깨뜨리고 나왔다. 아이는 생김새가 준수하고 여느 아이들과는 달랐다.

* 시조 한 겨레나 가계의 맨 처음이 되는 조상.
* 장성 자라서 어른이 됨.
* 도읍 한 나라의 중앙 정부가 있는 곳.
* 천제 우주를 창조하고 주재한다고 믿어지는 초자연적인 절대자. 하느님.
* 준수하다 재주와 슬기, 풍채가 빼어나다.

1 윗글에 대한 설명으로 적절하지 <u>않은</u> 것은?

① 나라를 세운 건국 시조의 이야기이다.

② 하늘을 숭배하는 사상이 반영되어 있다.

③ 초월적이고 신성한 존재를 주인공으로 하고 있다.

④ 특정한 소재가 증거로 제시되며 이야기가 전개된다.

⑤ 여러 가지 일화를 통해 인물의 신성성을 부각하고 있다.

개념 ✚ 설화의 종류
• 신화: 신적인 존재의 업적을 다루거나 자연이나 사회 등 어떠한 현상의 근원을 설명하는 이야기이다.
• 전설: 특정 지역이나 구체적인 사물 혹은 비범한 인물의 업적 등을 다루는 이야기. 인간이 사건과 행위의 주체가 되며 구체적인 증거물이 제시된다.
• 민담: 일상적인 인물을 내세워 흥미를 주는 허구적 이야기로 민족과 지역을 초월하여 전승된다.

수능형

2 〈보기〉를 바탕으로 하여 윗글을 감상한 내용으로 적절하지 <u>않은</u> 것은?

> ┤ 보기 ├
>
> 「주몽 신화」에서 주몽은 물의 신 하백의 딸인 유화가 햇빛을 받고 잉태한 알에서 태어난다. 이것은 주몽이 태양의 정기를 받고 태어났음을 드러내며 천신의 자손임을 나타낸다. 이를 통해 이 알에서 태어난 존재의 신성하고 비범한 면모가 부각되는 것이다. 한편 알을 대하는 태도가 대비되는데, 이 알의 비범함을 알아보는 존재는 이를 신성하게 대하는 반면 그렇지 않은 자들은 이 알을 부정시하는 태도를 보인다.

① 햇빛이 비추어 유화가 아이를 가진 것은 주몽이 하늘의 자손임을 나타내는군.

② 금와왕이 유화가 낳은 알을 버리라고 하는 데서 알을 부정시하는 태도를 짐작할 수 있군.

③ 알을 소와 말이 밟지 않고 피해 간 것은 알에서 나올 존재가 신성한 존재임을 암시하는군.

④ 주몽은 하늘의 신과 물의 신의 후손으로 하늘과 물의 신비한 조화로 탄생하였다고 볼 수 있겠군.

⑤ 주몽이 알을 깨뜨리고 나오는 것은 신성한 존재에서 인간적 존재로 성격이 변모함을 보여 주는군.

3 ㉠의 기능으로 가장 적절한 것은?

① 과거 사건의 내용을 제시한다.　② 인물의 성격 변화를 유도한다.

③ 인물이 해야 할 일을 알려 준다.　④ 인물과 인물 사이의 갈등을 유발한다.

⑤ 인물과 인물 사이의 화해를 매개한다.

비범한 능력을 지닌 주몽을 시기하는 금와왕의 왕자들이 주몽을 죽이려 해 주몽이 동부여를 떠나고, 위기를 극복하고 고구려를 건국하는 상황이다.

일곱 살이 되었을 때는 스스로 활과 화살을 만들어 쏘았는데 백발백중*이었다. 부여 사람들은 활 잘 쏘는 사람을 '주몽'이라고 했기 때문에 아이를 주몽이라고 불렀다.

금와왕은 아들이 일곱이었다. 왕자들은 늘 주몽과 함께 놀았는데 누구도 주몽의 재주를 따라갈 수 없었다. 어느 날, 맏아들 대소가 왕에게 말했다.

"주몽은 사람의 아들이 아닙니다. ㉠나중에 무슨 일이 있을까 두렵습니다. 그를 없애 버려야 합니다."

태자의 말에 금와왕은 아무 대꾸도 하지 않았다. 대신 주몽에게 말 기르는 천한 일을 맡겼다. 주몽은 잘 달리는 말은 먹이를 적게 주어 야위게 하고, 둔한 말은 잘 먹여 살찌게 했다. 왕은 살찐 말은 자신이 타고, 야윈 말은 주몽에게 주었다.

어느 날, 금와왕이 왕자들과 사냥에 나섰다. 주몽도 데리고 갔는데 주몽에게는 일부러 화살을 조금 주었다. 그러나 주몽이 잡은 짐승이 훨씬 많았다. 두려움을 느낀 왕자들은 그 뒤 주몽을 죽일 기회만 엿보았다.

주몽의 어머니 유화는 왕자들이 아들을 해치려 한다는 것을 눈치채고 아들을 불렀다.

"왕자들이 너를 죽이려고 하는구나. 네 재주와 지혜라면 어딘들 못 살겠느냐? 빨리 도망치거라. 너는 하느님 아들의 아들임을 명심*해야 한다. 내 걱정은 말고 가서 네 뜻을 이루어라."

주몽은 곧 동부여를 떠났다. 오이·마리·협보, 세 친구가 따라 나섰다. 급히 말을 달리는데 앞에 강이 나타났다. 아래 위로 달려가 보았지만 어디에도 다리는 없었다. 왕자들이 보낸 추격군은 점점 다가오고 있었다. / 주몽은 강을 향해 외쳤다.

"나는 천제의 아들이요, 강의 신 하백의 외손자이다. 남쪽으로 나라를 세우러 가는 길인데, 나를 죽이려는 자들이 쫓아오고 있으니 어찌하면 좋으냐?"

말을 마치자 물고기와 자라 떼가 물 위로 떠올라 다리를 만들었다. 주몽 일행이 강을 건너자 물고기와 자라가 곧 흩어지니 뒤를 따라오던 군사들은 말머리를 돌릴 수밖에 없었다.

주몽은 말을 달려 모둔곡이란 곳에 이르렀다. 거기서 세 사람을 만났는데 모두 옷차림이 이상했다. 한 사람은 삼베옷을 입었고, 한 사람은 누덕누덕 기운 옷을 입었고, 한 사람은 물풀*로 만든 옷을 입고 있었다. 다들 지혜로운 사람들 같았다.

주몽은 절을 하며 입을 열었다.

"나는 하늘의 명을 받아 나라를 세우려고 왔습니다. 마침 이렇게 어진 세 분을 만났으니 하늘이 제게 보내 준 분들인 것 같습니다."

주몽은 이들과 함께 졸본천까지 내려왔다. 그 곳은 산이 험하고 땅은 기름졌다. 한 나라의 도읍으로 삼을 만한 곳이었다. 주몽은 미처 궁궐은 짓지 못하고 풀로 엮어 집을 짓고 나라를 열었다. 지혜로운 세 사람에게 각각 일을 맡기고, 나라 이름을 '고구려'라 하고, 나라 이름을 따라 성도 '고'씨로 하였다.

* 백발백중 백 번 쏘아 백 번 맞힌다는 뜻으로, 총이나 활 따위를 쏠 때마다 겨눈 곳에 다 맞음을 이르는 말.
* 명심 잊지 않도록 마음에 깊이 새겨 둠.
* 물풀 물속이나 물가에 자라는 풀.

4 윗글의 내용과 일치하지 <u>않는</u> 것은?

① '주몽'은 활을 잘 쏘아서 얻은 이름이다.

② 주몽은 금와왕의 왕자들보다 사냥 실력이 우수했다.

③ 유화는 왕자들의 생각을 눈치채고 주몽에게 떠날 것을 권유했다.

④ 주몽은 모둔곡에서 만난 지혜로운 사람들과 함께 나라를 세웠다.

⑤ 주몽은 완만한 산 지역을 도읍으로 정하고 궁궐을 화려하게 지어 새로운 나라를 열었다.

수능형

5 〈보기〉는 '영웅의 일대기적 서사 구조'를 나타낸 것이다. 이를 바탕으로 윗글을 감상한 내용으로 적절하지 <u>않은</u> 것은?

보기

고귀한 혈통 → 기이한 출생 → 비범한 능력 → 위기와 시련 → 조력자의 도움으로 위기 극복 → 위업 달성

① 일곱 살 때부터 백발백중의 뛰어난 활 실력을 보인 것은 주몽의 비범한 능력을 보여 주는 것이겠군.

② 주몽에게 두려움을 느낀 왕자들이 주몽을 죽이려 하는 것은 위기와 시련에 해당한다고 볼 수 있겠군.

③ 주몽이 동부여를 떠날 때 따라 나선 오이·마리·협보는 주몽이 위기를 극복할 수 있게 한 조력자라 할 수 있겠군.

④ 물고기와 자라 떼가 왕자들의 추격군에게 쫓기는 주몽을 도운 것은 주인공의 고귀한 혈통과 관계있겠군.

⑤ 주몽이 졸본천에 내려와 고구려를 세운 것은 위업을 달성한 것이라고 할 수 있겠군.

어휘

6 ㉠에 담긴 의도를 한자 성어로 나타낼 때, 가장 적절한 것은?

① 결자해지(結者解之)　　　　② 살신성인(殺身成仁)

③ 유비무환(有備無患)　　　　④ 학수고대(鶴首苦待)

⑤ 화룡점정(畫龍點睛)

작품
독해

1 '영웅의 일대기적 서사 구조'를 중심으로 이 작품의 내용을 정리해 보자.

고귀한 혈통을 지님.	천제의 아들 해모수와 물의 신 하백의 딸인 유화 사이에서 태어남.
기이하게 출생함.	유화가 햇빛을 받고 잉태하여 낳은 (①)에서 태어남.
어려서 버림받음.	금와왕이 알을 버리게 하였으나, 새와 짐승들이 알을 보살펴 줌.
비범한 능력을 지님.	어린 나이에도 백발백중의 뛰어난 (②) 솜씨를 갖추었고 사냥을 잘했으며, 좋은 말을 알아보는 지혜로움도 갖춤.
위기에 처함.	주몽의 능력을 시기하는 금와왕의 왕자들에게 쫓기다가 강에 가로막힘.
조력자의 도움으로 위기를 극복함.	(③)와 자라가 다리를 만들어 주어 무사히 강을 건넘.
위업을 달성함.	고구려를 건국함.

2 이 작품의 주제를 바탕으로 「주몽 신화」의 의의를 생각해 보자.

주몽의 탄생과 (④)의 건국

천손의 고귀한 혈통을 지닌 신성한 존재인 (⑤)이 비범한 능력으로 위기와 시련을 극복하고 고구려를 건국하는 이야기를 통해 고구려 건국에 정당성을 부여하고 고구려 사람들에게 민족적 자부심과 긍지를 심어줌.

어휘

제시된 초성을 참고하여 다음 뜻에 해당하는 어휘를 써 보자.

1. ㅈ ㅅ : 자라서 어른이 됨.　　　　　　　　　　　　　　　→ _____

2. ㅈ ㅅ 하다: 재주와 슬기, 풍채가 빼어나다.　　　　　　　→ _____

3. ㅂ ㅂ ㅂ ㅈ : 백 번 쏘아 백 번 맞힌다는 뜻으로, 총이나 활 따위를 쏠 때마다 　→ _____
겨눈 곳에 다 맞음을 이르는 말.

깊이읽기 ✓

건국 신화에 대해 알고 싶어요.

　청동기 시대에 고대 국가가 세워지면서 많은 건국 신화들이 탄생하였는데, 고조선의 「단군 신화」·고구려의 「주몽 신화」·가야의 「가락국기」 등이 이러한 건국 신화입니다. 건국 신화는 나라가 세워진 내력을 밝히고 나라를 세운 인물을 신성시한 이야기로, 나라를 세운 인물 즉 주인공이 신성한 존재로 표현되는 것이 중요한 특징입니다. 나라를 세운 인물은 신이거나 신의 후손으로, 그 혈통부터 비범하고 고귀합니다.

　「주몽 신화」에서 주몽이 천제의 아들인 해모수와 물의 신 하백의 딸인 유화에게서 태어난 것처럼, 다른 건국 신화의 주인공들 역시 고귀하고 신성한 혈통을 지니고 있습니다. 「단군 신화」의 단군은 신의 후손으로, 단군의 아버지는 위대한 천신이자 하느님인 '환인'의 아들 '환웅'입니다. 풍백, 우사, 운사를 거느리고 지상 세계에 내려온 환웅이 웅녀와 혼인하여 단군이 태어나게 됩니다. 가야의 시조인 수로왕의 탄생에 얽힌 이야기인 「가락국기」에서도 이러한 특징이 나타나 있습니다. 수로왕은 하늘에서 내려온 해처럼 둥근 황금 알에서 태어났으며 태어난 지 십여 일 만에 신장이 아홉 자나 되었습니다.

　신성한 혈통을 지닌 이들은 보통 사람과는 다른 초월적 능력을 지니고 있습니다. 이러한 건국 신화는 시조의 신성성을 강조하여 국가 구성원들의 결속력을 강화하고 집단의 자긍심을 높이는 역할을 했을 것으로 추측할 수 있습니다. 또한 건국 시조의 후손으로서 그 시조가 세운 땅에서 살아가고 있는 현재의 국가 구성원들 역시 자부심과 긍지를 가질 수 있었을 것입니다.

▲ 고구려 고분 벽화-무용총 수렵도

간단 확인

1. 건국 신화는 나라를 세운 인물의 신성성을 강조한다.　　　　　　　　○ ⊗

2. 알에서 신성한 존재가 태어나는 내용은 「주몽 신화」에서만 찾아볼 수 있는 특징이다.　○ ⊗

02 이생규장전 | 김시습

「이생규장전」은 죽음을 초월한 남녀 간의 애절한 사랑을 그린 고전 소설입니다. 이생과 최 여인은 당시 유교적 관습에서 벗어나 자유연애를 하다 부모님의 반대로 시련을 겪지만 이를 이겨 내고 사랑을 이룹니다. 하지만 홍건적의 난으로 최 여인이 갑자기 죽어 그들은 다시 이별을 하게 됩니다. 삶과 죽음을 초월한 사랑을 통해 개인과 세계의 갈등 관계를 형상화하고 있는 작품입니다.

등장인물

이생의 부모
이생과 최 여인의 혼인을 반대하였으나, 최 여인 부모의 설득으로 혼인을 허락한다.

최 여인의 부모
이생의 부모를 설득하여 이생과 최 여인이 혼인할 수 있도록 돕는다.

이생
소극적이고 유약한 인물이지만, 최 여인에 대한 지고지순한 사랑을 간직하고 있다.

사랑하는 사이

최 여인
적극적으로 행동하며, 홍건적의 위협에도 곧은 절개를 지키는 의지적인 인물로, 이생을 깊이 사랑한다.

홍건적
최 여인을 죽인다.

발단

이생과 최 여인, 사랑에 빠지다

송도에 사는 이생은 어느 봄날 서당에 다녀오던 중 선죽리 최 씨 집 나무 밑에서 쉬다가 우연히 담 너머로 아름다운 최 여인을 보게 된다. 이생과 최 여인은 서로 시를 주고받으며 마음을 확인하고 사랑에 빠진다.

전개

부모의 반대를 극복하고 혼인하다

이생 아버지의 반대로 이생과 최 여인은 헤어지고 이생은 아버지의 명령에 굴복하여 지방으로 내려간다. 최 여인은 이 사실을 알고 상사병에 걸리고, 부모님께 이생이 아니면 혼인하지 않겠다는 뜻을 알린다. 이에 최 여인의 부모는 이생의 부모를 설득하여 두 사람을 혼인시킨다.

위기

홍건적의 난으로 최 여인이 죽게 되다

홍건적의 난이 일어나고, 이생은 도망쳐 간신히 목숨을 보전했으나 최 여인은 정조를 지키다가 홍건적의 손에 죽임을 당한다.

절정

죽은 최 여인이 돌아오다

이생이 가족의 생사를 알 수 없어 슬퍼하던 중, 죽은 최 여인이 현신하여 이생과 재회한다. 이생과 최 여인은 항상 함께하며, 서너 해 동안 행복하게 산다.

결말

이생과 최 여인, 영원히 이별하다

최 여인은 저승길의 운수는 피할 수가 없기에 오랫동안 인간 세상에 머물러 있을 수 없다고 하며 이생에게 영원한 이별을 고한다. 최 여인이 떠난 뒤, 이생은 자신의 유골을 거두어 장사 지내 줄 것을 부탁한 최 여인의 유언에 따라 장사를 지내 주고 이내 자신도 병들어 세상을 떠난다.

🍃 알아두기

- ☑ 고려 공민왕 때 홍건적의 난이 일어난 시기를 배경으로 하는 이야기이다.
- ☑ 「이생규장전」은 '이생이 담장 안을 엿보는 이야기'라는 의미로, 이생이 최 여인 집의 담장 안을 엿보면서 이생과 최 여인의 사랑 이야기가 시작된다.
- ☑ 이 작품을 지은 김시습은 생육신 중 한명으로, 수양 대군이 단종을 내몰고 왕위에 오르자 벼슬에 오르지 않고 전국을 방랑하며 절개를 지켰고 우리나라 최초의 한문 소설집인 『금오신화』를 지었다.

02 이생규장전

발단 전개 위기 절정 결말

홍건적의 난이 일어나 죽임을 당한 최 여인이 현신하여 이생과 재회하는 상황이다.

    고려 공민왕 10년(1361)인 신축년에 홍건적이 서울 개성을 점거하자 임금은 복주로 피난을 갔다. 적들은 집을 불태우고 사람과 가축을 죽이고 잡아먹었다. 백성들은 부부끼리도 혹은 친척끼리도 서로를 보호하지 못하고 이리저리로 달아나 숨어서 제각기 자기 살기를 꾀하는 형편이었다. / 이생은 가족을 데리고 궁벽한* 산벼랑에 숨었다. 그런데 한 도적이 칼을 빼어 들고 이생 가족의 뒤를 쫓아왔다. 이생은 내달려서 겨우 모면하였으나 부인은 도적에게 사로잡히고 말았다. 도적이 부인을 겁탈하려 하자 여인은 크게 꾸짖었다.

    "호귀야, 나를 죽여 씹어 먹어라. 차라리 죽어서 승냥이와 이리의 뱃속에 들어갈망정, 어찌 개돼지와 같은 놈의 배필이 되겠느냐?" / 도적은 노하여 여인을 죽이고 살을 발라내었다.

    이생은 긴 풀이 우거져 있는 들에 숨어서 간신히 남은 목숨을 보전하였다. 한참 뒤 도적이 이미 소멸했다는 소식을 듣고는 이생은 부모님이 사시던 옛집을 찾아갔다. 그러나 그 집은 이미 불에 타 버리고 없었다. 다시 이생은 여인의 집에 가 보았다. 거기에는 행랑채만 휑하게 남았고 집 안에는 쥐가 찍찍거리고 새들이 지저귀고 있었다.

    이생은 슬픔을 이기지 못하여 작은 누각*에 올라가서 눈물을 훔치며 길게 탄식을 하였다. 어느새 날이 저물었으나 그는 우두커니 홀로 앉아 있었다. 지난날 노닐던 일을 가만히 생각해 보니 완연히 한바탕 꿈이었다.

    이경*이 거의 되었을 무렵, 달은 희미한 빛을 토하여, 그 빛이 지붕과 들보를 비추었다. 그 때였다. 멀리 낭하*에서 발자국 소리가 차츰 들려왔다. 그 소리는 먼 데서부터 차차 가까워졌다. 다 이르러 왔구나 싶을 때 보니 그것은 바로 최 여인이었다.

    이생은 그녀가 이미 죽었다는 사실을 잘 알고 있었다. 하지만 그는 그녀를 너무나 사랑하였다. 그렇기 때문에 그녀의 존재를 의심하거나 괴이하게 여기지 않았다. 그래서 대뜸 물었다.

    "어디로 피란하여 목숨을 보전하였소?"

    여인은 이생의 손을 움켜잡고 한바탕 통곡하더니, 이내 사정을 차례차례 이야기하였다.

    "저는 본디 양가의 딸입니다. 어려서부터 어버이의 가르침을 받들어, 자수와 재봉과 같은 일에 힘쓰고, 시(詩)·서(書)와 인의(仁義)의 방도를 배웠습니다. 오로지 규문(閨門)*의 법도만 알았으니, 규문의 경역* 바깥에서 배워야 할 일들을 어찌 알았겠습니까? 그런데 그대께서 붉은 살구꽃이 핀 담장 안을 한번 엿보시자 저는 스스로 푸른 바다에서 캐어 올린 구슬을 드렸지요. 꽃 앞에서 한번 웃고는 평생의 은혜를 맺었고, 휘장 속에서 거듭 만나서는 백년해로한 경우보다 정분이 더하였습니다. 말이 여기에 미치게 되니 너무도 슬프고 너무도 부끄럽군요. 슬픔과 부끄러움을 어이 이기겠습니까!

    저는 장차 그대와 함께 전원의 거처로 돌아가 백 년을 함께 늙으려 하였는데, 어찌 생각이나 했겠습니까. 뜻밖에도 갑자기 꺾이어 구렁에 몸뚱이가 구르게 되다니요! 하지만 끝내 이리와 시랑* 같은 놈에게 몸을 내맡기지 않고, 진흙탕에서 육신이 찢김을 스스로

택하였어요. 그건 정말로 천성이 그렇게 한 것이지, 사람의 정으로는 차마 할 수 있는 일
이 아니었지요."

1 최 여인에 대한 설명으로 적절하지 <u>않은</u> 것은?

① 첫 만남부터 이생에게 마음이 있었다.

② 예상치 않게 도적을 만나 죽임을 당하였다.

③ 도적 떼에게 위협을 당하면서도 정절을 지켰다.

④ 어려서부터 양갓집 여인이 지켜야 하는 법도를 배웠다.

⑤ 부모님의 뜻에 따라 이생을 만나 평생을 함께 늙으려 하였다.

수능형

2 〈보기〉를 바탕으로 할 때, '전기 소설'의 특징을 고려하여 윗글을 감상한 내용으로 가장
적절한 것은?

보기

　'전기'는 '기이한 것을 전한다'라는 뜻이다. 우리나라의 전기 소설은 기이한 사건을 다루고
있지만 이러한 비현실적인 사건은 단순히 재미만을 목적으로 하지는 않는다. 그것을 통해 현
실의 벽을 넘기도 하고 현실의 문제를 우회적으로 비판하며 인생에 관한 다양한 문제를 그리
고 있다. 「이생규장전」, 「만복사저포기」 등 『금오신화』에 실린 다섯 편의 소설은 우리나라의 대
표적인 전기 소설이다.

① 배경이 되는 서울 개성은 전기적인 성격을 강조하기 위한 공간이다.

② 최 여인이 도적에게 죽임을 당한 것은 유교적 사회를 비판하기 위한 것이다.

③ 고려 공민왕 때를 배경으로 한 것은 소설의 비현실성을 강조하기 위한 것이다.

④ 죽은 최 여인이 다시 살아난 것은 현실의 벽을 넘어선 사랑을 이야기하기 위한 것이다.

⑤ 죽었음에도 다시 나타난 최 여인의 존재를 이생이 괴이하게 여기지 않는 것은 소설의
재미만을 고려한 것이다.

개념 ✚ 전기적 요소

전기적 요소란 고전 소설에
서 자주 볼 수 있는 비현실
적인 요소를 의미한다. 사람
의 능력으로는 불가능한 도
술을 사용하거나 귀신이나
선녀와 같은 영적인 존재가
등장하는 것, 혹은 천상계나
용궁과 같은 상상 속의 공간
이나 인물들이 제시되는 것
등이 그것이다. 고전 소설에
서 전기적 요소는 해결하기
힘든 현실의 문제를 해결하
기 위한 수단으로 사용하거
나 인물의 영웅적인 면모를
구체화하기 위해, 혹은 남녀
의 인연을 필연적인 것으로
만들기 위해 사용한다.

어휘

3 윗글의 내용을 한자 성어를 활용하여 표현한 것으로 적절하지 <u>않은</u> 것은?

① 최 여인은 이생과 결혼해 '백년해로(百年偕老)'를 하려 하였다.

② 도적에게 쫓기던 이생은 '구사일생(九死一生)'으로 살아남을 수 있었다.

③ 죽은 줄 알았던 최 여인이 나타나자 이생은 '반신반의(半信半疑)'하였다.

④ 도적 떼의 침입으로 백성들은 가족들과 헤어져 '각자도생(各自圖生)'하였다.

⑤ 폐허가 된 누각에 우두커니 홀로 앉아 있던 이생은 지난날이 '일장춘몽(一場春夢)'으
로 느껴졌다.

발단—전개—위기—절정—결말

죽은 최 여인이 현신하여 이생과 행복한 나날을 보내는 상황이다.

"그러나 외진 골짝에서 한번 이별한 이후로, 끝내 짝을 잃고 외따로 날아가는 새의 신세가 된 것이 한스러웠습니다. 집도 없어지고 어버이도 돌아가셔서 고단한 혼백을 의지할 곳 없기에 서글프지만, 절의*는 귀중하고 목숨은 가벼우므로 쇠잔한 몸뚱이가 치욕을 면한 것만 다행이라고 여기지요. 누가 조각조각 찢어진 식은 재 같은 제 마음을 불쌍히 여겨 주겠습니까? 잘게 끊어진 썩은 창자를 그저 모아 두었을 따름이오라, 해골은 들판에 내던져졌고, 간담은 땅에 버려져 흙먼지를 덮어쓰고 있어요. 가만히 지난날의 즐거움을 헤아려 봅니다만, 오늘은 이렇게 서글프고 억울하군요.

이제 추연*이 피리를 불어 따스한 기운을 일으켰듯이 봄 절기가 적막한 골짜기에 돌아왔으니, 천녀(倩女)*의 혼이 이승으로 돌아왔듯이 저도 다시 이승으로 돌아오렵니다. 봉래산에서 일기(一紀)만에 만나자는 약속이 이미 단단히 맺어져 있고, 취굴*에서 삼생(三生)*의 향기도 물씬 일어나네요. 바로 이런 때에 그간 오래 떨어져 있어야 했던 정을 되살려서, 이전의 맹세를 결코 저버리지 않겠노라고 약속 드리지요. 그 기약을 잊지 않아 주신다면, 저는 끝까지 잘 지내고자 해요. 낭군께서는 그렇게 해 주시겠어요?"

이생은 기뻐하는 한편 또한 감격하여 말하였다. / "그건 정말 내가 바라는 바요."

두 사람은 다정하게 마주하여 속마음을 풀어놓았다. 그러다가 재산을 도적에게 약탈*당하지 않았는가 하는 일에 말이 미쳤다. 여인은 말하였다.

"하나도 잃지 않았어요. 아무 산의 아무 골짜기에 묻어 두었지요."

이생이 또 물었다. / "양쪽 집안 부모님의 해골은 어디에 있는지 아오?"

여인은 말하였다. / "아무 곳에 그냥 버려져 있는 상태입니다."

두 사람은 서로 쌓였던 이야기를 끝내고 자리에 드니 지극한 정이 예전과 같았다.

이튿날에 여인은 이생과 함께, 재물 묻어 둔 곳을 더듬어 찾아갔다. 과연 이생은 거기서 금은 여러 덩어리와 얼마간의 재물을 얻었다. 그들은 또 양쪽 집 부모의 해골을 수습하고 금과 재물을 팔아 각각 오관산 기슭에 합장하고는 나무를 심고 제사를 드렸는데, 하나하나 다 예를 극진히 갖추었다. / 그 뒤 이생도 역시 벼슬을 구하지 않고 최 여인과 함께 그곳에서 살았다. 그러자 피란을 나가 살던 노복들도 역시 제 발로 찾아왔다.

이생은 그 이후로는 인간사에 게을러졌다. 그래서 ㉠비록 친척과 빈객의 길흉사(吉凶事)에 하례*하고 조문*해야 하는 경우가 있더라도 문을 걸어 잠그고 밖에 나가지 않았다. 그는 항상 최 여인과 더불어 살며, 시구(詩句)를 지어 최 여인의 화답을 구하거나 최 여인이 지은 시에 화답하면서, 금슬이 좋아 화락*하게 지냈다. 그렇게 서너 해가 흘러갔다.

어느 날 저녁에 여인은 이생에게 말하였다. / "세 번이나 좋은 시절을 만났습니다만, 세상일은 어긋나기만 하네요. 즐거움을 다 누리기 전에 슬픈 이별이 갑자기 닥쳐오다니."

그렇게 말하고는 마침내 흑흑 울음을 터뜨렸다. 이생이 놀라 물었다.

"어찌 이러오?" / 여인은 대답하였다.

* 절의 절개와 의리를 아울러 이르는 말.
* 추연 중국 제나라의 철학자로, 피리를 불어 날씨를 따뜻하게 만들었다는 고사가 전해짐.
* 천녀 중국 당나라의 여인으로, 원치 않는 곳에 시집을 가게 되어 병이 들자, 영혼만 사랑하는 사람에게로 가서 함께 살았다고 함.
* 취굴 중국 서해에 있었다고 하는 신선이 거주한다는 섬 이름.
* 삼생 전생(前生), 현생(現生), 내생(來生)인 과거세, 현재세, 미래세를 통틀어 이르는 말.
* 약탈 폭력을 써서 남의 것을 억지로 빼앗음.
* 노복 종살이를 하는 남자.
* 빈객 귀한 손님.
* 하례 축하하여 예를 차림.
* 조문 남의 죽음에 대하여 슬퍼하는 뜻을 드러내어 상주(喪主)를 위문함.
* 화락 화평하고 즐거움.

"저승길의 운수는 피할 수가 없답니다. 천제께서 저와 그대의 연분이 아직 끊어지지 않았고 또 아무 죄장(罪障)*이 없음을 살피시어, 환체(幻體)*를 빌려주어, 그대와 함께 잠시 애간장이 끊어지는 듯한 시름을 달래도록 하였던 것이지요. 하지만 오랫동안 인간 세상에 머물러 있으면서 이승 사람을 현혹할 수는 없지요."

* 죄장 죄악이 선한 결과를 얻는 데 장애가 됨을 이르는 말.
* 환체 인간의 몸뚱아리.
* 현혹 정신을 빼앗겨 하여야 할 일을 잊어버림. 또는 그렇게 되게 함.

4 윗글에 대한 이해로 적절한 것은?

① 이생과 최 여인은 도적에게 재산을 모두 약탈당했다.
② 최 여인은 자신을 버리고 혼자 도망간 이생을 원망하고 있다.
③ 이생은 게으름 때문에 최 여인과의 만남을 지속할 수 없게 되었다.
④ 이생은 들판에 버려진 최 여인의 유해를 모아 수습하고 정성껏 제사를 지냈다.
⑤ 최 여인은 천제의 도움으로 인간 세상에 다시 돌아와 이생과 함께 지낼 수 있었다.

수능형

5 〈보기〉는 윗글에 사용된 고사의 내용이다. 이를 참고하여 윗글을 감상한 내용으로 가장 적절한 것은?

> 보기
>
> ⊡ 연나라의 땅이 비옥하면서도 기후가 온화하지 못해 농사가 안되는 것을 안타까워한 제나라의 학자 추연이 피리를 불자 따뜻한 바람이 불어 곡식이 잘 자라게 되었다.
> ⊡ 중국 당나라의 천녀는 사랑하는 사람을 두고 다른 남자에게 시집을 가게 되자 병이 들어 누웠는데, 천녀의 혼이 사랑하는 남자에게로 가서 오랫동안 행복하게 살았다.
> ⊡ 취굴주는 신선이 사는 십주의 하나이다. 그곳에서는 기이한 향기가 나는데, 그 향기가 나는 곳에서는 죽은 사람이 다시 살아난다고 한다.

① ⊡을 인용하여 전쟁으로 적막해진 땅에 대한 안타까움을 표현하고 있다.
② ⊡을 인용하여 이승에서 농사를 짓고 사는 평범한 삶에 대한 소망을 드러내고 있다.
③ ⊡를 인용하여 사랑하는 남자를 두고 죽어간 여인의 서글픔을 전달하고 있다.
④ ⊡를 인용하여 천녀의 혼이 사랑하는 사람을 찾아갔듯이 자신도 사랑하는 이생을 찾아왔음을 이야기하고 있다.
⑤ ⊡을 인용하여 사랑하는 사람과 헤어져야 하는 안타까운 현실을 부정하고 있다.

어휘

6 ㉠의 상황을 나타내는 한자 성어로 가장 적절한 것은?

① 고립무원(孤立無援) ② 각골난망(刻骨難忘)
③ 두문불출(杜門不出) ④ 문전성시(門前成市)
⑤ 오매불망(寤寐不忘)

발단—전개—위기—절정—결말

저승길의 운수는 피할 수가 없기에 최 여인이 이생에게 영원한 이별을 고하는 상황이다.

최 여인은 몸종을 시켜 술을 올리게 하였다. 그러고는 옥루춘 한 곡을 노래하면서 이생에게 술을 권하였다.

[A]
전장의 창과 방패가 시야에 가득 어지러운 곳
옥구슬 부서지고 꽃잎은 날며 원앙도 짝 잃었네.
낭자하게 흩어진 해골을 그 누가 묻어 주랴.
피에 젖어 떠도는 영혼은 하소연할 사람 없어라.
고당에 무산 선녀* 한번 내려온 뒤로
깨졌던 구리거울 다시 갈라지니 마음만 쓰려라.
이제 작별하면 둘 다 아득하여
천상과 인간 사이에 소식이 막히리라.

여인은 한 가락씩 노래 부를 때마다 눈물을 삼켜 넘기느라 곡조를 제대로 이루지 못하였다. 이생도 또한 슬픔을 걷잡지 못하여 말하였다.

"㉠내 차라리 그대와 함께 황천*으로 갈지언정 어찌 무료하게 홀로 여생을 보전하겠소? 지난번 난리가 있은 뒤 친척과 노복들이 각각 서로 흩어지고 돌아가신 부모님의 해골이 들판에 낭자하게 흩어져 있었을 때, 만일 낭자가 아니었더라면 누가 매장할 수 있었겠소? 옛사람 말씀에 '어버이 살아 계실 때는 예로써 섬기고, 돌아가신 뒤에는 예로써 장사 지내야 한다.'고 하였는데, 이런 일을 실천에 옮길 수 있었던 것은 모두 낭자의 천성이 효순하고* 착하며 인정이 두터웠기 때문이었소. 그러기에 너무도 감격하였소만, 다른 한편으로 스스로 부끄러움을 어찌 이길 수 있었겠소? ㉡부디 낭자는 인간 세상에 남아서 백년 뒤에 나와 함께 흙이 됨이 어떻겠소?" / 여인은 대답하였다.

"㉢낭군의 수명은 아직 여러 기(紀)가 남아 있지만, 저는 이미 귀신의 명부*에 이름이 실려 있으니 오래 머물러 있을 수가 없습니다. 만약 굳이 인간 세상을 그리워하고 미련을 가져 저승 세계의 법령을 위반하게 된다면, ㉣비단 저에게만 죄과가 미칠 뿐 아니라 아울러 그대에게도 누가 미칠 것이에요. 다만 저의 유해가 아무 곳에 흩어져 있으니, 만약 은혜를 베풀어 주시겠다면 유해를 바람과 햇볕에 그냥 드러나 있지 않게 해 주세요."

두 사람은 서로 바라보며 눈물을 줄줄 흘렸다. / 여인은 말하였다.

"낭군님, 부디 몸조심하세요."

말이 끝나자 여인은 점점 사라졌다. 그리고 마침내 아무 종적도 없게 되었다.

㉤이생은 그녀의 유골을 거두어 부모의 묘소 곁에 부장*을 하였다. 장례를 지낸 뒤에도 이생은 여인을 추모하고 생각하다가, 병을 얻어 수개월 만에 세상을 떠났다. / 이 이야기를 들은 사람들은 모두 애처로워하고 슬퍼하여 그들의 절의를 사모하지 않는 이가 없었다.

* 무산 선녀 중국 전설에 나오는 선녀.
* 황천 저승.
* 효순하다 효성이 있고 유순하다.
* 명부 어떤 일에 관련된 사람의 이름, 주소, 직업 따위를 적어 놓은 장부.
* 부장 여러 사람의 시체를 한 무덤에 묻음. 또는 그런 장사.

7 윗글에 대한 설명으로 적절한 것은?

① 과거와 현재를 교차하면서 내용을 전개하고 있다.

② 작품 안의 서술자가 직접 자신의 이야기를 전달하고 있다.

③ 장면을 빈번하게 전환하여 긴박한 분위기를 형성하고 있다.

④ 인물의 외양을 묘사하여 인물의 성격 변화를 암시하고 있다.

⑤ 삽입된 시를 통해 과거에 있었던 사건을 압축적으로 전달하고 있다.

개념 ➕ 서술자

작가가 창조해 낸 가상의 존재로, 작품에서 이야기를 전달하는 존재를 뜻한다. 소설에서 인물이나 사건을 바라보는 서술자의 위치와 시각에 따라 1인칭 주인공 시점, 1인칭 관찰자 시점, 전지적 작가 시점, 작가 관찰자 시점으로 구분된다.

8 ㉠~㉢에 대한 설명으로 적절하지 <u>않은</u> 것은?

① ㉠: 설의적 표현을 사용하여 최 여인과 헤어지고 싶지 않은 심정을 표현하고 있다.

② ㉡: 최 여인이 저승으로 떠나지 않기를 바라는 마음을 나타내고 있다.

③ ㉢: 이생은 수명이 많이 남아 최 여인이 떠난 뒤에도 수십 년간 이승에 남아 있을 것임을 암시하고 있다.

④ ㉣: 자신 때문에 이생에게 해가 갈 것을 염려하는 최 여인의 마음이 드러나고 있다.

⑤ ㉤: 이생이 최 여인의 마지막 부탁을 실천하고 있다.

9 [A]를 이해한 내용으로 적절하지 <u>않은</u> 것은?

① '전장의 창과 방패가 시야에 가득 어지러운 곳'은 홍건적의 침입으로 혼란스러운 전쟁터를 의미하는 말이다.

② 부서진 '옥구슬'은 도적에게 죽임을 당한 최 여인을 나타낸다.

③ '그 누가 묻어 주랴.'에서는 설의법을 사용하여 최 여인의 서러운 마음을 표현하고 있다.

④ '깨졌던 구리거울 다시 갈라지니 마음만 쓰려라.'는 다시 이별하게 된 최 여인의 서글픈 마음을 전달하고 있다.

⑤ '천상과 인간 사이에 소식이 막히리라.'는 최 여인이 소망하는 미래의 상황을 나타낸 부분이다.

작품
독해

작품의 서사 구조

1 이 작품의 서사 구조를 정리해 보자.

	만남	이별
첫 번째	이생이 우연히 담 너머로 최 여인을 보게 되고 두 사람은 시를 주고받으며 서로의 마음을 확인하고 사랑에 빠짐.	이생의 아버지가 이를 알고 이생을 꾸짖고 지방으로 내려보냄.
두 번째	최 여인이 병으로 쓰러지자 그녀의 부모님이 이생의 부모님을 설득하여 두 사람이 혼례를 올림.	(①)의 난이 발생하여 최 여인이 도적에 맞서 정절을 지키려다가 죽임을 당함.
세 번째	죽은 최 여인이 현신하여 이생과 다시 만난 후, 서너 해를 같이 지냄.	저승의 법령을 어길 수 없어 최 여인의 영혼이 (②)으로 떠남.

현실적인
세계의 이야기

(③   )인
세계의 이야기

(④   )을 초월한 남녀의 애절한 사랑 이야기

인물의 성격

2 주요 인물의 성격 및 태도를 정리해 보자.

이생	최 여인
• 아버지의 명령에 따라 지방으로 내려감. • 도적을 피해 혼자 달아남. • 최 여인을 잊지 못하고 그리워하다 세상을 떠남.	• 이생과 혼인하기 위해 부모님을 설득함. • 정절을 지키기 위하여 죽음도 불사함. • 도적에게 재산을 약탈당하지 않으려 재산을 숨겨 둠.
소극적이지만 지고지순한 사랑을 간직함.	(⑤)이고 현명함.

어휘

다음 뜻에 해당하는 어휘를 〈보기〉에서 찾아 써 보자.

보기

규문   빈객   절의   현혹   궁벽하다   효순하다

1. 정신을 빼앗겨 하여야 할 일을 잊어버림. 또는 그렇게 되게 함.   → _____

2. 매우 후미지고 으슥하다.   → _____

3. 귀한 손님.   → _____

김시습과 『금오신화』에 대해 알고 싶어요.

「이생규장전」은 15세기 조선의 학자이자 작가인 김시습이 지은 단편 소설집 『금오신화』에 수록되어 있는 작품입니다. 김시습은 세조가 단종의 왕위를 빼앗자 벼슬을 버리고 절개를 지킨 여섯 신하, 즉 생육신 중의 한 명입니다. 김시습은 3세 때부터 시를 지어 신동으로 명성이 높아, 5세 때 세종이 그를 불러 재주가 출중하니 장차 크게 중용하겠다고 할 정도의 인재였습니다. 그러나 수양 대군이 단종을 내몰고 왕위에 오르자 책을 태워 버리고 승려가 되어 전국을 방랑하였습니다. 그는 1465년(세조 11년)에 금오산(경주 남산)에 은거하면서 우리나라 최초의 소설로 꼽히는 한문 소설집 『금오신화』를 지었습니다. 『금오신화』는 금오산에서 쓴 새로운 이야기라는 뜻으로, 내용·기교·작가 의식 등에서 훌륭한 문학적 가치를 지니고 있습니다. 현재 「이생규장전」을 비롯하여 「만복사저포기」, 「취유부벽정기」, 「용궁부연록」, 「남염부주지」가 남아 전해집니다.

「이생규장전」에서 이생이 죽은 최 여인과 사랑을 나누는 것처럼, 『금오신화』에는 귀신이나 용왕과 같은 비현실적인 전기적 요소가 많이 등장합니다. 작가는 이러한 비현실적인 요소를 통해 인간의 절실한 감정과 현실에 대한 작가의 인식을 표현하였습니다. 그리고 대부분의 우리나라 고전 소설이 행복한 결말로 끝나는 것과 달리, 『금오신화』의 남성 주인공들은 현실에서는 끝내 자신의 의지를 실현하지 못하고 쓸쓸한 죽음을 맞거나 숨을 거두고 난 뒤 천상이나 용궁 또는 저승이나 꿈과 같은 비현실적인 세계에서 그 능력을 인정받습니다. 주인공의 변하지 않는 절개는 그릇된 세계의 질서를 받아들이지 않겠다는 결단의 표현으로 볼 수 있으며 이것은 김시습이 지녔던 의리와 신의, 부정적인 현실에 대한 인간 김시습의 고뇌가 담겨 있다고도 볼 수 있을 것입니다.

▲ 김시습

간단 확인

1. 김시습은 세조가 단종의 왕위를 찬탈하자 벼슬길에 나가지 않고 은거하였다.　〇〤

2. 『금오신화』에서 주인공들은 대체로 행복한 결말을 맞는다.　〇〤

03 박씨전 |작자 미상

「박씨전」은 병자호란이라는 역사적 사실을 배경으로 하여 초인적 능력을 지닌 박씨 부인의 활약상을 그린 소설입니다. 실존 인물이었던 이시백과 허구적 인물인 박씨가 등장하여 이야기가 전개됩니다. 대부분의 고전 소설이 남성을 주인공으로 하는 데 반해, 「박씨전」은 여성이 주인공으로 등장하여 영웅적 활약을 펼친다는 점이 특징입니다.

📖 등장인물

박 처사
박씨의 아버지이자 금강산에 사는 신선. 박씨가 허물을 벗고 미모를 찾도록 도와준다.

이 상공
이시백의 아버지. 박씨의 지혜를 알아보고, 모두 천대하는 박색의 며느리를 홀로 아끼고 감싸 준다.

아버지

시아버지

박씨
학문이 깊고 재주가 뛰어나며 사려가 깊은 성격으로, 초인적인 능력을 지녔다.

남편

시비

적대 관계

이시백
박씨의 남편. 처음에는 외모만 보고 박씨를 멀리 하지만 나중에 이를 뉘우치고 박씨와 화목하게 지낸다.

용골대
왕의 명을 받고 조선을 침략한 청나라 장군이다.

계화
박씨의 시비. 박씨가 추한 외모 때문에 천시받는 것을 안타깝게 여기고 마음을 다해 섬긴다.

발단

이시백, 박씨와 혼인하다

이 상공의 아들 이시백은 어려서부터 총명하여 명성이 자자하였다. 어느 날, 이 상공이 친구로 지내던 박 처사의 청을 받아들여, 이시백은 박 처사의 딸과 혼인을 하게 된다.

전개

박씨, 후원에서 지내다 절세가인으로 변하다

혼례를 치른 뒤 이시백은 박씨의 추한 용모에 실망하여 만나지 않는다. 박씨는 후원에 피화당을 지어 홀로 그곳에서 지낸다. 이후 박씨는 남편을 장원 급제하게 해 주고 시댁을 풍족하게 만들어 준다. 그 뒤 시기가 되어 박씨는 허물을 벗고 미인이 된다. 이시백은 그간 박씨를 박대했던 것을 뉘우치며 용서를 구하고 부부간의 정이 나날이 깊어 간다.

위기

청나라의 침입으로 조선이 위기에 빠지다

점점 세력이 커진 청나라는 임경업이 있는 의주를 피해 조선을 침략하려고 한다. 박씨가 이를 미리 알고 조정에 임경업을 부를 것을 간하나, 간신 김자점의 반대로 무산된다. 결국 조선은 청나라 장수 용골대와 용울대 형제에게 크게 패하고, 임금마저 남한산성으로 피신하게 된다.

절정

박씨, 비범한 능력으로 청나라 장수를 물리치다

장안을 차지하고 재물을 약탈하던 용울대가 박씨가 머무는 피화당을 침범하나, 시비 계화의 손에 목숨을 빼앗긴다. 이에 분노한 용골대가 동생의 원수를 갚기 위해 쳐들어오지만, 박씨의 뛰어난 도술 앞에 굴복한다.

결말

박씨, 행복한 여생을 보내다

조정으로 돌아온 임금이 박씨의 공을 칭찬하면서 정렬부인의 칭호를 내린다. 이후로 박씨의 덕행이 온 나라에 퍼지고, 박씨와 이시백은 행복한 여생을 보낸다.

📖 **알아두기**

☑ 조선 시대, 병자호란이 일어났던 시기의 이야기이다.

☑ 당시의 지배층은 양반 남성들로, 남성 중심 사회였다.

☑ 작품의 전반부는 가정 내의 갈등을 중심으로, 후반부는 사회적 갈등을 중심으로 이야기가 전개된다.

박씨전

박씨의 아버지 박 처사가 이 상공을 찾아와 만난 상황이다.

상공이 창에 기대어 멀리 바라보니, 한 신선이 백학을 타고 오색구름 사이로 내려왔다. 자세히 보니 그가 바로 박 처사*였다.

상공이 옷깃을 여미고 뜰아래 내려가 처사를 맞았다. 시백 역시 의관*을 갖추고 처사에게 문안을 드렸다. 처사가 시백의 손을 잡고 상공에게 축하 인사를 건넸다.

"영랑*이 뛰어난 재주로 과거에 급제하였으니 이 같은 경사는 다시 없을 줄 압니다. 그간 제가 시골에 있는 관계로 아직 축하 인사를 드리지 못했습니다."

상공이 술과 안주를 내어 대접하며 처사와 함께 그간 만나지 못한 회포*를 풀었다. 술이 반쯤 줄어들고 분위기가 무르익어 갈 무렵, 상공이 어두운 낯빛으로 처사에게 말하였다.

"귀한 손님을 뵈니 반가운 마음은 예사롭고 죄송한 마음은 산과 바다와 같습니다."

"무슨 말씀이신지요?" / "내 자식이 어리석다 보니 어진 아내를 푸대접하여 부부간의 즐거움을 알지 못하고 있습니다. 제가 늘 타이르곤 하지만 자식이 끝내 아비의 말을 듣지 않더군요. 처사 대하기가 민망할 따름입니다." / 처사가 급히 손사래*를 쳤다.

"상공께서는 제 못난 딸을 더럽다 않으시고 지금까지 슬하에 두셨습니다. 그 넓으신 덕에 감사할 따름이온데 이렇게 말씀하시니 오히려 송구합니다."

"예사롭지 않은 며늘애가 늘 외롭고 힘들게 지내기에 드리는 말씀입니다."

"사람의 팔자와 길흉화복은 다 하늘에 달린 것입니다. 어찌 그리 지나친 걱정을 하십니까?" / 처사가 담담하게 말하니 상공도 미안한 마음을 조금 덜 수 있었다.

이후 상공은 처사와 더불어 날마다 바둑을 두기도 하고 또 피리도 불면서 즐겁게 지냈다. 하루는 처사가 후원*으로 들어가 딸을 불러 앉혔다.

"너의 액운이 다 끝났으니 누추한 허물을 벗어라."

허물을 벗고 변화하는 술법을 딸에게 가르친 뒤 말하였다.

"허물을 벗거든 버리지 말고 시아버지에게 옥으로 된 함을 짜 달라고 해서 그 속에 넣어 두어라." / 그러고는 딸과 함께 정담*을 나누다가 밖으로 나와 상공에게 작별 인사를 드렸다. 상공이 못내 섭섭해하며 만류했지만 처사는 듣지 않았다. 할 수 없이 한잔 술로 작별을 고하고 문밖으로 나가 전송하였다.

"지금 헤어지면 다시 만나기 어려울 것입니다. 늘 건강하시고 복을 누리시기 바랍니다."

상공이 깜짝 놀라며 물었다. / "그것이 무슨 말씀입니까?"

"이제 상공과 이별하고 산에 들어가면 다시 속세로 나오지 못할 듯하여 드리는 말씀입니다."

상공이 슬프게 작별 인사를 하니, 처사는 학을 타고 공중에 올라가 오색구름을 헤치며 나아갔다. 잠시 후 구름이 걷혔는데 처사가 간 곳은 보이지 않았다.

그날 밤, 박씨는 몸을 깨끗이 씻은 뒤 둔갑술을 부려 허물을 벗었다.

날이 밝은 후, 박씨는 계화를 불렀다. 계화가 들어가 보니 전에 없던 절세가인*이 방 안에

* **처사** 예전에, 벼슬을 하지 아니하고 초야에 묻혀 살던 선비.
* **의관** 남자의 웃옷과 갓이라는 뜻으로, 남자가 정식으로 갖추어 입는 옷차림을 이르는 말.
* **영랑** 다른 사람의 아들을 높여 이르는 말.
* **회포** 마음속에 품은 생각이나 정.
* **손사래** 어떤 말이나 사실을 부인하거나 남에게 조용히 하라고 할 때 손을 펴서 휘젓는 일.
* **후원** 집 뒤에 있는 정원이나 작은 동산.
* **정담** 정답게 주고받는 이야기.
* **절세가인** 세상에 견줄 만한 사람이 없을 정도로 뛰어나게 아름다운 여인.

앉아 있었다. 여인의 얼굴은 아름답기 그지없었으며, 그 태도는 너무도 기이했다. 월궁항아
나 무산 선녀라도 따르지 못할 듯했고, 서시와 양귀비도 미치지 못할 정도였다.

1 윗글에 대한 설명으로 적절한 것은?

① 이야기 밖의 서술자가 사건을 전달하고 있다.

② 사건이 현실감 있고 사실적으로 서술되어 있다.

③ 작품 속 인물이 과거의 사건을 요약하여 전달하고 있다.

④ 과거와 현재를 오가며 역순행적으로 사건을 전개하고 있다.

⑤ 동시에 일어난 두 개의 사건을 번갈아 가며 보여 주고 있다.

> **개념 ➕ 역순행적 구성**
>
> 자연적인 시간의 흐름에 따라 내용을 전개하지 않고 시간의 흐름을 뒤바꾸어 내용을 전개하는 방식으로, '과거 – 미래 – 현재'로 구성하는 방식, 과거 회상으로 구성하는 방식 등이 있다.

수능형

2 〈보기〉는 윗글의 등장인물들 사이의 관계를 도식화한 것이다. ㉠~㉤에 대한 설명으로 적절하지 <u>않은</u> 것은?

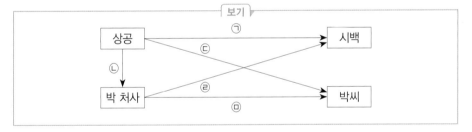

① ㉠: 박씨를 푸대접하는 것에 대해 못마땅하게 생각하고 있다.

② ㉡: 아들의 잘못된 행동으로 인해 죄송스러운 마음을 갖고 있다.

③ ㉢: 능력이나 품성 면에서 뛰어나다고 높이 평가하고 있다.

④ ㉣: 뛰어난 재주로 과거에 급제한 것에 대해 칭찬하고 있다.

⑤ ㉤: 자신 때문에 딸이 불운을 겪는 것을 미안해하고 있다.

3 윗글에서 박 처사의 역할로 가장 적절한 것은?

① 새로운 갈등을 일으키는 역할을 한다.

② 극적인 긴장감을 높이는 역할을 한다.

③ 주인공을 돕는 조력자의 역할을 한다.

④ 인물의 내적 갈등을 해소시키는 역할을 한다.

⑤ 주인공을 도와 적대적 인물에 대항하는 역할을 한다.

조선의 임금이 청나라에 항복하고, 용골대가 동생 용울대의 원수를 갚기 위해 박씨의 집에 찾아온 상황이다.

㉠이때 임금이 있는 남한산성에는 오랑캐들이 물밀듯 밀려와 공격을 퍼부었다. 창칼 부딪치는 소리가 산성을 뒤흔들었다. 임금과 모든 신하가 산성에 갇혀 꼼짝 못할 지경에 이르자 이조 판서 최명길이 임금에게 말했다.

"아뢰옵기 황송하오나, 항복을 하는 것이 좋을 듯하옵니다."

사태가 어려워졌음을 깨달은 ㉡임금은 피가 끓는 듯한 아픔으로 항복의 글을 써 오랑캐에게 전했다. 오랑캐들은 바로 산성으로 들어와 왕비와 세자, 그리고 대군을 사로잡아 장안으로 돌아갔다. 그 모습을 본 임금이 통곡을 하다가 기절하니, 여러 신하가 하늘을 우러러 탄식하며 위로했다. / "전하, 망극하옵니다. 옥체*를 보존하시옵소서."

나라가 이렇게 된 것은 하늘의 운수 때문이겠지만, 만고역적* 김자점이 적을 도와 나라를 망하게 한 것이었다. 이러하니 모든 신하와 성안 백성들은 김자점에 대한 분노를 삭이지 못했다.

용골대는 항서*를 받아 한양 성내로 들어갔다. 그때 장안을 지키던 군사가 급히 보고를 했다. / "용 장군이 여자의 손에 죽었습니다."

이 말을 들은 용골대는 대성통곡을 했다. 〈중략〉

명령을 들은 군사들이 앞다투어 화살을 쏘았지만 역시 하나도 맞히지 못했다. ㉢화살만 허비한 채 가슴이 막혀 어찌할 바를 모르고 있던 용골대는 황급히 김자점을 불렀다.

"너희들도 이제 우리나라의 백성이다. 얼른 도성의 군사들을 뽑아서 저 팔문금사진*을 깨뜨리고 박씨와 계화를 잡아들여라. 만일 거역한다면 군법에 따라 처벌할 것이다."

서릿발 같은 명령을 내리자 김자점이 겁먹은 소리로 대답했다.

"어찌 장군의 명령을 거역하겠습니까?"

[A]
김자점은 급히 군사를 모아 대포 한 방을 쏜 뒤 팔문금사진을 에워쌌다. ㉣그런데 갑자기 그 진이 변하여 백여 길이나 되는 늪이 되었다. 갑작스러운 일에 당황하던 용골대가 꾀를 내어, 군사들에게 팔문진 사면에 못을 파게 한 뒤 화약과 염초를 묻게 했다.

"너희가 아무리 천 가지로 변화하는 술수를 가졌다고 한들 오늘에야 어찌 살기를 바랄까? 목숨이 아깝거든 바로 나와 몸을 던져라."

피화당을 향해 무수히 욕을 했지만 고요한 정적만 흐를 뿐 집 안에서는 아무 소리도 들리지 않았다. / ㉤용골대가 군사들에게 명령하여 일시에 불을 지르니, 화약 터지는 소리가 산천을 무너뜨릴 것 같았다. 사면에서 불이 일어나 불빛이 하늘을 가득 메웠다.

이때, 박씨 부인이 옥으로 된 발을 걷고 나와 손에 옥화선*을 쥐고 불을 향해 부쳤다. 그러자 갑자기 큰바람이 불면서 불기운이 오히려 오랑캐 진영을 덮쳤다. 오랑캐 장졸들이 불꽃 한가운데에서 천지를 분별하지 못한 채 넋을 잃고 허둥거리다가 무수히 짓밟혀 죽었다. 순식간에 피화당 근처는 아수라장이 되었다.

용골대는 크게 놀라 급히 물러났다.

* 옥체 임금의 몸.
* 만고역적 세상에 비길 데 없이 괘씸한 역적.
* 항서 항복을 인정하는 문서.
* 팔문금사진 팔문을 이용한 진법.
* 옥화선 옥을 깎아 만든 불부채.

수능형

4 〈보기〉를 바탕으로 하여 윗글을 감상한 독자의 반응으로 적절하지 <u>않은</u> 것은?

> 보기
>
> 「박씨전」은 병자호란을 배경으로 하는 작품으로 이시백, 최명길, 김자점, 용골대와 같은 실존 인물과 박씨, 계화와 같은 허구적 인물이 함께 등장한다. 실존 인물을 등장시켜 역사적 사실을 현실감 있게 전달하고 인물에 대한 당시의 평가를 반영하는 한편, 뛰어난 능력을 지닌 허구적 인물의 활약을 통해 현실에서 겪은 패배감을 보상받고 싶어하는 민중의 욕구가 담겨 있다. 또한 활약하는 인물이 여성인 점은 당시 지배층이던 무능한 양반 남성들에 대한 비판과 남성 중심 사회에서 억압받았던 여성들의 해방 욕구가 반영되었다고 볼 수 있다.

① 김자점을 '만고역적'으로 표현한 것은 인물에 대한 조선 시대 사람들의 평가가 반영된 것이겠군.

② 박씨가 용골대를 혼내 주는 장면은 역사적 사실을 구체적으로 기록하려는 의도가 반영된 것이로군.

③ 용골대와 박씨의 대결에서 박씨가 승리한다는 내용은 현실에서 겪은 패배감을 보상받고 싶어하는 욕구와 관계가 있겠군.

④ 최명길이 임금에게 항복을 권하는 장면은 역사적 사실과 관련이 있어 소설에 사실감을 부여하는 역할을 하는군.

⑤ 여성인 박씨를 영웅적 능력을 지닌 주인공으로 설정한 것은 당시 여성들의 소망이 반영된 것이라고 볼 수 있겠군.

어휘

5 [A]에 나타난 용골대의 상황에 대한 평가로 가장 적절한 것은?

① 제 꾀에 제가 넘어간다

② 열 번 찍어 아니 넘어가는 나무 없다

③ 하늘이 무너져도 솟아날 구멍이 있다

④ 종로에서 뺨 맞고 한강에서 눈 흘긴다

⑤ 재주는 곰이 넘고 돈은 되놈이 받는다

6 ㉠~㉤ 중, 고전 소설의 비현실성이 드러나는 부분으로 적절한 것은?

① ㉠   ② ㉡   ③ ㉢   ④ ㉣   ⑤ ㉤

발단 — 전개 — 위기 — 절정 — 결말

용골대가 청나라로 돌아가려는데, 박씨가 계화를 시켜 청나라에 왕비를 데려가지 말 것을 요구하는 상황이다.

용골대가 모든 장졸을 뒤로 물린 후, 왕비와 세자, 대군을 모시고 장안의 재물과 미녀를 거두어 돌아갈 채비를 꾸렸다. 오랑캐에게 잡혀가는 사람들의 슬픈 울음소리가 장안을 진동했다.

박씨가 계화를 시켜 용골대에게 소리쳤다.

"무지한 오랑캐 놈들아! 내 말을 들어라. 조선의 운수가 사나워 은혜도 모르는 너희에게 패배를 당했지만, 왕비는 데려가지 못할 것이다. 만일 그런 뜻을 둔다면 내 너희를 몰살*시킬 것이니 당장 왕비를 모셔 오너라." / 하지만 용골대는 오히려 코웃음을 날렸다.

[A]
"참으로 가소롭구나. 우리는 이미 조선 왕의 항서를 받았다. 데려가고 안 데려가고는 우리 뜻에 달린 일이니, 그런 말은 입 밖에 내지도 마라."

오히려 욕설만 무수히 퍼붓고 듣지 않자 계화가 다시 소리쳤다.

"너희의 뜻이 진실로 그러하다면 이제 내 재주를 한 번 더 보여 주겠다."

계화가 주문을 외자 문득 공중에서 두 줄기 무지개가 일어나며 모진 비가 천지를 뒤덮을 듯 쏟아졌다. 뒤이어 얼음이 얼고 그 위로는 흰 눈이 날리니, 오랑캐 군사들의 말 발굽이 땅에 붙어 한 걸음도 옮기지 못하게 되었다. 그제야 용골대는 사태가 예사롭지 않음을 깨달았다.

"당초 우리 왕비께서 분부하시기를 장안에 신인이 있을 것이니 이시백의 후원을 범치 말라 하셨는데, 과연 그것이 틀린 말이 아니었구나. 지금이라도 부인에게 빌어 무사히 돌아가는 편이 낫겠다."

용골대가 갑옷을 벗고 창칼을 버린 뒤 무릎을 꿇고 애걸*하였다.

"소장이 천하를 두루 다니다 조선까지 나왔지만, 지금까지 무릎을 꿇은 적은 한 번도 없었습니다. 이제 부인 앞에 무릎을 꿇어 비나이다. 부인의 명대로 왕비는 모셔 가지 않을 것이니, 부디 길을 열어 무사히 돌아가게 해 주십시오."

무수히 애원하자 그제야 박씨가 발을 걷고 나왔다.

"원래는 너희의 씨도 남기지 않고 모두 죽이려 했었다. 하지만 내가 사람 목숨 죽이는 것을 좋아하지 않기에 용서하는 것이니, 네 말대로 왕비는 모셔 가지 마라. 너희가 부득이 세자와 대군을 모셔 간다면 그 또한 하늘의 뜻이기에 거역하지 못하겠구나. 부디 조심하여 모셔가라. 그렇게 하지 않으면 신장과 갑옷 입은 군사를 몰아 너희를 다 죽인 뒤, 너희 국왕을 사로잡아 분함을 풀고 무죄한 백성까지 남기지 않을 것이다. 나는 앉아 있어도 모든 일을 알 수 있다. 부디 내 말을 명심하여라."

오랑캐 병사들은 황급히 머리를 조아리고 용골대는 다시 애원을 했다.

㉠"말씀드리기 황송하오나 소장 아우의 머리를 내주시면, 부인의 태산 같은 은혜를 잊지 않을 것이옵니다." / 하지만 박씨는 고개를 저었다.

"듣거라. 옛날 조양자*는 지백*의 머리에 옻칠을 하여 두고 보며 진양성에서 패한 원수를

* 몰살 모조리 다 죽거나 죽임.
* 애걸 소원을 들어 달라고 애처롭게 빎.
* 조양자 중국 전국 시대 초기 조나라의 제후.
* 지백 중국 춘추 시대 진나라의 벼슬아치로 조양자의 원수.

갚았다 하더구나. 우리도 용울대의 머리를 두고 보며 남한산성에서 패한 분을 조금이라
도 풀 것이다. 아무리 애걸을 해도 그렇게는 하지 못하겠다."

이 말을 들은 용골대는 그저 용울대의 머리를 보고 통곡할 수밖에 없었다.

7 윗글의 내용과 일치하는 것은?

① 계화는 박씨 모르게 용골대에게 접근하여 혼을 내주었다.
② 박씨는 조선이 항복을 하게 된 것은 하늘의 뜻이라고 생각하였다.
③ 박씨는 오랑캐의 보복이 걱정되어서 용골대를 죽이지 않고 보내기로 하였다.
④ 용골대는 아우인 용울대의 머리를 받는 대신 왕비를 모셔 가지 않기로 결정하였다.
⑤ 박씨는 진양성에서 패한 원수를 갚기 위해 용울대의 머리를 두고 보겠다고 말하였다.

8 [A]에 대한 설명으로 적절하지 않은 것은?

① 계절적 배경이 사건 전개에 결정적인 영향을 미치고 있다.
② 인물의 말을 통해 과거의 일을 독자들에게 전달하고 있다.
③ 비현실적인 내용으로 인물의 비범한 능력을 드러내고 있다.
④ 용골대의 태도가 변하게 된 계기를 구체적으로 드러내고 있다.
⑤ 역사적 사실과 다른 허구적인 내용으로 흥미를 유도하고 있다.

어휘

9 〈보기〉와 같이 ㉠의 내용을 바꿀 때, 빈칸에 들어갈 한자 성어로 가장 적절한 것은?

보기

"말씀드리기 황송하오나 소장 아우의 머리를 내주시면, 반드시 (   ) 하겠습니다."

① 결초보은(結草報恩)
② 동상이몽(同床異夢)
③ 사필귀정(事必歸正)
④ 상부상조(相扶相助)
⑤ 와신상담(臥薪嘗膽)

작품
독해

작품의 구성

1 다음 표에 제시된 이 작품의 구성에 따라 그 내용을 정리해 보자.

	전반부	후반부
갈등 단위	가정	국가
갈등 주체	박씨 ↔ 시집 식구(이 상공 제외)	조선 ↔ (①)
갈등 원인	박씨의 추한 외모	청나라의 조선 침략
해결 방법	박 처사(조력자)의 도움	박씨의 능력
갈등 해결	박씨가 (②)을 벗음.	용골대를 물리침.

↓   ↓

수신제가(修身齊家)   치국평천하(治國平天下)

작품의 창작 의도

2 이 작품의 창작 의도를 다음과 같이 정리해 보자.

시대적 배경		창작 의도
(③)에서 조선이 청나라에 항복을 함.	여성 주인공인 박씨의 뛰어난 능력으로 용골대를 물리침.	병자호란에서 우리나라가 당한 치욕을 씻고 (④)을 회복하고자 함.
남성 중심의 가부장적 사회인 조선		여성인 박씨의 활약은 남성들의 무능력을 비판하고, (⑤)이 능력을 발휘할 수 있음을 보여 줌.

어휘

다음 어휘에 알맞은 뜻을 찾아 바르게 연결해 보자.

1. 애걸 •

2. 정담 •

3. 옥체 •

4. 몰살 •

          • ㉠ 임금의 몸.

          • ㉡ 모조리 다 죽거나 죽임.

          • ㉢ 정답게 주고받는 이야기.

          • ㉣ 소원을 들어 달라고 애처롭게 빎.

깊이 읽기

「박씨전」의 창작 배경이 궁금해요.

조선의 제16대 왕인 인조는 명나라와 친하게 지내고 후금(청)을 멀리하는 외교 정책을 택합니다. 1636년 청나라는 조선에게 '신하의 나라'가 될 것을 요구하는데 이를 인조가 거절하자 청나라 태종이 대군을 이끌고 조선을 침략합니다. 이 전쟁이 바로 병자호란입니다. 이에 인조와 조정 대신들은 급히 남한산성으로 피난하게 되고 두어 달 남짓한 항전 끝에 인조는 결국 오랑캐라 여기던 청나라에 항복하여 신하의 예를 행하기로 하며 굴욕적인 항복 의식을 치르게 되지요. 그리고 인조의 첫째 아들인 소현 세자와 둘째 아들인 봉림 대군을 비롯하여 수많은 사람이 청으로 끌려가게 됩니다. 이에 백성들은 큰 좌절감과 치욕감을 느끼게 됩니다.

「박씨전」은 병자호란을 배경으로 한 소설로, 임금이 청에 항복을 하고 세자와 수많은 백성들이 인질로 잡혀간 것은 역사적 사실과 일치하며 용골대, 임경업, 김자점 등 실존 인물도 다수 등장합니다. 하지만 이야기 속에서 용골대는 박씨의 도술에 패하여 물러가게 되는데, 이는 실제 역사와 다른 부분으로 소설 속에서나마 통쾌하게 복수를 함으로써 전쟁의 패배로 좌절한 백성을 위로하고 상처를 극복하고자 했음을 짐작할 수 있습니다.

또한 이 과정에서 활약하는 인물이 박씨, 계화 등 여성이라는 점도 중요합니다. 당시 지배층이었던 양반 남성들은 나라와 백성을 지키지 못했고, 김자점처럼 전투를 회피하거나 도망간 사람들도 많았습니다. 이러한 맥락을 고려할 때, 여성인 박씨를 주인공으로 한 것은 양반 남성들의 무능력함을 비판하는 동시에 남성 중심의 가부장제에 억압되어 살아야 했던 여성들의 해방 욕구가 반영된 것이라고 이해할 수 있습니다.

▲ 인조가 대피했던 남한산성

간단 확인

1. 병자호란은 청나라가 조선을 침략한 전쟁으로, 조선이 큰 희생 끝에 가까스로 청나라를 막아 냈다.

2. 「박씨전」은 역사적 사실을 배경으로 하되 그 내용을 일부 허구적으로 바꾸어 전쟁의 패배감을 극복하고자 하였다.

04 유충렬전 | 작자 미상

「유충렬전」은 유충렬의 영웅적인 일생을 다룬 영웅·군담 소설입니다. 유충렬이 비범한 능력으로 고난을 극복하고 위기에 처한 가문과 국가를 구하는 이야기로, 충신과 간신의 대결을 기본 갈등 구조로 삼고 있습니다. 조선 후기의 대표적인 영웅·군담 소설로, 영웅 소설의 전형적 요소를 갖추고 있는 작품입니다.

📘 등장인물

유심
유충렬의 아버지. 개국 공신의 후예로, 남악 형산에서 기도하고 충렬을 얻었다. 간신 정한담의 누명으로 귀양을 가게 된다.

부자 관계

유충렬
천상에서 죄를 짓고 인간 세상에 태어났다. 신이한 능력을 지녔으며 영웅적 활약을 펼쳐 반란군을 진압하고 국가와 가문을 구한다.

군신 관계

적대 관계

천자
간신에 휘둘려 충신을 멀리하는 어리석은 면모를 보인다. 정한담이 반란을 일으켜 어려움을 겪으나 충렬 덕분에 목숨을 구한다.

정한담
천상에서 죄를 짓고 인간 세상에 태어났다. 충렬과 대립하는 악인으로, 충신을 모해하고 반란을 일으켜 황제에 맞선다.

📖 전체 줄거리

발단

충렬, 유심의 아들로 태어나다

중국 명나라 개국 공신의 후예인 유심은 늦도록 자식이 없어 한탄하다가 정성을 다해 기도를 드린다. 그 뒤, 신이한 태몽을 꾼 후 아들을 얻어 '충렬'이라 이름을 짓는다.

전개

간신 정한담의 모함으로 충렬의 가족이 위기에 처하다

유심은 천자에게 간신 정한담과 최일귀가 모반하려는 마음을 가지고 있다고 충언하지만, 오히려 정한담과 최일귀의 모함에 연북으로 유배를 가게 된다. 정한담과 최일귀는 후환이 두려워 충렬의 집에 불을 지르고 충렬 모자를 죽이려 한다. 그러나 충렬의 어머니 장부인이 꿈에서 계시를 받아 위기를 피해 달아나게 된다. 충렬은 간신히 위기를 넘기고 강희주를 만나 그의 사위가 된다.

위기

충렬, 병법과 무예를 익히다

강희주는 유심을 구하기 위해 천자에게 상소를 올리지만, 도리어 정한담의 공격을 받아 귀양을 가게 된다. 강희주의 가족들은 뿔뿔이 흩어지고 충렬도 아내와 헤어져 다시 유랑하는 처지가 된다. 그러던 중 도승을 만나 병법과 무예를 익히며 때를 기다린다.

절정

충렬, 비범한 능력으로 천자를 구하다

조정에서는 정한담 등이 충신을 모두 쫓아내고는 호나라 군대와 내통하여 천자를 공격한다. 정한담에게 여러 번 패한 천자가 항복하려 할 즈음, 충렬이 등장하여 천자를 구한다.

결말

충렬, 부귀영화를 누리다

충렬은 반란군을 진압하며 황후, 태후, 태자를 구출하고, 유배지에서 고생하던 아버지 유심과 장인 강희주도 구한다. 또한 이별했던 어머니와 아내를 찾아 가족들과 다시 만난다. 충렬과 가족들은 높은 벼슬에 오르고 충렬은 아내와 함께 부귀영화를 누린다.

📖 알아두기

☑ 중국 명나라를 배경으로 이야기가 전개된다.

☑ 유충렬과 정한담은 천상에서 싸운 죄로 인간 세상에 내려온 인물로, 지상에서도 대립한다.

☑ '고귀한 혈통을 가진 주인공의 기이한 출생 → 비범한 능력 → 어린 시절의 고난 → 조력자의 도움 → 성장 후의 고난 → 고난 극복 → 승리'와 같은 영웅의 일대기적 구조를 보인다.

04 유충렬전

정한담에게 여러 번 패한 천자가 항복하려 할 때 충렬이 등장하여 반란군의 선봉인 정문걸을 물리치고 천자를 구하는 상황이다.

문걸이 크게 놀라서 돌아보니, ㉠빛이 나는 투구에 눈이 부시고 용의 비늘로 만든 갑옷은 온 몸을 가리었으며, 천사마는 비룡*이 되어 구름 속에 싸여 있었다. 공중에서 소리만 나고 눈에는 보이지 아니하여 문걸이 창검만 높이 들고 주저주저하는데, 벽력 같은 소리 끝에 장성검이 번쩍하며 정문걸의 머리가 땅에 떨어졌다. 충렬이 문걸의 목을 베어 들고 중군으로 달려오니, 조정만이 엎어지며 문밖으로 급히 나와 충렬의 손을 잡고 들어가더라.

이때 천자가 옥새*를 목에 걸고 항서를 손에 든 채 진문 밖으로 나오다가 보니, 뜻밖에 호통 소리가 나며 어떤 한 대장이 적장 문걸의 머리를 베어 들고 중군으로 들어가거늘, 매우 놀라고 또 기뻐서 말하기를,

"적장 벤 장수 성명이 무엇이냐? 빨리 모시고 들어오라."

㉡충렬이 말에서 내려 천자 앞에서 땅에 엎드리니, 천자 급히 물어 말하기를,

"그대는 뉘신데 죽을 사람을 살리는가?"

충렬이 부친 유심의 죽음과 장인 강희주의 죽음을 몹시 원통하고 분하게 여겨 통곡하며 여쭈되,

"소장은 동성문 안에 살던 유심의 아들 충렬입니다. 사방을 떠돌아다니면서 빌어먹으며 만 리 밖에 있다가 아비의 원수를 갚으려고 여기 왔습니다. 폐하께서 정한담에게 핍박을 당하리라곤 꿈에도 생각지 못했습니다. 예전에 정한담을 충신이라 하시더니 충신도 역적이 될 수 있습니까? 그 놈의 말을 듣고 충신을 멀리 귀양 보내어 죽이고 이런 환난*을 만나시니, 천지가 아득하고 해와 달이 빛을 잃은 듯합니다."

하고, 슬피 통곡하며 머리를 땅에 두드리니, ㉢산천초목도 슬퍼하며 진중의 군사들이 눈물을 흘리지 않는 이가 없더라. 천자가 이 말을 들으시고 후회가 막급*하나 할 말 없어 우두커니 앉아 있는데, 적진에 잡혀갔던 태자가, 본진에서 문걸의 목을 베는 것을 보고 급히 도주해 와서 천자 곁에 앉아 있다가, ㉣충렬의 말을 듣고 버선발로 내려와서 충렬의 손을 붙들고 말하였다.

[A]
"경이 이게 웬 말인가? 옛날 주나라 성왕도 관숙과 채숙의 말을 듣고 주공을 의심하다가 잘못을 깨닫고 스스로 꾸짖어 훌륭한 임금이 되었으니, 충신이 죽는 것은 모두 다 하늘에 달린 일이라. 그런 말을 말고 온 힘으로 충성을 다하여 황상을 도우시면, 태산 같은 그대 공로는 천하를 반분하고, 하해* 같은 그 은혜는 죽은 뒤에라도 풀을 맺어 갚으리라."

충렬이 울음을 그치고 태자의 얼굴을 보니, 천자의 기상이 뚜렷하고 한 시대의 성군이 될 듯하여 투구를 벗어 땅에 놓고 천자 앞에 사죄하여 말하였다.

"소장이 아비의 죽음을 한탄하여 분한 마음이 있는 까닭에 격절한 말씀을 폐하께 아뢰었으니 죽을 죄를 지었습니다. 소장이 죽을지언정 어찌 폐하를 돕지 아니하겠습니까?"

* 비룡 하늘을 나는 용.
* 옥새 국권의 상징으로 국가적 문서에 사용하던 임금의 도장.
* 환난 근심과 재난을 통틀어 이르는 말.
* 막급 더 이상 이를 수 없음.
* 하해 큰 강과 바다를 아울러 이르는 말.

ⓜ천자가 충렬의 말을 듣고 친히 계단 아래로 내려와서 투구를 씌우면서 손을 잡고 하는 말이,

"과인은 보지 말고 그대의 선조가 창건*하던 일을 생각하여 나라를 도와주면, 태자가 말한 대로 그대의 공을 갚으리라."

* 창건 건물이나 조직체 따위를 처음으로 세우거나 만듦.

1 윗글의 내용과 일치하지 않는 것은?

① 천자는 문걸의 목을 베어 낸 충렬의 능력에 놀라워하고 있다.

② 충렬은 귀양을 간 아버지와 장인이 죽은 것으로 알고 있다.

③ 충렬은 태자의 말과 기상에 감화하여 스스로를 반성하고 있다.

④ 군사들은 충렬의 이야기를 듣고 그 원통한 심정에 공감하고 있다.

⑤ 천자는 유심을 귀양 보낸 것에 대한 자신의 과오를 인정하지 않고 있다.

2 ㉠~ⓜ 중, 〈보기〉의 설명에 해당하는 것은?

┌─ 보기 ┐

작품 밖의 서술자가 직접 개입하여 인물이나 사건에 대한 주관적 판단이나 자신의 생각을 이야기하거나 평가하는 것을 편집자적 논평이라고 합니다. 이러한 편집자적 논평은 고전 소설에서 주로 나타납니다.

① ㉠   ② ㉡   ③ ㉢   ④ ㉣   ⑤ ㉤

수능형

3 〈보기〉에서 [A]에 대한 설명으로 적절한 것을 모두 골라 묶은 것은?

┌─ 보기 ┐

ㄱ. 동정심을 자아내며 자신의 심정을 토로함.

ㄴ. 고사를 인용해 충렬의 마음을 돌리고자 함.

ㄷ. 자신의 연륜을 내세워 충렬의 행동을 만류함.

ㄹ. 보답의 의지를 밝히며 충렬에게 도움을 청함.

① ㄱ, ㄴ   ② ㄱ, ㄹ   ③ ㄴ, ㄷ

④ ㄴ, ㄹ   ⑤ ㄷ, ㄹ

발단 전개 위기 **절정** 결말

정한담이 계략을 세워, 군사
십만 명으로 금산성을 공격
하게 하여 충렬을 금산성으
로 유인한 사이, 자신은 도성
에 쳐들어가 천자에게 항복
을 강요하는 상황이다.

천자는 원수의 힘만 믿고 깊은 잠에 들어 있었는데, 뜻밖에 수많은 적병들이 성문을 깨뜨리고 궁궐 안으로 들어와 함성을 지르기를,

"이봐, 명제(明帝)야! 네가 어디로 갈 수 있겠느냐? 팔랑개비라 하늘로 날아오르며 두더지라 땅속으로 들어가겠느냐? 네 놈의 옥새를 빼앗으려고 하는데, 이제는 어디로 달아나겠느냐? 빨리 나와 항복하라." / 하는 소리에 궁궐이 무너지며 혼백이 하늘로 날아오르는 듯하였다. 천자가 넋을 잃고 용상*에서 떨어져 옥새를 품고 말 한 필을 잡아타고 엎어지며 자빠지며 북문으로 도망하여 변수 가에 이르렀다. 〈중략〉

한담이 천자를 잡아내어 말 아래 무릎을 꿇리고 서리같은 칼로 통천관을 깨어 던지며 호통을 쳤다.

"이봐 들어라. 하늘이 나 같은 영웅을 내실 때는 남경의 천자를 시키기 위한 것이다. 네가 어찌 천자를 바랄 수가 있겠느냐. 네 한 놈을 잡으려고 십 년을 공부하여 변화가 무궁한* 데, 네 어찌 순종치 아니하고 조그마한 충렬을 얻어 내 군사를 침략하느냐. 너의 죄를 따진다면 지금 곧바로 죽이는 것이 마땅하나 옥새를 바치고 항서*를 써서 올리면 죽이지 아니하겠다. 만약 그렇게 하지 않으면 네놈의 늙은 어머니와 처자식들을 한칼에 죽이리라."

천자가 어쩔 수 없어 말하기를, / "항서를 쓰려고 해도 종이와 붓이 없다."

하시니, 한담이 분노하여 창검을 번득이며 말하였다.

"용포를 떼고 손가락을 깨물어 깨어 항서를 쓰지 못할까?"

천자가 용포를 떼고 차마 손가락을 깨물지 못하고 있을 즈음에 황천인들 무심하겠는가.

이때 원수가 금산성에서 적군 10만 명을 한칼에 무찌르고 곧바로 호산대로 달려가 적의 구원병을 씨도 없이 죽이려고 가는데, 뜻밖에 달빛이 희미해지며 난데없이 빗방울이 원수의 얼굴 위에 떨어졌다. 원수가 이상하게 생각하여 말을 잠깐 멈추고 하늘의 기운을 살펴보니, 도성에 살기가 가득하고 천자의 자미성*이 떨어져 변수 가에 비쳤거늘, 크게 놀라 발을 구르며 말하기를, / "이게 웬 변이냐?" / 하고, 갑주와 창검 갖추고 천사마 위에 재빨리 올라타 산호 채찍을 높이 들어 채찍질하면서 말에게 단단히 부탁하여 일렀다.

"천사마야. 너의 용맹 두었다가 이런 때에 쓰지 않고 어디에 쓰겠느냐. 지금 천자께서 도적에게 잡혀 목숨이 경각*에 달려 있다. 순식간에 달려가서 천자를 구원하라."

천사마는 본래 천상에서 타고 온 비룡이었다. 비룡의 조화를 지니고 있어 채찍질을 하지 않고 제 가는 대로 두어도 순식간에 몇 천 리를 갈 줄 모르는데, 하물며 제 주인이 급한 말로 단단히 부탁하고 산호채로 채찍질하니 어찌 급히 가지 않겠는가. 눈 한번 깜짝하는 사이에 황성 밖을 얼른 지나 변수 가에 이르더라.

이때 천자는 백사장에 엎어져 있고 한담이 칼을 들고 천자를 치려 하고 있었다. 원수가 이때를 당하여 자신이 갖고 있던 온 기운과 힘으로 호통을 지르니, 천사마도 평생의 용맹을 이때에 다 부리고 변화 좋은 장성검도 삼십삼천에 어린 조화를 이때에 다 부린다. 원수가

* 용상 임금이 정무를 볼 때
  앉던 평상.
* 무궁하다 공간이나 시간
  따위가 끝이 없다.
* 항서 항복을 인정하는 문
  서.
* 자미성 큰곰자리 부근에
  있는 자미원의 별 이름. 북
  두칠성의 동북쪽에 있는
  열다섯 개의 별 가운데 하
  나로, 중국 천자의 운명과
  관련된다고 한다.
* 경각 눈 깜빡할 사이. 또
  는 아주 짧은 시간.

닿는 곳에 강산이 무너지고 너른 바다도 뒤엎어지는 듯하니, 귀신인들 울지 않으며 혼백인들 아니 울겠는가. 원수의 몸이 온통 불빛이 되어 벽력같이 소리를 지르며 말하기를,

"이놈 정한담아! 우리 천자를 해치지 말고 나의 칼을 받아라." / 하는 소리에, ㉠나는 새도 떨어지고 강과 산을 다스리는 귀신도 넋을 잃었으니, 정한담의 혼백인들 어디 가며 간담이 성할 수 있겠는가. 원수의 호통 치는 소리를 듣고, 한담이 두 눈이 캄캄하고 두 귀가 멍멍하여 탔던 말 둘러타고 도망하려다가 형산마가 꺼꾸러지며 백사장으로 떨어졌다.

4 윗글에 대한 설명으로 가장 적절한 것은?

① 현실감 있는 묘사를 통해 작품의 사실성을 높이고 있다.
② 과거 사건을 회고하는 형식을 통해 사건을 전개하고 있다.
③ 서로 다른 장소에서 동시에 일어난 사건을 제시하고 있다.
④ 반어적 표현을 통해 인물의 부정적 면모를 보여 주고 있다.
⑤ 서술자가 개입하여 과거 사건의 전말을 압축적으로 제시하고 있다.

> **개념 ➕ 반어법**
> 원래의 뜻과 반대되는 말을 하여 문장의 의미를 강화하는 표현 방법이다.
> **예** 나 보기가 역겨워 / 가실 때에는 / 죽어도 아니 눈물 흘리오리다

5 윗글을 감상한 내용으로 적절하지 <u>않은</u> 것은?

① 10만 명을 한칼에 무찌르는 데서 충렬의 비범한 능력이 잘 나타나는군.
② 본래 천상에서 내려온 비룡인 천사마는 충렬의 비범함을 드러내는 요소인 것 같아.
③ 한담에게 제대로 대응 한번 하지 못하는 천자의 모습에서 무능함과 나약함이 느껴졌어.
④ 뜻밖에 달빛이 희미해지며 난데없이 빗방울이 떨어지는 자연의 변화에서 앞으로의 승리를 예감할 수 있었어.
⑤ 천자에게 항복을 받아 내려는 한담과 천자를 구해 내려는 충렬의 모습에서 간신과 충신의 대립을 살펴볼 수 있군.

어휘

6 ㉠의 상황을 나타내는 말로 가장 적절한 것은?

① 구상유취(口尙乳臭)　　　　② 산전수전(山戰水戰)
③ 태연자약(泰然自若)　　　　④ 호시탐탐(虎視眈眈)
⑤ 혼비백산(魂飛魄散)

충렬이 정한담과의 대결에 서 승리하고, 가족과 재회하 는 상황이다.

이때 천자는 백사장에 엎어져서 반생반사 기절하여 누워 있었다. 원수가 천자를 붙잡아 앉히고 정신을 차리게 한 후에 엎드려 아뢰었다.

㉠"소장이 도적을 다 죽이고 한담을 사로잡아 말에 달고 왔습니다."

천자가 정신이 없는 가운데 원수란 말을 듣고 벌떡 일어나 보니, 원수가 땅에 엎드려 있 는지라. 달려들어 목을 안고 말하기를,

"㉡네가 틀림없는 충렬이냐? 정한담은 어디 가고 네가 어찌 여기에 와 있느냐. 내가 죽게 된 것을 네가 와서 또 살렸구나." / 하니, 원수가 전후수말*을 아뢴 후에 한담의 머리를 풀어 손에 감아들고 도성으로 돌아오더라. 〈중략〉

이때 장안의 온 백성들이 남적에게 잡혀갔던 며느리며 딸이며 동생들이 본국으로 돌아온 다는 말을 듣고, 호산대 십 리 뜰에 빈틈없이 마중 나와서 손과 치마를 부여잡고 그리던 마 음에 못내 즐거워하는지라. 이들의 울음소리와 웃음소리가 공중에 뒤섞이어 호산대가 떠나 갈 듯하였으며, 원수 유충렬과 모친 장 부인을 치사*하는 소리 낭자하여 요란하였다. 금산성 에 이르러 천자와 태후가 가마에서 바삐 내려 장막 밖으로 나오는지라, 원수가 갑옷과 투구 를 갖추고 군사의 예로써 천자께 인사를 올리니, 천자와 태후가 원수의 손을 잡고 못내 치 사하며 말하였다.

"과인의 수족을 만리타국*에 보내고 밤낮으로 염려하였는데, 이렇듯 무사히 돌아오니 즐 거운 마음을 어찌 다 말로 하겠는가. 옥문관으로 귀양 간 승상 강희주와 그간 죽은 줄 알 았던 그대의 모친과 강 낭자를 살려 오니 천추*에 드문 일이다. 그대의 은혜는 죽어도 잊 기 어려운지라, 입이 열 개라도 어떻게 그 말을 다 하리오."

황태후가 원수를 치사한 후에 조카 강 승상을 부르시니, 승상이 바삐 들어와 땅에 엎드리 는지라, 황태후가 승상을 보고 하시는 말씀이야 어찌 말로 다 표현할 수 있으리오. 천자가 내려와 승상의 손을 잡고 위로하며 말하였다.

"㉢과인이 현명하지 못하여 역적의 말을 듣고 충신을 먼 지방으로 귀양을 보냈으니, 무슨 면목으로 경을 대면하리오. 그러나 이미 지나간 일이니 잘잘못을 따지지 말기 바라오."

한편 이미 장안으로 돌아와 연왕이 된 유심은 장 부인이 온다는 소식을 듣고 마음이 공중 에 떠서 충렬이 나오기를 고대하였다. 원수가 천자께 물러 나와 부왕 앞에 엎드려 아뢰기를,

"불효자 충렬이 남적을 소멸하고 오는 길에 회수에 와 모친을 기리는 제사를 지내다가, 천행으로 모친을 만나 모시고 왔습니다."

하니, 연왕이 반가움을 이기지 못하여 말하였다. / ㉣"너의 모친이 어디 오느냐?"

이때 장 부인이 이미 휘장 밖에 있다가 남편 유심의 말소리를 듣고 반가운 마음을 어찌하 지 못하고 미친 듯 취한 듯이 들어가니, 연왕이 부인을 붙들고 말하였다.

"㉤그대가 분명 장상서의 따님인가? 멀고 먼 황천길에 죽은 사람도 살아오는 법 있는가? 회수의 넓고 푸른 물속에 빠져 백골이 된 당신을 어떤 사람이 살려 왔느냐. 뉘 집 자손이

* 전후수말 처음부터 끝까 지의 과정.
* 치사 다른 사람을 칭찬함. 또는 그런 말.
* 만리타국 조국이나 고향 에서 멀리 떨어져 있는 다 른 나라.
* 천추 오래고 긴 세월. 또 는 먼 미래.

모셔 왔느냐. 충렬아, 네가 분명 살려 왔느냐? 간신의 모함*으로 유배를 가게 된 내가 북방 천리만리 호국 일당에 잡히어 죽을 줄 알았더니, 십 년 전에 헤어진 부인을 다시 만나고, 일곱 살짜리 자식을 환란* 중에 잃었다가 이렇듯이 다시 만나 영화를 볼 줄이야 꿈속에서나 생각할 수 있었겠는가!"

* 모함 나쁜 꾀로 남을 어려운 처지에 빠지게 함.
* 환란 근심과 재앙을 통틀어 이르는 말.

7 ㉠~㉤에 대한 이해로 적절하지 않은 것은?

① ㉠: 상대에게 자신이 행한 일을 압축하여 밝히고 있다.
② ㉡: 고대하던 상대를 만난 기쁨을 드러내고 있다.
③ ㉢: 자신이 저지른 잘못을 인정하며 미안해하고 있다.
④ ㉣: 상대를 빨리 만나고 싶은 간절한 마음이 드러나 있다.
⑤ ㉤: 믿기지 않는 현실에 강한 의심을 품고 상대가 맞는지 확인하고 있다.

수능형
8 〈보기〉를 참고하여 윗글을 감상한 내용으로 적절하지 않은 것은?

> 보기
>
> 「유충렬전」은 고귀한 혈통, 성장 과정에서의 시련과 위기, 조력자의 도움, 고난 극복과 승리로 이어지는 영웅의 일대기적 구조에 따라 이야기가 전개된다. 아버지 유심과 장인 강희주가 간신과의 갈등으로 유배를 가는 것이 유충렬이 위기를 겪는 계기가 된다는 점에서, 가족의 위기와 국가의 위기가 연결되고 있다. 유충렬은 신이한 능력을 발휘하여 가족의 위기와 국가의 위기를 모두 해결하고, 영웅으로 귀환한다.

① 유충렬이 성장 과정에서 겪은 시련은 간신의 모함으로 충신이 유배를 간 것에서 비롯된 것이군.
② 남적을 소멸하고 돌아오는 유충렬을 백성들이 환영하는 것에서, 유충렬이 영웅으로 귀환하고 있음을 알 수 있군.
③ 유충렬이 모친인 장 부인을 모시고 와 헤어졌던 가족들이 다시 만나게 된 것에서 가족의 위기가 해결되었음을 알 수 있군.
④ 유충렬이 강희주를 구하고 더불어 남적을 물리친 것에서 유충렬이 가족의 위기와 국가의 위기를 함께 해결하고 있음을 알 수 있군.
⑤ 금산성에 이르러 천자와 태후가 가마에서 바삐 내려 장막 밖으로 나오는 데서 가족의 위기가 국가의 위기로 연결되고 있음을 알 수 있군.

인물의 특성과 관계

1 이 작품에 등장하는 인물의 특성과 관계를 정리해 보자.

천자		유충렬		정한담
• 정한담에게 속아 유심과 강희주를 귀양 보냄. • 자신을 구한 유충렬에게 감사를 표하며, 자신의 잘못을 뉘우침.	군신 관계	• 신이한 능력으로 영웅적인 활약을 펼쳐 나라를 위기에서 구함. • (①)과 효심이 강함.	대립 (적대) 관계	• 천자를 배신한 간신으로, 유충렬과 대립함. • 반란을 일으켰으나 유충렬에게 패배함.

갈등의 양상

2 이 작품에 드러난 갈등의 전개 양상을 정리해 보자.

갈등의 원인	(②)의 음모와 반란 – 유충렬의 아버지인 (③)을 모함하여 그의 집안을 쇠락하게 함. – 유충렬의 장인인 강희주를 모함하여 유배를 가게 함. – (④)을 일으켜 왕위를 빼앗으려 하고 나라를 위기에 빠뜨림.

↓

갈등의 해결	(⑤)의 영웅적 활약으로 인한 승리 – 정한담과의 대결에서 승리하고 위기에 처한 천자, 태자 등을 구출함. – 공을 인정받고 가족과 재회함.

↓

유충렬은 정한담에게서 비롯된 국가의 위기와 가족의 위기를 모두 해결함.

어휘

제시된 초성을 참고하여 다음 뜻에 해당하는 어휘를 써 보자.

1. ㅁ ㄱ : 더 이상 이를 수 없음.   → _____

2. ㅎ ㅎ : 큰 강과 바다를 아울러 이르는 말.   → _____

3. ㅁ ㅎ : 나쁜 꾀로 남을 어려운 처지에 빠지게 함.   → _____

깊이 읽기

영웅의 일대기적 서사 구조가 무엇인지 궁금해요.

「유충렬전」은 조선 후기의 대표적인 영웅 소설입니다. 영웅의 일생이라는 서사 구조를 갖고 있는 작품을 영웅 소설이라고 합니다. 영웅 소설은 다음과 같은 일정한 이야기 구조를 따르는 경우가 많습니다. 우선 고귀한 신분의 주인공이 기이하게 출생합니다. 주인공은 어려서 버림을 받기도 하지만 비범한 능력과 조력자의 도움으로 위기에서 벗어납니다. 그리고 성장하면서 그를 시기하거나 음해하려는 세력 때문에 시련과 위기에 처합니다. 하지만 조력자의 도움과 탁월한 능력으로 위기에서 벗어나 문제를 극복하고 위업을 달성하며 행복한 결말을 맺습니다.

「유충렬전」은 이러한 서사 구조를 빠짐없이 잘 갖추고 있는 작품입니다. 현직 고관인 유심 부부가 산천에 기도하여 신이한 태몽을 꾸고 잉태하여 태어난 유충렬은 간신 정한담의 모함과 박해로 시련을 겪습니다. 하지만 유충렬은 조력자의 도움과 비범한 능력으로 고난을 극복하고 전쟁에서 큰 공을 세워 나라를 구하고 가문의 명예를 회복하며 부귀영화를 누리게 됩니다.

이와 같은 영웅의 일대기적 구성은 「유충렬전」뿐 아니라 다른 영웅 소설에서도 찾아볼 수 있습니다. 조웅이 위기에 처한 태자를 구출하고 송나라를 구해 내는 내용의 소설인 「조웅전」, 여장군 홍계월의 일대기를 그린 여성 영웅 소설인 「홍계월전」, 용왕의 아들이지만 천상계에서 저지른 잘못 때문에 인간 세상에서 태어난 소대성이 위험에 처한 황제를 구하는 내용의 소설인 「소대성전」 등에서도 이러한 영웅의 일대기 구조가 나타나 있습니다.

▲ 「유충렬전」 필사본(출처: 국립한글박물관)

간단 확인

1. 영웅 소설에서 주인공은 대개 어린 시절에 고난을 겪는다.　　　　　　○　✕

2. 고귀한 신분의 충렬이 비범한 능력으로 고난을 극복하고 승리하는 것은 영웅 서사에 부합하는 내용이다.　○　✕

05 구운몽 | 김만중

산문

「구운몽」은 '꿈'이라는 제재를 이용하여 부귀영화의 덧없음과 인생무상을 드러낸 고전 소설입니다. 인생에 대한 본질적인 고민을 탁월한 묘사와 뛰어난 상상력으로 풀어냈습니다. 현실과 꿈이 교차하는 '현실 - 꿈 - 현실'의 구조로 이루어져 있으며 이후 창작된 몽자류 소설의 뿌리가 되는 작품입니다.

🎬 등장인물

성진(양소유)
육관 대사가 아끼는 제자로, 육관 대사에게 벌을 받아 인간 세상에 양소유로 환생한다. 역시 인간 세상에 환생한 팔선녀와 더불어 세속의 부귀영화를 누리는 꿈을 꾸고 깨달음을 얻는다.

인연

육관 대사
성진의 스승으로, 속세의 부귀영화를 꿈꾸는 성진을 참다운 깨달음에 이르게 한다.

팔선녀
위 부인의 여덟 시녀들로, 성진과 함께 인간 세상에 환생한다. 양소유와 각각 인연을 맺는다. 꿈에서 깬 뒤 불도에 귀의하여 성진과 함께 극락세계로 간다.

📖 전체 줄거리

발단

현실-꿈꾸기 전

성진, 속세에 뜻을 두다

중국 당나라 때 육관 대사는 형산 연화봉에 법당을 짓고 설법을 한다. 육관 대사의 제자인 성진은 어느 날 대사의 심부름으로 용궁에 갔다가 용왕의 융숭한 대접에 술을 몇 잔 마시고, 돌아오는 길에는 팔선녀를 만나 복숭아꽃으로 구슬을 만들어 준다. 성진은 절에 돌아온 뒤에도 그녀들을 생각하며 불도에 회의를 느끼고 속세의 부귀와 공명을 꿈꾸다 육관 대사의 명으로 인간 세상으로 추방된다.

전개

꿈

성진, 인간 세상에 양소유로 태어나 여덟 여인과 인연을 맺고 부귀영화를 누리다

성진은 회남 수주현에 사는 양 처사의 아들로 태어나 양소유로 불린다. 양 처사는 신선이 되려고 집을 떠나고, 양소유는 입신양명을 위해 노력한다. 팔선녀 역시 인간 세상에 태어나 양소유와 차례로 인연을 맺는다. 장원 급제한 양소유는 전쟁에서 큰 공을 세우고 승상의 위치에 오른다. 입신양명한 양소유는 여덟 여인과 함께 부귀영화를 누린다.

절정

꿈

양소유, 인생의 허무함을 느끼다

벼슬에서 물러나 한가롭게 여생을 즐기던 양소유는 어느 날 문득 부귀영화가 덧없음을 깨닫고 인생의 허무함을 느낀다. 그때 한 도승이 나타나 그의 꿈을 깨운다.

결말

현실-꿈꾼 후

성진, 깨달음을 얻다

꿈에서 깬 성진은 그 모든 부귀영화가 하룻밤의 꿈이었음을 깨닫고 그동안의 잘못을 뉘우치며 육관 대사의 가르침을 구하고 불교에 다시 귀의한다. 팔선녀 역시 불제자가 되어 아홉 사람은 불도에 정진하고, 모두 극락세계로 들어간다.

📖 알아두기

☑ 조선 후기에 김만중이 유배지에서 어머니를 위로하기 위하여 창작한 고전 소설이다.

☑ 당시 많은 사대부들은 출세하여 이름을 떨치는 입신양명을 꿈꾸었다.

☑ '현실-꿈-현실'의 구조로 이루어져 있는데 현실은 초월적 세계로, 꿈은 현실적 세계로 설정하고 있다.

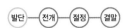

발단 — 전개 — 절정 — 결말

육관 대사의 제자인 성진이 팔선녀를 만나 속세의 부귀영화를 꿈꾸다가 인간 세상으로 추방당하는 상황이다.

빈 방에 홀로 앉아 있으려니 팔선녀의 옥음*이 귀에 쟁쟁하고 화용*이 눈에 암암하여, 옆에 앉아 있는 것처럼 마음이 황홀해 진정이 되지 않아 번뇌 망상에 잠을 이루지 못했다.

'세상에 남자로 태어났으면, 어릴 때는 공맹의 글을 읽고 자라나서는 성주를 섬기고, 나가면 삼군의 장수가 되고 돌아오면 백관의 어른이 되어, 몸엔 금의를 입고 허리엔 옥대를 두르고 궁궐에 조회하고, 눈으로 고운 빛을 보고 귀로는 묘한 소리를 들어 미색의 애련과 공명의 자취를 후세에 전하는 것이 대장부의 떳떳한 일이지 않은가. 슬프다! 우리 불가의 도는 모두 한 그릇 밥과 한 잔 정화수에 담겨 있어 내가 앞으로 할 수 있는 일은 경문을 여러 권 읽고 백팔염주를 목에 걸고 설법하는* 일뿐이다. 그 도가 비록 높고 깊다 할지라도 적막함이 극심하며, 가령 가장 높은 법을 깨달아 대사의 도를 전해 연화대 위에 앉았다 한들, 삼혼칠백이 한번 불꽃 속에 흩어지면 누가 성진이 세상에 났었다는 것을 알아주겠는가.'

이렇듯 성진은 마음이 혼란스러워 잠들지 못하다가 밤이 깊어 눈을 감지만, 팔선녀가 앞에 어른거리고, 눈을 뜨면 흔적 없이 사라졌다.

'불가의 법에서 가장 큰 공부는 마음을 청정히 하는 것으로, 내가 중이 된 지 10년이 되도록 한 점 허물도 없었는데, 사사로운 망념이 이렇게 드니 어찌 내 앞길에 해롭지 않겠는가'라며 참회했다.

그리고 명향을 피우고 꿇어앉아 목의 염주를 헤아리며 가만히 일천불을 생각하는데, 창 밖에서 ㉠한 동자가 자신을 부르는 소리가 들렸다.

"사형은 취침했습니까? 사부께서 부르십니다." / 성진이 크게 놀라며 생각했다.

'깊은 밤에 급히 부르시니 분명 이유가 있겠지.' / 그러고는 동자를 따라 법당으로 갔다.

육관 대사가 모든 제자를 모아놓고 설법대에 앉아 있는데 위의*가 엄숙하고 등촉*이 휘황했다. / "성진아! 네 죄를 아느냐?"

육관 대사가 크게 꾸짖자 성진이 화들짝 놀라 섬돌 아래로 내려가 꿇어앉았다.

"소자가 스승을 섬긴 지 10여 년이 되었지만 조금도 공손하지 않거나 불순한 일이 없었습니다. 엄중히 문책*하시니 어찌 속이겠습니까마는, 정말 막막하기만 하지 죄를 알지 못하겠습니다."

그러자 대사가 더욱 노하며 말했다.

"중의 공부에는 지켜야 할 세 가지 행실이 있는데 그것은 몸과 말씀과 뜻이다. 네가 용궁에 가서 술을 먹었으니 그 죄가 작지 않고, 또 돌아오다가 석교 위에서 팔선녀와 장황하게 수작하고 꽃가지를 꺾어 던져 명주인 양 장난치고 돌아온 후에도 미색을 사랑하고 세상의 부귀를 흠모하여 불가의 적막함을 싫어하니, 이는 세 가지 행실을 한꺼번에 무너뜨려 버린 것이니 이제는 도저히 너를 여기 머물게 할 수 없다!"

* 옥음 옥처럼 맑고 아름다운 소리라는 뜻으로, 아름다운 목소리를 이르는 말.
* 화용 꽃처럼 아름다운 여자의 얼굴.
* 암암하다 기억에 남은 것이 눈앞에 아른거리는 듯하다.
* 설법하다 불교의 교의를 풀어 밝히다.
* 위의 위엄이 있고 엄숙한 태도나 차림새.
* 등촉 등불과 촛불을 아울러 이르는 말.
* 문책 잘못을 캐묻고 꾸짖음.
* 장황하다 매우 길고 번거롭다.
* 흠모 기쁜 마음으로 공경하여 사모함.

1 윗글을 바탕으로 하여 성진에 대해 설명한 내용으로 적절하지 <u>않은</u> 것은?

① 성진은 불교 수행에 대한 회의를 느끼며 한탄하고 있다.

② 성진은 육관 대사가 자신을 부르는 이유를 이미 눈치채고 있다.

③ 성진은 육관 대사가 문책하였지만 자신의 죄를 깨닫지 못하고 있다.

④ 성진은 불가에서 지켜야 할 행실을 어겨 육관 대사에게 노여움을 사고 있다.

⑤ 성진은 팔선녀를 만나고 세속적 출세와 부귀영화에 대한 욕망을 느끼고 있다.

수능형

2 〈보기〉를 바탕으로 윗글을 감상할 때, 적절하지 <u>않은</u> 것은?

> 보기
>
> 내적 갈등은 한 인물의 마음속에서 일어나는 갈등이다. 소설에서 인물의 내적 갈등은 자신이 지키던 신념이나 믿음에 대한 회의, 균열에서 비롯되는 경우가 종종 있다. 자신이 옳다고 믿었던 신념이 뜻밖의 일로 흔들리면서 현재의 처지나 상황에 대한 믿음도 깨지게 되어 내적 갈등이 심화되는 것이다.

① 불가의 도가 이전까지 성진이 옳다고 믿었던 신념에 해당하겠군.

② 성진이 대장부의 떳떳한 일에 대해 생각하는 데서 인물의 내적 갈등을 엿볼 수 있군.

③ 성진에게는 팔선녀를 만나게 된 것이 신념에 대한 회의를 불러일으킨 뜻밖의 일이 된 셈이군.

④ 성진이 참회한 후 명향을 피우고 꿇어앉아 목의 염주를 헤아리는 데서 인물의 내적 갈등이 더 심화될 것임을 알 수 있군.

⑤ 성진이 앞으로 본인이 할 수 있는 일은 경문을 읽고 설법하는 일뿐이라고 생각하는 데서 현재의 처지에 대한 회의나 균열이 드러나는군.

개념 ➕ 갈등

개인이나 집단 사이에 일어나는 대립이나 충돌, 또는 한 인물의 마음속에서 서로 대립하는 심리 상태를 뜻한다. 한 인물의 마음속에서 일어나는 갈등인 내적 갈등과, 인물과 그를 둘러싼 외부적인 요인 사이의 대립으로 일어나는 외적 갈등이 있다.

3 앞뒤 맥락을 고려할 때, ㉠의 기능으로 가장 적절한 것은?

① 이전 사건의 원인을 밝혀 준다.

② 새로운 사건이 전개될 것임을 예고한다.

③ 여러 가지 상황이 통합될 것임을 나타낸다.

④ 문제가 된 사건이 해결될 것임을 드러낸다.

⑤ 인물 간의 갈등이 해소될 것임을 알려 준다.

발단─전개─절정─결말

양소유가 인간 세상에 환생한 팔선녀 중 한 명인 진채봉을 만나 서로의 마음을 확인하는 상황이다.

그 미인이 잔잔한 눈길로 바라보다가 문을 닫고 들어가 버리자 그윽한 향내만이 바람에 실려 왔다. 양생은 동자가 저녁밥 때를 알린 것을 공연히 한탄했다. 한번 구슬발을 내린 것만으로 삼천 리만큼이나 멀어진 듯했다. 양생이 동자와 함께 돌아오면서, 한걸음에 세 번씩 돌아보았으나 창은 이미 닫혀 있었다. 양생은 객관에 돌아와 슬픈 마음을 추스르지 못했다.

그녀는 성은 진, 이름은 채봉으로, 어사의 딸이었다. 어머니는 일찍 돌아가셨고 형제는 없으며 나이는 이제 겨우 비녀를 꽂을 수 있을 정도이나 아직 시집은 가지 않았다. 어사는 서울에 올라가고 소저 홀로 집에 있다가 뜻밖에 용모가 비범한 남자를 만난 것이다. 채봉은 그가 읊은 글을 듣고 나서 생각했다.

'여자가 장부를 따르는 것은 평생의 큰일이다. 일생의 영욕*과 백년고락*이 장부에게 달려 있다. 그 때문에 탁문군도 과부의 몸으로 사마상여를 따랐던 것이 아닌가. 비록 나는 처자의 몸으로 스스로 중매 선다는 것이 꺼림칙한 점도 있지만, '신하도 또한 임금을 가린다'는 옛말이 있으니, 저 남자의 이름과 거주지를 묻지 않았다가 나중에 아버지께 말해 중매를 보내려 해도 도무지 찾을 길이 없는 것보다 낫지 않겠는가.'

그리고 시전지를* 한 폭 펴서 ㉠두어 구의 글을 써서 유모에게 주며 말했다.

"이 편지를 가지고 저 객관에 가서, 아까 작은 나귀를 타고 이 누각 아래에 와서 양류사를 읊던 상공을 찾아 전하게. 내가 꽃다운 인연을 맺어 이 한 몸 의탁*하려는 뜻이 있다고. 하지만 쉽게 말하지는 말게. 이 상공은 용모가 옥 같고 눈썹이 그림 같아서 ⓐ만인 가운데서도 봉황이 닭 무리 속에 있는 것 같을 것이니, 유모가 친히 보고 이 글을 전하게."〈중략〉

양생이 한 번 읊고 그 글의 산뜻함을 거듭거듭 칭찬하며 시전지에 ㉡글을 한 수 써서 유모에게 주었다. 유모가 편지를 받아 품에 넣고 주막 문을 나가려 하는데 양생이 다시 불러 말했다. / "소저는 진나라 땅 사람이고 나는 초나라 땅 사람이라 한번 헤어지면 산천이 멀어 소식을 주고받기 어려울 것이오. 오늘 이 일에 확실한 중매가 없어 증빙할 곳이 없으므로, 오늘 밤 달빛 아래서 소저의 모습을 다시 보고자 하니, 그대는 소저께 여쭈어보시오. 소저의 글 속에도 뜻이 있으니 빨리 가서 물어보시오."

유모가 돌아와 소저에게 글을 주며 말했다. / "양생께서 화산과 위수에 맹세하여 꽃다운 인연을 완전히 정하고, 또 소저의 글을 칭찬하시며 글을 지어 화답하셨습니다."

> 버들 천만 갈래 실이 / 실마다 마음굽이에 맺었더라
> 원하건대 달 아래 줄을 놓아 / 봄소식을 전하리라

소저가 글을 다 읽고 나니 꽃다운 얼굴에 기쁜 빛이 가득했다. / 유모가 또 말했다.

"양랑께서 오늘 밤에 조용히 만나 서로 글을 화답하시고 싶다고 여쭈어달라고 했습니다."

소저가 미소를 지으며 말했다. / "남녀가 아직 혼례를 치르기 전에 사사로이 만나는 것은 예절에 어긋난 듯하지만, 내 몸을 그 사람에게 의탁하려는 바에야 어찌 마다하겠나. 그러나

* **영욕** 영예와 치욕을 아울러 이르는 말.
* **백년고락** 긴 세월 동안의 괴로움과 즐거움을 아울러 이르는 말.
* **시전지** 시나 편지 따위를 쓰는 종이.
* **의탁** 어떤 것에 몸이나 마음을 의지하여 맡김.

밤중에 만나면 남의 말도 무섭고, 또 아버님이 아시면 분명 중죄를 내릴 테니 날이 밝으면 대청에 모여 언약*하는 것이 낫겠다고 다시 가서 전하게."

유모가 즉시 여관에 가서 양생에게 소저의 말을 자세히 전했다. 양생이 탄복하며 말했다.

"소저의 영민하신* 마음과 옳은 말씀은 내가 따르기 어려울 정도입니다."

* 언약 말로 약속함.
* 영민하다 매우 영특하고 민첩하다.

4 윗글을 감상한 내용으로 적절하지 <u>않은</u> 것은?

① 채봉과 양생은 서로를 보고 첫눈에 반하였군.

② 비유적 표현을 활용하여 인물의 외양을 제시하고 있군.

③ 유교적 가치관이 지배적이었던 당시 사회의 분위기를 짐작할 수 있군.

④ 채봉은 양생과의 만남에 있어서 주위의 시선을 전혀 의식하지 않고 있군.

⑤ 채봉은 자신의 행동을 정당화하기 위해 고사나 옛말을 근거로 들고 있군.

수능형
5 〈보기〉를 참고하여 ㉠과 ㉡을 이해할 때, 적절하지 <u>않은</u> 것은?

> ┤ 보기 ├
>
> 고전 소설에서 시나 편지는 인물 간의 소식이나 마음을 주고받는 주요한 방편이다. 이는 작품 속에서 인물들의 심리나 생각을 비유적·함축적으로 표현하여 개성을 드러내고 서정적 분위기를 자아낼 뿐 아니라, 사건 전개의 매개 역할을 하거나 앞으로의 사건 전개 방향을 암시하는 등 다양한 기능을 수행한다.

① ㉠에는 양생을 따르고자 하는 채봉의 생각이 담겨 있다.

② ㉠을 읽고 양생은 채봉에 대한 긍정적 태도를 강화하고 있다.

③ ㉡을 통해 채봉은 양생의 마음을 확인하고 기뻐하고 있다.

④ ㉡은 양생이 산천이 멀어 채봉과 소식을 주고받기 힘들어 선택한 방편이다.

⑤ ㉡은 ㉠의 답장으로, 채봉을 다시 만나고 싶은 양생의 심리가 담겨 있다.

어휘
6 ⓐ와 관련된 한자 성어로 가장 적절한 것은?

① 군계일학(群鷄一鶴) ② 금지옥엽(金枝玉葉)

③ 무골호인(無骨好人) ④ 백면서생(白面書生)

⑤ 오합지졸(烏合之卒)

발단 ─ 전개 ─ 절정 ─ 결말

어느 날 양소유는 인생의 무상함을 느끼다가 한 노승을 만나 잠에서 깬다. 꿈에서 깬 성진이 깨달음을 얻는 상황이다.

"제가 열대여섯 살 전에는 부모의 슬하에서 떠나지 않았고, 열여섯 살에 급제하여 줄곧 관직에 있었으니, 동쪽으로 연나라를 굴종시키고 서쪽으로는 토번*을 정벌한 것 외에는 일찍이 경성을 떠나지 않았습니다. 그러니 언제 스승과 10년을 사귀었겠습니까?"

노승이 웃으며 말했다. / ㉠"상공이 아직도 춘몽을 깨지 못했구나!"

승상이 말했다. / "노승은 어떻게 제 춘몽을 깨워주시렵니까?" / 노승이 말했다.

"그건 어렵지 않다." / ㉡노승이 지팡이를 들어 돌난간을 두어 번 두드리자, 돌연 네 산골짜기에서 구름이 일어나 누대에 자욱하여 지척을 분별할 수가 없었다. 승상이 정신이 아득하여 마치 취몽 중인 듯했다. 한참 지나자 소유가 소리를 질러 말했다.

"스승은 어찌하여 저를 바른 도로 인도하지 않고 환술로 장난치십니까?"

말을 마치기도 전에 구름은 사라지고 노승은 간 곳이 없다. 좌우를 돌아보니 여덟 낭자 또한 간 곳이 없었다. 놀랍게도 높은 누대*와 많은 집이 한번에 없어지고 제 몸은 작은 암자 안의 방석 위에 앉아 있는데, ㉢향로의 불은 이미 사라지고 지는 달은 창에 비치고 있었다.

자신의 몸을 보니 백팔염주가 손목에 걸려 있고, 머리를 만지니 머리털이 까칠까칠하여 완연히 소화상의 몸이었다. 도저히 대승상의 위엄 있는 자태가 아니었다. 어안이 벙벙하여 한참을 생각해보니 그제서야 제 몸이 연화도량의 성진 행자인 것을 알 수 있었다.

'스승께 문책을 받아 풍도로 갔다가, 인간 세상에 환생해 양가의 아들이 되어 장원 급제하여 한림학사*를 하고, 나가서는 장군이 되고 들어와서는 재상이 되어 이름을 떨친 후 물러나 두 공주와 여섯 낭자와 함께 즐기던 것이 다 하룻밤 꿈이었구나. 스승이 내가 그릇된 생각을 한 걸 알고 이 꿈을 꾸게 하여 ㉣인간의 부귀와 남녀의 정욕이 다 허사인 줄을 알게 한 것이구나.' / 성진이 급히 세수하고 의관을 정제하여 법당에 나가자, 다른 제자들이 이미 다 모여 있었다. 대사가 큰 소리로 물었다.

"성진아, 성진아! ㉤인간 세상의 재미가 어떠하더냐?" / 성진이 눈을 번쩍 떠서 쳐다보니 육관 대사가 엄연히 서 있었다. 성진이 머리로 땅을 치며 눈물을 흘리며 말했다.

"제자가 행실이 부정하오니 스스로 지은 죄에 대해 누구를 탓하고 누구를 원망하겠습니까? 마땅히 불완전한 세계에 처하여 오랫동안 윤회*하는 재앙을 받을 것인데 스승께서 하룻밤 꿈을 꾸게 해 성진의 마음을 깨닫게 하셨으니, 스승의 은혜는 천만겁*을 지나도 갚지 못할 것입니다!" / 대사가 말했다.

"네가 흥을 타고 갔다가 흥이 다해 돌아왔으니 내가 무슨 상관이 있었겠느냐. 또 네가 '꿈과 현실이 둘로 나누어진다'라고 하니, 이는 네가 아직도 꿈에서 깨지 못한 것이다. 옛날에 '장주*가 꿈에 나비가 되었다 나비가 장주가 되었다.' 하니 어느 것이 거짓이고 어느 것이 참인 줄을 분별하지 못했는데, 이제 성진과 소유 중 어느 것이 참이고 어느 것이 꿈이냐?" / "제자가 아둔하여 꿈이 참이 아니며 참이 꿈이 아님을 분별하지 못하오니, 바라옵건대 스승께서는 큰 법을 베풀어 제자가 깨닫게 해주십시오."

* 토번 중국 당나라·송나라 때에, '티베트 족'을 이르던 말.
* 누대 누각과 대사와 같이 높은 건물.
* 한림학사 중국 당나라 때에, 한림원에 속하여 조칙의 기초를 맡아보던 벼슬.
* 윤회 수레바퀴가 끊임없이 구르는 것과 같이, 중생이 번뇌와 업에 의하여 죽어도 다시 태어나 생이 반복된다고 하는 불교 사상.
* 천만겁 아주 길고 오랜 세월.
* 장주 중국 전국 시대 사상가인 장자의 본명.
* 아둔하다 슬기롭지 못하고 머리가 둔하다.

7 윗글에 대한 설명으로 적절하지 <u>않은</u> 것은?

① 현실적인 사건이 사실적으로 서술되고 있다.

② 고사를 활용해 인물의 생각을 전달하고 있다.

③ 이야기 밖의 서술자가 사건을 제시하고 있다.

④ 꿈과 현실이 교차되는 액자식 구성 방식을 취하고 있다.

⑤ 묘사의 방식을 통해 장면이 전환되었음을 드러내고 있다.

> **개념 ✚** **액자식 구성**
>
> 하나의 이야기 속에 또 하나의 이야기가 들어 있는 구성으로, 이야기의 핵심 내용이 담긴 내부 이야기와 이를 둘러싸고 있는 외부 이야기로 나누어진다.

8 ㉠~㉤에 대한 설명으로 적절하지 <u>않은</u> 것은?

① ㉠: 양소유의 현재가 꿈속임을 암시한다.

② ㉡: 전기적인 특성이 드러나는 부분이다.

③ ㉢: 꿈속의 세계가 머지않아 끝날 것임을 암시한다.

④ ㉣: 세상의 부귀영화가 덧없음을 알게 되었다는 말이다.

⑤ ㉤: 육관 대사가 성진의 꿈의 내용을 알고 있음이 드러난다.

수능형

9 〈보기〉를 바탕으로 하여 윗글을 감상한 내용으로 적절하지 <u>않은</u> 것은?

> ─────── 보기 ───────
>
> 「구운몽」은 성진이라는 불제자가 원하던 부귀영화를 꿈속에서 이루지만 그것의 허망함을 깨닫고 다시 불교에 귀의하는 과정을 '@현실-ⓑ꿈-ⓒ현실'이라는 구조로 보여 주고 있는 작품이다.

① ⓑ에서 양소유는 @에서의 일을 기억하지 못하는군.

② ⓑ에서 양소유가 만난 노승이 ⓒ에서의 육관 대사로군.

③ ⓑ에서 양소유는 원하던 세상의 부귀영화를 다 누렸군.

④ ⓒ의 성진은 ⓑ에서의 경험을 통해 인생의 깨달음을 얻었군.

⑤ ⓒ의 성진은 자신에게 ⓑ를 겪게 한 육관 대사를 원망하는군.

작품 독해

사건 전개 과정

1 이 작품의 구조를 고려하여 사건 전개 과정을 정리해 보자.

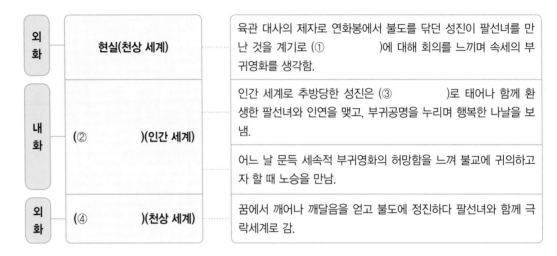

외화	현실(천상 세계)	육관 대사의 제자로 연화봉에서 불도를 닦던 성진이 팔선녀를 만난 것을 계기로 (①)에 대해 회의를 느끼며 속세의 부귀영화를 생각함.
내화	(②)(인간 세계)	인간 세계로 추방당한 성진은 (③)로 태어나 함께 환생한 팔선녀와 인연을 맺고, 부귀공명을 누리며 행복한 나날을 보냄.
		어느 날 문득 세속적 부귀영화의 허망함을 느껴 불교에 귀의하고자 할 때 노승을 만남.
외화	(④)(천상 세계)	꿈에서 깨어나 깨달음을 얻고 불도에 정진하다 팔선녀와 함께 극락세계로 감.

제목의 의미

2 제목의 의미를 중심으로 이 작품을 정리해 보자.

九(아홉 **구**)	雲(구름 **운**)	夢(꿈 **몽**)
소설의 인물 – 현실: (⑤)과 팔선녀 – 꿈: 양소유와 여덟 아내	**소설의 주제** 인생의 (⑥)는 구름과 같이 덧없음을 깨달음.	**소설의 구성** 성진이 꿈속 경험을 통해 인생무상의 깨달음을 얻고 허무를 극복함.

어휘

제시된 초성을 참고하여 다음 뜻에 해당하는 어휘를 써 보자.

1. ㅎ ㅁ : 기쁜 마음으로 공경하며 사모함.   → _____

2. ㅇ ㅇ : 옥처럼 맑고 아름다운 소리라는 뜻으로, 아름다운 목소리를 이르는 말. → _____

3. ㅇ ㅎ : 수레바퀴가 끊임없이 구르는 것과 같이, 중생이 번뇌와 업에 의하여 죽어도 → _____
다시 태어나 생이 반복된다고 하는 불교 사상.

깊이 읽기

몽자류 소설이 무엇인지 궁금해요.

한국 고전 소설 중에서 제목의 마지막에 '몽(夢)' 자가 들어 있는 소설을 주로 일컫는 것으로, 주인공이 꿈속에서 현실과 전혀 다른 인물이 되어 겪은 경험을 통해 얻은 깨달음을 기록한 소설을 '몽자류 소설'이라고 합니다.

「구운몽」에서도 불제자 성진은 꿈속에서 양소유라는 인물이 되어 부귀공명을 누리다가 꿈에서 깨어난 뒤 그것이 허망한 것임을 깨닫고 다시 불교에 귀의합니다. 또한 꿈속의 인물인 양소유가 그 이전의 자아인 성진에 대해 자각하지 못하다가 꿈을 깨면서 깨닫게 되는 것처럼, 꿈속의 인물은 그 이전의 자아에 대한 자각이 없는 상태로 있다가 꿈에서 깨면서 둘 사이의 일치를 확인하게 됩니다. 이를 통해 현실의 인물은 새로운 깨달음을 얻게 됩니다. 대부분의 몽자류 소설들은 현실과 꿈이 서로 연관성이 있으며, 현실에 대한 인식은 '일장춘몽(一場春夢)'의 성격이 강합니다. 또한 꿈속의 이야기와 꿈 밖의 이야기가 나타나게 되는데, 「구운몽」처럼 '현실-꿈-현실'의 액자 구조로 꿈과 현실을 오가는 이야기가 전개됩니다. 액자 속에 그림이나 사진이 들어 있듯이, 바깥 이야기인 꿈 밖의 이야기 속에 꿈속의 이야기가 들어 있는 것이지요. 이러한 몽자류 소설의 대표적인 작품으로는 「구운몽」, 「옥루몽」, 「옥선몽」, 「옥련몽」 등이 있습니다.

▲ 「구운몽」 필사본(출처: 국립한글박물관)

간단 확인

1. 주인공이 꿈속에서 현실과 전혀 다른 인물로 태어나 겪은 경험을 통해 얻은 깨달음을 기록한 소설을 '몽자류 소설'이라고 한다. ◯✕

2. 「구운몽」은 '꿈-현실-꿈'의 액자 구조로 구성되어 있다. ◯✕

06 춘향전 |작자 미상

「춘향전」은 성춘향과 이몽룡의 사랑 이야기를 그리고 있는 고전 소설입니다. 조선 후기 전라도 남원을 배경으로 기생의 딸인 춘향과 남원 부사의 아들인 몽룡의 신분을 초월한 사랑을 다루며, 판소리로 불리다가 소설로 정착된 판소리계 소설입니다. 120여 종의 이본이 전해질 만큼 오랜 시간 우리 민족에게 많은 사랑을 받은 이 작품은 고난에 굴하지 않는 춘향의 굳은 의지가 잘 형상화되어 있습니다.

🗂 등장인물

월매
춘향의 엄마. 퇴직 기생. 억척스럽지만 춘향을 지극히 사랑한다.

어머니

성춘향
기생 월매의 딸로, 몽룡에 대한 사랑과 정절을 지킨다. 용모가 아름답고, 의지가 굳다.

사랑하는 사이

대립

이몽룡
양반의 자제로, 신분 차이와 관계없이 춘향을 사랑한다. 훤칠한 외모에 글재주가 좋고, 정의감과 능청스러운 면을 가지고 있다.

변학도
새로 부임한 남원 부사로, 권력을 이용하여 백성을 괴롭히는 탐관오리의 전형이다. 춘향에게 수청을 강요한다.

전체 줄거리

춘향과 몽룡, 백년가약을 맺고 이별하다

발단

퇴직 기생인 월매의 딸 춘향은 용모가 아름답고 시화에 능했다. 남원 부사의 아들 몽룡이 봄 경치를 구경하러 광한루에 나왔다가 그네를 타는 춘향을 보고 첫눈에 반하며 둘은 백년가약을 맺는다. 그러나 몽룡의 아버지가 벼슬을 받아 한양으로 옮겨가게 되어 이별을 하게 된다.

춘향, 변 사또의 수청 요구를 거절하다

전개

남원에 새로 부임한 사또 변학도는 춘향의 용모가 아름답다는 말을 듣고 춘향을 불러 수청을 강요한다. 이를 거절한 춘향은 형장을 맞고 옥에 갇힌다.

암행어사가 된 몽룡, 거지꼴로 변장하여 춘향과 재회하다

위기

장원 급제하여 전라도 어사로 임명된 몽룡은 남원으로 내려오는 길에 변 사또가 학정을 일삼고 춘향이 옥에 갇혔다는 소식을 듣는다. 몽룡은 자신의 신분을 감춘 채 거지꼴로 월매와 춘향을 만난다. 춘향은 몽룡에게 변함없는 사랑을 보이며 자신이 죽으면 자주 왕래하는 길에 묻어 달라 유언을 남긴다.

몽룡, 어사출두하여 춘향을 구하다

절정

변 사또의 생일잔치 날, 가까운 각 읍 수령들이 모인다. 몽룡은 초대받지 않았지만 거지꼴로 잔치에 참석하여 탐관오리를 풍자하는 한시를 짓는다. 암행어사가 출두하여 변 사또와 수령들은 넋을 잃고 허둥대고, 어사또 몽룡은 변 사또를 봉고파직한다. 어사또는 춘향을 불러 절개를 시험하지만 춘향은 변함없는 절개를 드러내고, 몽룡은 춘향에게 암행어사가 된 자신의 신분을 밝힌다.

춘향과 몽룡, 행복하게 살다

결말

춘향은 몽룡과 함께 남원을 떠나 상경하고, 임금으로부터 정렬부인에 봉해진다. 이후 춘향과 몽룡은 행복한 일생을 보내고, 자손 대대로 부귀영화를 누린다.

알아두기

☑ 조선 시대는 신분제가 있던 사회로, 몽룡과 춘향은 신분적 차이가 있다.

☑ 당시는 유교 사회로, 여성의 지조와 정절을 강조하고 중요시하였다.

☑ 지배 계층에 대한 비판 의식과 신분적 제약을 벗어나려는 욕구, 평등을 바탕으로 한 인간 존중 등 민중 의식이 반영되어 있다.

06 춘향전

장원 급제하여 암행어사가 된 몽룡이 거지꼴로 변장을 하고 남원에 내려와 옥에 갇힌 춘향을 만나는 상황이다.

춘향이 저의 모친 음성을 듣고 깜짝 놀라서,

"어머니 어찌 오셨소. 몹쓸 딸자식을 생각하여 천방지축으로 다니다가 낙상하기 쉽소. 다음부터는 오시지 마옵소서." / "날랑은 염려 말고 정신을 차리어라. 왔다."

"오다니 누가 와요?" / **"그저 왔다."**

"갑갑하여 나 죽겠소. 일러 주오. 꿈 가운데 님을 만나 온갖 회포 나누었더니 혹시 서방님께서 기별 왔소? 언제 오신단 소식 왔소? 벼슬 띠고 내려온단 공문 왔소? 애고 답답하여라." / "너의 서방인지 남방인지 걸인 하나가 내려왔다."

"허허, 이게 웬 말인가. 서방님이 오시다니 꿈결에 보던 님을 생시에 본단 말인가."

문틈으로 손을 잡고 말 못하고 기가 막혀,

"애고 이게 누구시오? 아마도 꿈이로다. 그토록 그린 님을 이리 쉽게 만날쏜가. 이제 죽어도 한이 없네. 어찌 그리 무정한가. **박명하다 나의 모녀.** 서방님 이별 후에 자나 누우나 님 그리워 오래도록 한이더니, 내 신세 이리되어 매에 감겨 죽게 되는 날 살리러 와 계시오." / 한참 이리 반기다가 님의 형상 자세히 보니 어찌 아니 한심하랴.

"여보 서방님, 내 몸 하나 죽는 것은 설운 마음 없소마는 서방님 이 지경이 웬일이오."

"오냐 춘향아, 설워 마라. 인명이 재천(在天)인데 설마한들 죽을쏘냐." 〈중략〉

[중략 부분의 줄거리] 변 사또의 생일잔치 날, 가까운 읍의 수령들이 모인다. 몽룡은 거지꼴로 잔치에 참석한다. 변 사또는 몽룡을 쫓아내려 하지만, 양반의 후예인 듯하니 말석에 앉히자는 운봉의 말에 마지못해 따르고 초라한 상만 내어 준다.

운봉이 하는 말이, / "이러한 잔치에 풍류로만 놀아서는 맛이 적사오니 차운(次韻)*한 수씩 하여 보면 어떠하오?" / "그 말이 옳다."

하니 운봉이 운을 낼 제 '높을 고(高)' 자, '기름 고(膏)' 자 두 자를 내어 놓고 차례로 운을 달아 시를 짓는다. 이때 어사또 하는 말이,

"걸인이 어려서 한시(漢詩)깨나 읽었더니 **좋은 잔치 당하여서 술과 안주를 포식하고** 그냥 가기 염치 없으니 차운 한 수 하사이다."

운봉이 반겨 듣고 필연(筆硯)*을 내어 주니, 좌중 사람들이 다 짓지도 않았는데 순식간에 글 두 귀를 지었으되, 백성들의 형편을 생각하고 본관 사또의 정체를 생각하여 지었것다.

[A]
금준미주(金樽美酒) 천인혈(千人血)이요	금동이의 아름다운 술은 일만 백성의 피요
옥반가효(玉盤佳肴) 만성고(萬姓膏)라	옥소반의 아름다운 안주는 일만 백성의 기름이라.
촉루낙시(燭淚落時) 민루낙(民淚落)이요	촛불 눈물 떨어질 때 백성 눈물 떨어지고
가성고처(歌聲高處) 원성고(怨聲高)라.	노랫소리 높은 곳에 원망 소리 높았더라.

이렇듯이 지었으되 본관 사또는 몰라보는데 운봉이 글을 보며 속으로,

'아뿔싸, 일이 났다!'

* 낙상 떨어지거나 넘어져서 다침.
* 박명 복이 없고 팔자가 사나움.
* 차운 남이 지은 시의 운자(韻字)를 따서 시를 지음. 또는 그런 방법.
* 필연 붓과 벼루를 아울러 이르는 말.

1 윗글을 이해한 내용으로 적절한 것은?

① 춘향의 모친이 '그저 왔다.'라고 말한 것은 몽룡이 춘향을 구해 줄 수 있을 것이라고 기대하기 때문이다.

② 몽룡을 본 춘향이 '애고 이게 누구시오?'라며 놀라는 것은 걸인의 모습을 한 몽룡을 알아보지 못했기 때문이다.

③ '박명하다 나의 모녀.'라는 춘향의 말에는 자신을 죽게 만든 몽룡에 대한 원망이 드러난다.

④ '좋은 잔치 당하여서 술과 안주를 포식'했다는 몽룡의 말에는 본관 사또의 대접에 대한 고마움이 담겨 있다.

⑤ 운봉이 '아뿔싸. 일이 났다!'라고 말한 것은 거지꼴을 한 몽룡의 정체를 눈치챘기 때문이다.

2 윗글의 인물에 대한 설명으로 가장 적절한 것은?

① 춘향은 자신을 만나러 온 몽룡을 '문전박대(門前薄待)'하고 있다.

② 운봉에게서 필연을 받은 몽룡은 '일필휘지(一筆揮之)'로 시를 지었다.

③ 자신을 만나러 옥에 찾아온 몽룡을 본 춘향은 '박장대소(拍掌大笑)'하고 있다.

④ 춘향은 거지꼴이 되어 나타난 몽룡에게 '동병상련(同病相憐)'의 마음을 가졌다.

⑤ 춘향은 '역지사지(易地思之)'의 마음으로 모친이 자신을 만나러 오는 것에 공감하고 있다.

3 [A]에 대한 설명으로 적절하지 <u>않은</u> 것은?

① '높을 고(高)'와 '기름 고(膏)'를 운자로 하여 지은 시이다.

② 각 행의 후반부는 고통받는 백성들의 모습을 표현하고 있다.

③ 각 행의 전반부는 몽룡이 바라는 삶의 모습을 드러내고 있다.

④ 대조와 대구의 방법을 사용하여 내용을 효과적으로 전달하고 있다.

⑤ 백성들을 괴롭히는 탐관오리인 변 사또를 비판하기 위한 목적을 가지고 있다.

발단 - 전개 - 위기 - 절정 - 결말

어사출두로 본관 사또와 수령들이 당황하며 넋을 잃은 상황이다.

* 아전 조선 시대에 중앙과 지방의 관아에 속한 구실아치.
* 공방 조선 시대에 공예·건축·토목 공사 따위에 관한 일을 맡아보던 부서.
* 병방 조선 시대에 군사에 관한 일을 맡아보던 부서.
* 관청색 조선 시대에. 수령(守令)의 음식물을 맡아보던 구실아치.
* 형방 조선 시대에 법률이나 감옥, 노예 따위에 관한 일을 맡아보던 부서.
* 문부 문서와 장부.
* 서리 지방 관아에서 근무하던 하급 관리로 행정 실무를 담당함.
* 거동 몸의 움직임. 또는 그런 짓이나 태도.
* 역졸 예전에, 관원이 부리던 하인.
* 육방 조선 시대에, 승정원 및 각 지방 관아에 둔 여섯 부서.
* 공형 조선 시대에 각 고을의 세 구실아치. 호장, 이방, 수형리를 이른다.
* 등채 무장할 때 쓰던 채찍.
* 인궤 관아에서 쓰는 도장을 넣어 두던 상자.
* 탕건 벼슬아치가 갓 아래 받쳐 쓰던 관(冠)의 하나.
* 용수 술이나 장을 거를 때 쓰는 긴 통.
* 봉고파직 어사나 감사가 못된 짓을 많이 한 고을의 원을 파면하고 관가의 창고를 봉하여 잠금. 또는 그런 일.

이때 어사또가 하직하고 간 연후에 각 아전들을 불러 분부하되,

"야야. 일이 났다."

공방 불러 돗자리 단속, 병방 불러 역마(驛馬) 단속, 관청색 불러 다과상 단속, 옥형리 불러 죄인 단속, 집사 불러 형구(刑具) 단속, 형방 불러 문부 단속, 사령 불러 숙직 단속. 한참 이리 요란할 제 사정 모르는 저 본관 사또가,

㉠"여보 운봉은 어디를 다니시오?"

"소피 보고 들어오오."

본관 사또가 술주정이 나서 분부하되, / ㉡"춘향을 급히 올리라."

이때에 어사또 부하들과 내통한다. 서리를 보고 눈길을 보내니 서리, 중방 거동 보소. 역졸을 불러 단속할 제 이리 가며 수군, 저리 가며 수군수군. 서리, 역졸 거동 보소. 외올망건 공단 모자 새 패랭이 눌러쓰고, 석 자 감발 새 짚신에 한삼(汗衫) 고의 산뜻하게 차려입고, 육모 방망이 사슴 가죽끈을 손목에 걸어 쥐고, 여기서 번쩍 저기서 번쩍, 남원읍이 우글우글. 청파 역졸 거동 보소. 달 같은 마패를 햇빛같이 번쩍 들어,

㉢"암행어사 출두야."

외치는 소리에 강산이 무너지고 천지가 뒤집히는 듯 초목금수(草木禽獸)인들 아니 떨랴.

남문에서, / "출두야." / 북문에서, / "출두야."

동서문 출두 소리 맑은 하늘에 진동하고,

"모든 아전들 들라." / 외치는 소리에 육방(六房)이 넋을 잃어,

"공형이오." / 등채로 휘닥딱. "애고 죽겠다." / "공방, 공방."

공방이 자리 들고 들어오며, / "안 하겠다던 공방을 하라더니 저 불속에 어찌 들랴."

등채로 휘닥딱. / "애고 박 터졌네."

좌수(座首), 별감(別監) 넋을 잃고 이방, 호방 혼을 잃고 나졸들이 분주하네. 모든 수령 도망갈 제 거동 보소. ㉣인궤 잃고 강정 들고, 병부(兵符) 잃고 송편 들고, 탕건 잃고 용수 쓰고, 갓 잃고 소반 쓰고. 칼집 쥐고 오줌 누기. 부서지는 것은 거문고요, 깨지는 것은 북과 장고라. 본관 사또가 똥을 싸고 멍석 구멍 새앙쥐 눈 뜨듯 하고, 안으로 들어가서,

㉤"어 추워라. 문 들어온다 바람 닫아라. 물 마르다 목 들여라."

관청색은 상을 잃고 문짝을 이고 내달으니, 서리, 역졸 달려들어 휘닥딱.

"애고 나 죽네." / 이때 어사또 분부하되,

"이 골은 대감이 좌정하시던 골이라. 소란을 금하고 객사(客舍)로 옮겨라."

자리에 앉은 후에, / "본관 사또는 봉고파직하라."

분부하니, / "본관 사또는 봉고파직이오."

사대문(四大門)에 방을 붙이고 옥형리 불러 분부하되,

"네 고을 옥에 간힌 죄수를 다 올리라." / 호령하니 죄인을 올린다.

4 ㉠~㉤에 대한 설명으로 적절하지 **않은** 것은?

① ㉠: 상황을 파악하지 못하는 본관 사또의 어리석음이 드러나고 있다.
② ㉡: 상황의 전환으로 갈등이 해소되는 실마리를 제공하고 있다.
③ ㉢: 극적 반전이 일어나는 부분으로 작품의 분위기가 바뀌는 계기가 된다.
④ ㉣: 암행어사 출두에 수령들이 당황하여 도망가는 모습을 희화화하고 있다.
⑤ ㉤: 말의 차례를 바꾸어 씀으로써 재미를 유발하고 있다.

개념 + 희화화

어떤 인물의 외모나 성격, 또는 사건이 의도적으로 우스꽝스럽게 묘사되거나 풍자되는 것이다.

어휘

5 윗글의 변 사또의 상황을 나타내는 속담으로 적절한 것은?

① 꿩 대신 닭
② 마른하늘에 날벼락
③ 고래 싸움에 새우 등 터진다
④ 가지 많은 나무에 바람 잘 날이 없다
⑤ 얌전한 고양이 부뚜막에 먼저 올라간다

수능형

6 〈보기〉를 참고하여 윗글을 감상한 내용으로 적절하지 **않은** 것은?

> **보기**
>
> 　판소리계 소설은 판소리 사설을 바탕으로 형성된 소설로, 다른 소설과는 다른 여러 가지 특징을 보여 준다. 우선 다양한 계층이 함께 즐기는 판소리 공연에서 비롯되었기 때문에 양반의 언어와 평민의 언어가 함께 사용된다. 또한 판소리 사설의 특징이 소설에 남아서 판소리 창자의 어투가 그대로 사용되거나, 반복하거나 열거하는 식으로 특정 장면이 길게 제시되기도 하고, 의성어나 의태어가 사용되어 상황이 실감 나게 전달되기도 한다. 내용면에서 양반을 희화화하는 해학적인 표현이 자주 사용되는 것도 판소리계 소설의 특징 중 하나이다.

① '서리, 중방 거동 보소.'와 같은 표현은 판소리 창자의 어투가 남아 기록된 것으로 볼 수 있겠군.
② 어사출두를 준비하는 장면에서 '수근수근', '우글우글' 등의 표현이 사용되어 상황이 실감 나게 느껴지는군.
③ '공방 불러 돗자리 단속 ~ 사령 불러 숙직 단속.'에서는 특정 장면을 길게 늘여 장면을 극대화하는 판소리 사설의 특징이 드러나는군.
④ 아전들이 '애고 박 터졌네.'라는 양반의 언어를 사용한 것에서 양반들이 판소리를 즐겼음을 짐작할 수 있군.
⑤ '탕건 잃고 용수 쓰고, 갓 잃고 소반 쓰고' 우왕좌왕하는 수령들의 모습은 양반의 모습을 희화화하여 웃음을 유발하고 있군.

발단 — 전개 — 위기 — **절정** — 결말

춘향과 어사가 된 이몽룡이 재회하는 상황이다.

다 각각 죄를 물은 후에 죄가 없는 자는 풀어 줄새, / "저 계집은 무엇이냐?"

형리 여쭈오되, / "기생 월매의 딸이온데 관청에서 포악한* 죄로 옥중에 있삽내다."

"무슨 죄인고?" / 형리 아뢰되,

"본관 사또 수청 들라고 불렀더니 수절이 정절이라. 수청 아니 들려 하고 사또에게 악을 쓰며 달려든 춘향이로소이다." / 어사또 분부하되,

"너 같은 년이 수절한다고 관장(官長)*에게 포악하였으니 살기를 바랄쏘냐. 죽어 마땅하되 내 수청도 거역할까?"

[A]
┌─ 춘향이 기가 막혀,
│ "내려오는 관장마다 모두 명관(名官)이로구나. 어사또 들으시오. 층암절벽 높은 바
│ 위가 바람 분들 무너지며, 청송녹죽 푸른 나무가 눈이 온들 변하리까. 그런 분부 마
└─ 옵시고 어서 바삐 죽여 주오." / 하며,

"향단아, 서방님 어디 계신가 보아라. 어젯밤에 옥 문간에 오셨을 때 천만당부 하였더니 어디를 가셨는지 나 죽는 줄 모르는가." / 어사또 분부하되,

"얼굴 들어 나를 보라." / 하시니 춘향이 고개 들어 위를 살펴보니, 걸인으로 왔던 낭군이 분명히 어사또가 되어 앉았구나. 반웃음 반 울음에,

"얼씨구나 좋을시고 어사 낭군 좋을시고. 남원 읍내 가을이 들어 떨어지게 되었더니, 객사에 봄이 들어 이화춘풍(李花春風)* 날 살린다. 꿈이냐 생시냐? 꿈을 깰까 염려로다."

한참 이리 즐길 때에 춘향 어미 들어와서 끝없이 즐거워하는 말을 어찌 다 설화(說話)하랴.

춘향의 높은 절개 광채 있게 되었으니 어찌 아니 좋을쏜가. 어사또 남원의 공무 다한 후에 춘향 모녀와 향단이를 서울로 데려갈새, 위의(威儀)가 찬란하니 세상 사람들이 누가 아니 칭찬하랴.

이때 춘향이 남원을 하직할새, 영귀(榮貴)하게* 되었건만 고향을 이별하니 일희일비(一喜一悲)가 아니 되랴.

놀고 자던 부용당아. / 너 부디 잘 있거라.

광한루 오작교며 / 영주각(瀛州閣)도 잘 있거라.

'봄풀은 해마다 푸르건만 / 떠난 객은 돌아오지 않네.'라는 시구는

나를 두고 이름이라. / 다 각기 이별할 제

길이길이 무고하옵소서. / 다시 보기 기약 없네.

이때 어사또는 좌도와 우도의 여러 고을을 두루 돌며 민정을 살핀 후에, 서울로 올라가 임금께 절을 하니 판서, 참판, 참의들이 입시하시어 보고서를 살핀다. 임금께서 크게 칭찬하시고 즉시 이조 참의 대사성을 봉하시고 춘향으로 정렬부인을 봉하시니, 은혜에 감사드리고 물러 나와 부모께 뵈오니 성은(聖恩)을 못 잊어 하시더라.

* **포악하다** 사납고 악한 행동을 하다.
* **수절** 절의를 지킴.
* **정절** 여자의 곧은 절개.
* **관장** 관가의 장(長)이란 뜻으로, 시골 백성이 고을 원을 높여 이르던 말.
* **이화춘풍** 자두나무에 부는 봄바람이라는 뜻으로, 여기에서는 이(李)몽룡을 의미함.
* **영귀하다** 지체가 높고 귀하다.
* **정렬부인** 조선 시대에, 정조와 지조를 굳게 지킨 부인에게 내리던 칭호.

7 윗글에 대한 설명으로 적절하지 <u>않은</u> 것은?

① 언어유희를 사용하여 읽는 재미를 더해 주고 있다.

② 역순행적 구성을 통해 사건의 진상을 밝히고 있다.

③ 서술자가 개입하여 주관적인 견해를 드러내고 있다.

④ 삽입 시를 통해 인물의 심리를 효과적으로 전달하고 있다.

⑤ 갈등이 해소되고 행복한 결말로 이야기를 마무리하고 있다.

개념 + 언어유희

말을 해학적으로 사용하는 표현 방법으로, 말이나 문자를 소재로 하는 놀이를 의미한다. 동음이의어를 통한 언어유희, 유사 음운의 반복을 통한 언어유희, 언어 도치를 통한 언어유희, 발음의 유사성을 통한 언어유희 등이 있다.

수능형

8 〈보기〉를 바탕으로 윗글을 이해한 내용으로 가장 적절한 것은?

> 보기
>
> 조선 시대 판소리계 소설인 이 작품에는 유교적 덕목을 중시하고 신분적 제약이 있었던 당대의 사회상이 드러난다. 이 작품은 신분을 뛰어넘는 남녀 간의 사랑을 중심으로 이야기가 전개되고 있는데, 그 이면에는 불의한 지배 계층에 대한 항거, 신분적 제약을 벗어나고자 하는 민중의 욕구 등 다양한 주제 의식을 내포하고 있다.

① 춘향과 어사또가 재회하는 장면에서 남성 중심적 사회의 문제점이 해결되고 있군.

② 어사또가 이조 참의 대사성이 된 것은 신분 상승에 대한 평민들의 욕구가 충족된 것이군.

③ 어사또가 춘향에게 수청을 요구하는 내용에는 입신양명을 중시하는 유교적 가치관이 담겨 있군.

④ 임금이 춘향을 정렬부인에 봉했다는 내용에서 탐관오리에 대한 평민들의 불만이 해소되었다고 볼 수 있군.

⑤ 춘향과 어사또의 사랑이 이루어진 것은 현실의 신분 제약을 벗어나려는 민중의 바람이 담겨 있는 것으로 볼 수 있겠군.

---

9 [A]에 대한 설명으로 적절한 것은?

① '바람'과 '눈'은 춘향을 시험하는 시련이나 외부의 압력을 의미한다.

② 의문의 형식을 사용하여 자신의 행동에 대한 어사또의 생각을 묻고 있다.

③ 춘향이 자신을 알아보지 못하는 어사또에 대해 서운한 마음을 표현하고 있다.

④ '층암절벽 높은 바위'는 어사또의 마음을, '청송녹죽 푸른 나무'는 춘향의 마음을 상징한다.

⑤ '내려오는 관장마다 모두 명관이로구나.'에는 변 사또에게 벌을 준 어사또에게 고마워하는 마음이 담겨 있다.

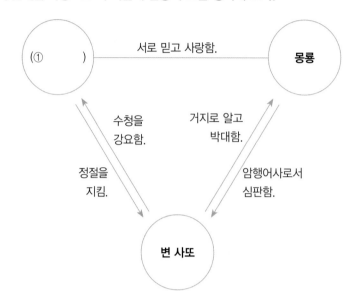

작품 독해

작품의 갈등 구조

1 인물 간의 관계를 바탕으로 이 작품의 갈등 구조를 정리해 보자.

작품의 주제

2 이 작품의 주제를 정리해 보자.

- 춘향은 수청을 요구하는 변 사또에 맞서 정절과 지조를 지켜 몽룡과의 사랑을 지키고 신분 상승을 이룸.
- 몽룡은 백성을 착취하여 부를 누리는 (②   )를 비판하는 한시를 짓고 탐관오리의 전형인 변 사또를 응징하였으며, 춘향을 정실부인으로 맞음.

표면적 주제	이면적 주제
• 신분을 초월한 남녀 간의 (③) • 여성의 굳은 정절과 지조	• 불의한 (④)에 대한 비판과 항거 • 평등을 바탕으로 한 인간 존중

어휘

제시된 초성을 참고하여 다음 뜻에 해당하는 어휘를 써 보자.

1. ㅇㄱ : 관아에서 쓰는 도장을 넣어두던 상자.　　　　　　　　→ ＿＿＿＿＿＿

2. ㄱㄷ : 몸을 움직임. 또는 그런 짓이나 태도.　　　　　　　　→ ＿＿＿＿＿＿

3. ㅂㄱㅍㅈ : 어사나 감사가 못된 짓을 많이 한 고을의 원을 파면하고 관가의 창고를 봉하여 잠그는 일.　　　　→ ＿＿＿＿＿＿

춘향이 시련을 겪게 만든 조선 시대 신분 제도가 궁금해요.

조선에는 사람의 신분을 양민과 천민으로 구분하는 '양천제'라는 법적 신분 제도가 있었습니다. 양민은 자유인으로 과거 시험을 보고 벼슬할 수 있는 권리를 보장한 대신, 세금을 내야 하는 조세의 의무와 나라에서 시키는 일을 해야 하는 부역의 의무가 있었습니다. 천민은 개인이나 국가에 소속되어 일하는 비자유인으로 세금을 내거나 국가에 부역을 해야 하는 의무는 없지만 각종 구속을 받았고, 기본권을 보장받지 못하고 벼슬을 할 수 있는 길도 원천적으로 막혀 있었습니다.

그러나 실질적으로는 양반, 중인, 상민, 천민으로 나뉘는 '반상제'에 따라 신분이 구별되었습니다. 처음에 양반은 관직을 가진 사람, 즉 문관과 무관의 신분을 지칭하는 개념으로 사용되었습니다. 그러다 그 가족과 가문까지도 양반으로 불리게 되었고, 점차 지배 신분층을 지칭하게 되었습니다. 신분은 자식에게 대대로 이어졌고, 혼인 또한 같은 신분 안에서 이루어졌습니다. 지배층인 양반 사대부들은 자신들의 기득권을 지키기 위해 향리층, 서리, 기술관, 역리들을 하급 지배 신분인 중인으로 격하시켰습니다. 그리고 첩에서 난 소생들을 서얼이라고 하여 차별하고, 관직 진출을 제한하였습니다. 게다가 어머니가 천민이면 자식은 어머니의 신분을 따라야 하는 '종모법'을 시행하였습니다.

「춘향전」에서 춘향과 몽룡의 사랑이 고난을 겪는 것은 이러한 신분 제도 때문이라고 할 수 있습니다. 양반이 아닌 춘향이 양반가 자제인 몽룡을 만나 양반가의 정실부인이 되는 것은 당시에는 불가능에 가까운 일이었습니다. 하지만 춘향은 자신이 원하는 사랑을 주체적으로 택하고, 권력의 횡포에 굴하지 않고 정절을 지켜 낸 덕분에 자신의 사랑을 쟁취하고 신분 상승을 이룹니다. 이러한 춘향의 모습은 권력의 횡포에서 자신을 지키려 했던 평민들의 의지와 함께 신분적 제약에서 벗어나고자 했던 평민들의 바람을 담은 것이라 볼 수 있을 것입니다.

▲ 남원 광한루

간단 확인

1. 조선 시대는 양반, 중인, 상인, 천민으로 구분하는 '반상제'라는 법적 신분 제도가 있었다.

2. 춘향이 자신이 원하는 사랑을 지켜 내고 신분 상승을 이룬 모습은 신분적 제약에서 벗어나고자 했던 백성의 소망이 담긴 것이다.

07 옹고집전 | 작자 미상

「옹고집전」은 인색하고 욕심 많은 주인공이 자신과 닮은 가짜로 인해 집에서 쫓겨나 고생을 한 뒤 개과천선하는 내용을 다루고 있는 고전 소설입니다. 「옹고집 타령」이라는 판소리로 불리었으나 판소리로는 더 이상 전해지지 않습니다. 이 작품은 조선 후기의 사회상을 반영하고 있으며, 도술을 통해 핵심 사건이 진행된다는 점에서 전기적 특성도 나타납니다.

📖 등장인물

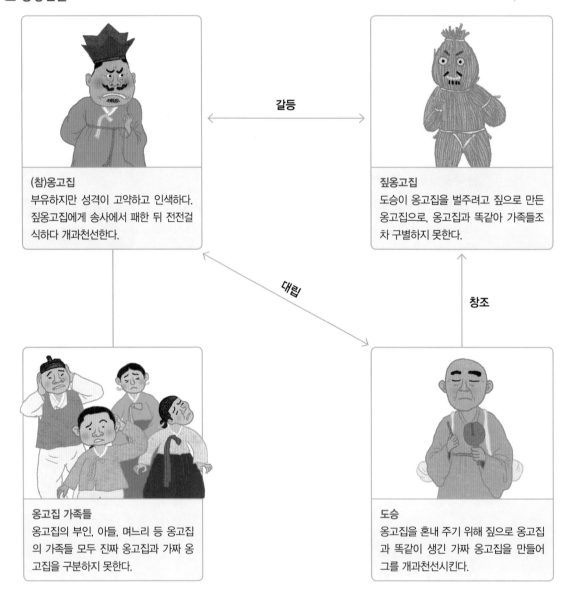

(참)옹고집
부유하지만 성격이 고약하고 인색하다. 짚옹고집에게 송사에서 패한 뒤 전전걸식하다 개과천선한다.

갈등

짚옹고집
도승이 옹고집을 벌주려고 짚으로 만든 옹고집으로, 옹고집과 똑같아 가족들조차 구별하지 못한다.

대립

창조

옹고집 가족들
옹고집의 부인, 아들, 며느리 등 옹고집의 가족들 모두 진짜 옹고집과 가짜 옹고집을 구분하지 못한다.

도승
옹고집을 혼내 주기 위해 짚으로 옹고집과 똑같이 생긴 가짜 옹고집을 만들어 그를 개과천선시킨다.

발단

옹고집, 불효하고 인색하다

옹고집은 영남 땅 맹랑촌에 사는 사람으로 부유하기는 하나 성격이 고약하다. 불효할 뿐 아니라 동냥 한 줌 주지 않고 걸인들을 쫓아내며 승려들은 결박해서 볼기까지 친 뒤 내쫓는 인색한 인물이다.

전개

도승, 가짜 옹고집을 만들다

옹고집의 악명을 들은 도승이 옹고집을 찾아가지만 오히려 매를 맞고 쫓겨난다. 화가 난 도승이 옹고집을 벌주려고 짚으로 가짜 옹고집을 만든다.

위기

참옹고집과 짚옹고집, 진위를 다투다

옹고집이 자리를 비운 사이 짚옹고집이 들어와 진짜 행세를 한다. 짚옹고집은 진짜보다도 더 진짜 같아서 가족들도 누가 진짜이고 가짜인지를 판단하지 못한다. 할 수 없이 두 옹고집은 관청에 송사하기로 한다. 사건을 맡은 고을 원은 두 옹고집에게 가산의 규모와 족보에 대해 말하게 하는데, 짚옹고집이 참옹고집보다 더 세세히 알고 있어 참옹고집이 가짜로 판정받게 된다.

절정

참옹고집, 쫓겨나 거지가 되어 떠돌다

참옹고집은 짚옹고집과의 송사에서 져서 쫓겨나 거지가 되어 떠돌고, 짚옹고집은 참옹고집의 재산으로 가난한 사람들을 돕는다.

결말

참옹고집, 개과천선하다

짚옹고집은 참옹고집의 잘못을 밝힌 뒤 짚 묶음으로 변하고, 참옹고집은 도승의 용서로 가정을 되찾고 개과천선한다.

알아두기

☑ 설화를 바탕으로 창작된 판소리계 소설이다.

☑ 옹고집은 부유하지만, 윤리와 인정을 저버리고 돈만 중시하는 인물이다.

☑ 조선 후기 사회에서는 화폐 경제의 발달과 사회의 변화로 새로운 부자 계층이 생겨났다.

발단 전개 위기 절정 결말

도승이 짚으로 만든 가짜가 옹고집의 집에 찾아와서 진짜 옹고집 행세를 하고, 짚옹고집과 참옹고집이 누가 진짜인지를 가리기 위해 송사를 하는 상황이다.

참옹고집이 어이없어 짚옹고집을 찬찬히 보니, 생긴 모양과 하는 거동이 꼭 자신과 같은지라, 속으로 생각하되, '용모 전신이 털끝도 다름없는지라, 필연 괴이한 일이로다.' ㉠기가 막혀서 아무 말도 못 하고, '종을 부르자' 하나, 종놈들이 벌써 저놈의 영을 거행할 듯싶으니 도무지 어찌할 수 없더라. 분하고 원통하여 하는 말이,

"이놈아 네가 어인 놈이관데, 이 집 주인은 내가 맞거늘 너는 어떤 놈의 자식으로서 도리어 주인을 쫓아내느냐. 행랑*이 몸채*가 될 수 있느냐. 이놈아 기가 막혀 나 죽겠다."

짚옹고집이 허허 웃으며,

"내가 평일에 악한 일로 유명하여 구걸 패들 동냥도 주지 아니하였더니, 제기랄 놈이 내게다 억지를 쓸 테냐. 무슨 떼를 쓰려느냐. 저놈 바로 잡아내라."

호령이 추상같다. ㉡이 종놈들이 이놈 보고 저놈 보니 또 아주 둘 다 제 상전이라 두렷두렷하고 섰는지라. 〈중략〉

원님이 호적장을 내어 분부하되,

"너희 사조*를 각기 말하라. 거기서 속임수가 발견되면 그때는 허실을 알리라."

하니, 참옹고집 속으로 생각하되, / '다시는 무슨 말을 물으면 내가 먼저 아뢰리라.'

마음속에 유념해 두었다가 ⓐ그 분부를 듣고,

"예, 과연 성주 분부 지당하여이다. ㉢민의 부 명은 무숙이옵고 조부의 명은 '거' 자와 무슨 자건마는 허 참 모르겠고 증조의 명은 허 잊어버렸고 내 참 갑갑하여 죽겠구나."

혀를 차며 탄식할 제 원님이 이른 말이, / "네 이놈 그것밖에 모르난다?"

"예. 또 아뢰리다. 민의 처가는 희덕 송 씨 가문인데 처부의 자는 여첩이옵고 하나이다."

원님이 화를 펄쩍 내어, / "너보고 자를 아뢰라 했느냐. 이름을 아뢰라." 하니

"에, 이름은 과연 모르겠나이다." / 원님이 말하되, / "네 그것밖에 모르겠냐?"

참옹고집이, / "무식하여 그것밖에 모르나이다." / 이러할 제 짚옹고집 왈칵 달려들어 아뢰되,

"저놈이 가짜이니 남의 이름을 어찌 아뢰리까. 그것으로 통촉하옵건대 진위*를 어찌 마땅히 가리지 못하리까. 호적장을 성주 앞에 놓고 민이 아뢰겠나이다." / 하며,

"㉣민의 부친의 명은 과연 저놈의 말과 같이 무숙이더이다. 그놈이 남의 이름을 귀동냥으로 듣고 알았거니와, 민의 조부의 명은 건이옵고 증조의 명은 빛날 혁 자 한 이름이옵나이다. 선조에 이부시랑으로 뇌성군을 봉하였삽기로 여러 관리들의 행실을 천둥소리로 다스렸나이다. 민의 처가는 과연 희덕 송 씨요, 내 처의 명은 상욕이옵고 처 고조의 명은 뒤화이온데 생원 진사하였삽고, 제 외조의 성명은 진해라 하나이다." / 아뢴 후에,

[A]
"네 이 개 같은 녀석아, 네 아무리 경우 없는 도적놈이라도, 남의 세간을 빼앗고자 하거니와 밝은 하늘이 있거든 네 어찌 감히 그런 마음을 내어 그러할꼬. 성주 자세히 통촉하옵소서. 네 아무리 행실이 말할 수 없이 흉측한들 이런 변이 또 있을까. 만일 내가

* 거행하다 명령대로 시행하다.
* 행랑 예전에, 대문 안에 죽 벌여서 지어 주로 하인이 거처하던 방.
* 몸채 여러 채로 된 살림집에서 주가 되는 집채.
* 사조 아버지, 할아버지, 증조할아버지, 외할아버지의 네 조상을 통틀어 이르는 말.
* 진위 참과 거짓 또는 진짜와 가짜를 통틀어 이르는 말.

배우지 못했고 성주께옵서 명백히 밝히지 아니하옵시면, 천여 석 좋은 가산[*]을 저 자식
에게 잃을 뻔하였나이다." / 하니, 원님이 이르되,

ⓜ"분간하였으니, 잡놈은 네 집으로 데려가서, 처자를 안전하게 하고 가산을 보존하라."

＊가산 한집안의 재산.

1 ㉠~㉤에 대한 이해로 적절하지 **않은** 것은?

① ㉠: 참옹고집은 다른 사람들이 자신과 짚옹고집을 구분할 수 있을 것이라고 믿고 있다.

② ㉡: 하인들은 참옹고집과 짚옹고집 중 누가 진짜인지 알지 못하고 있다.

③ ㉢: 참옹고집은 진위를 가리는 과정에서 자신이 진짜임을 제대로 증명하지 못해 답답
해하고 있다.

④ ㉣: 짚옹고집은 옹고집의 가문에 대해 많은 정보를 알고 있다.

⑤ ㉤: 원님은 참옹고집과 짚옹고집의 답변을 근거로 하여 진짜 옹고집이 누구인지 판단
을 내리고 있다.

2 ⓐ의 목적으로 가장 적절한 것은?

① 인물들의 성격을 파악하기 위해서이다.

② 인물들의 미래를 짐작하기 위해서이다.

③ 인물들의 과거 행적을 밝히기 위해서이다.

④ 인물들이 갈등하는 원인을 찾기 위해서이다.

⑤ 인물들 간에 벌어진 시비를 가려내기 위해서이다.

3 [A]에 대한 설명으로 적절한 것을 〈보기〉에서 **모두** 골라 묶은 것은?

┤ 보기 ├
ㄱ. 동정심을 자아내어 상대를 회유하고 있다.
ㄴ. 상황을 가정하며 안도감을 나타내고 있다.
ㄷ. 상대의 잘못을 지적하며 질책을 하고 있다.
ㄹ. 권위자의 견해를 인용하여 행동을 촉구하고 있다.

① ㄱ, ㄴ   ② ㄱ, ㄷ   ③ ㄴ, ㄷ   ④ ㄴ, ㄹ   ⑤ ㄷ, ㄹ

발단─전개─위기─**절정**─결말

송사에서 이긴 짚옹고집이 참옹고집의 재산으로 가난한 이들을 돕고 전전걸식하던 참옹고집의 잘못을 밝힌 뒤, 참옹고집이 개과천선하는 상황이다.

＊송사 백성끼리 분쟁이 있을 때, 관부에 호소하여 판결을 구하던 일.

＊권속 한집에 거느리고 사는 식구.

＊혈혈단신 의지할 곳이 없는 외로운 홀몸.

＊자수성가 물려받은 재산이 없이 자기 혼자의 힘으로 집안을 일으키고 재산을 모음.

＊박대하다 정성을 들이지 않고 아무렇게나 대접을 하다.

＊재변 재앙으로 인하여 생긴 변고.

＊개과천선 지난날의 잘못이나 허물을 고쳐 올바르고 착하게 됨.

＊활인 사람의 목숨을 구하여 살림.

＊유걸승 떠돌아다니며 시주를 청하는 중.

＊전전걸식 정처 없이 이리저리 돌아다니며 빌어먹음.

＊죽장망혜 대지팡이와 짚신이란 뜻으로, 먼 길을 떠날 때의 아주 간편한 차림새를 이르는 말. 여기서는 초라한 차림새를 의미함.

송사를 이긴 내력을 말하니 처자 권속이며 상하 노복 등이 참옹고집으로 알고, 마누라는,

"우리 서방님이 그런 고생이 또 있을까."

뭇 아들 나서며, / "그런 자식에게 아버지가 큰 변을 보았다."

종이며 마을 사람들이 다 칭찬하거늘, 짚옹고집이,

"내가 혈혈단신으로 자수성가하였기로 돈과 곡식을 과연 아낄 줄만 알았더니 손님 접대상과 여러 집 동냥하는 거지 무리들을 독하게 박대하였더니 인심을 얻지 못해 이런 재변이 난 듯싶으니, 사람 되고 개과천선 못할쏘냐. 오늘부터 재물과 곡식을 흩어 활인(活人) 구제(救濟)하리라." / 돈과 곡식을 흩어 사방에 몹시 가난한 사람을 구제한단 말이 낭자하니, 팔도 거지 패와 각 절의 유걸승이 구름 모이듯 모여들더라. 백 냥 돈 천 냥 돈을 흩어 주니 옹고집은 인심 좋단 말이 낭자하더라.

하루는 술과 안주를 낭자케 장만하고 원근에 모모한 친구며 사방 사람을 불러들여 큰 잔치를 열 제, / 이때 참옹고집 전전걸식하다가 맹랑촌 옹고집 활인 구제한단 말 듣고 분이 나 하는 말이, / "남의 재물 갖고 제 마음대로 쓰는 놈은 어떤 놈의 팔자인고. 찾아가서 내 집 마지막으로 보고 죽자." / 하고 죽장망혜로 찾아갈 제, 짚옹고집이 도술을 부려 근처에 참옹고집 온 줄 알고 사환을 시켜 분부하되,

"오늘 큰 잔치에 음식도 낭자하고 걸인도 많을 제, 전날 천하게 다투던 거짓 옹가 놈이 배고픔과 추위를 견디지 못하여 전전걸식 다닐 제, 잔치 소문을 듣고 마을 근처에 왔으나 차마 못 들어오는가 싶으니 너희 등은 가서 데려오라. 한편 생각하면 되도 못할 일 하다가 매만 맞았으니 불쌍하다."

사환 등이 영을 듣고 사방으로 나가 보니 과연 마을 뒷산에 앉아 잔치하는 데를 보고 눈물을 흘리고 앉았거늘 사환들이 바로 가서 엉겁결에 배례하고 무안해하니, 슬프다. 옹고집이 대성통곡 절로 난다. 사환들이 가자 하니, / "갈 마음 전혀 없다."

여러 놈이 부축하여 들어가서 자리에 앉으니, 짚옹고집 일어서며 인사 후에,

"네 들어라. 형세 있어 좋다 하나, 활인 구제하여 세상 사람들에게 선을 쌓는 것이 으뜸이거늘, 천여 석 거부로서 첫째로는 부모 박대하니 세상에 용납지 못할 놈이요, 둘째는 유걸 산승 욕보이니 불도가 어찌 허사리오. 우리 절 도승이 나를 보내어 묘하신 불법으로 가르쳐서 너의 죄목을 잡아 아주 죽여 세상에 영영 너의 자취 없게 하여 세상 사람에게 모범이 되게 하라 하시거늘, 너를 다시 세상에 내어 보내기는 나의 어진 마음 씀으로 살린 것이니, 이만해도 ㉠후생에게 너 같은 행실을 징계한 사례가 될 듯싶으니 이후는 아무쪼록 개과하라." / 하고, 좌상에 나앉으며 문득 자빠지니 허수아비 찰벼 짚 묶음이라.

이로 좌상이 다 놀라 세상에 널리 알리고 옹고집이 이날부터 개과천선하여 세상에 전하여 일가친척이며 멀고 가까운 친구와 사람들에게 인심을 주장하니, 옹고집의 인심을 만만세에 전하더라.

4 윗글의 내용과 일치하는 것은?

① 짚옹고집은 참옹고집을 집으로 오게 하기 위해 도술을 부렸다.

② 짚옹고집이 송사를 이긴 내력에 대해 가족들은 의심을 품었다.

③ 짚옹고집이 가난한 사람을 구제한다는 소문에 사람들이 몰려들었다.

④ 사환은 참옹고집을 만나자마자 옛일이 생각나서 눈물 흘리며 슬퍼했다.

⑤ 참옹고집은 집으로 가자는 사환의 말에 기뻐하며 앞장서서 집으로 향했다.

수능형

5 〈보기〉를 바탕으로 하여 윗글을 감상한 내용으로 적절하지 **않은** 것은?

┤ 보기 ├

「옹고집전」은 심성이 고약하고 불효막심한 옹고집이 승려의 조화로 가짜 옹고집에게 쫓겨나 고생을 하다 개과천선한다는 내용이다. 이때 가짜 옹고집은 착한 사람이 해야 할 일을 하며 주변 사람들에게 신망을 얻는 한편 진짜 옹고집이 착한 사람이 되도록 인도하는 역할을 하고 있다.

① 짚옹고집이 재물과 곡식을 흩어 활인 구제하겠다는 데서 착한 사람이 해야 할 일을 보여 주고 있군.

② 짚옹고집이 참옹고집을 집으로 데려오라고 한 것은 참옹고집을 착한 사람으로 인도하려는 의도 때문이었겠군.

③ 참옹고집이 개과천선하여 일가친척이며 친구와 사람들에게 인심을 주장하는 데서 착한 사람이 된 모습을 제시하고 있군.

④ 참옹고집이 부모 박대하고 유걸 산승 욕보였다는 데서 심성이 고약하고 불효막심했던 참옹고집의 과거 행적을 알 수 있군.

⑤ 짚옹고집이 잔치를 연다는 소식에 참옹고집이 자신의 집을 마지막으로 보고 죽자는 데서 잘못을 뉘우치고 있는 모습을 전달하고 있군.

어휘

6 ㉠의 의도를 한자 성어로 나타낸 말로 가장 적절한 것은?

① 참옹고집을 일벌백계(一罰百戒)하여 사람들에게 교훈을 주려고 했군.

② 참옹고집에게 결초보은(結草報恩)하게 하여 모범을 삼으려 한 것이군.

③ 참옹고집에게 충고를 하여 호가호위(狐假虎威)하지 말도록 한 것이군.

④ 참옹고집에게 주마가편(走馬加鞭)하도록 하여 용기를 주려고 한 것이군.

⑤ 참옹고집에게 아전인수(我田引水)하지 않도록 하여 경계를 하려 한 것이군.

작품 독해

작품독해

인물의 특성과 관계

1 이 작품에 등장하는 인물의 특성과 관계를 정리해 보자.

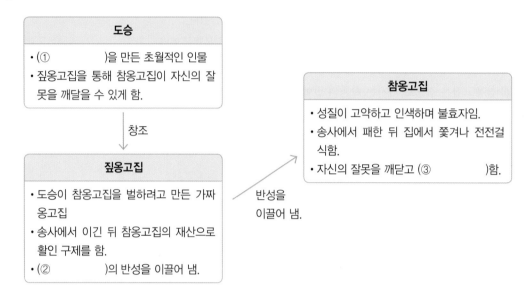

도승

- (①　　　　　)을 만든 초월적인 인물
- 짚옹고집을 통해 참옹고집이 자신의 잘못을 깨달을 수 있게 함.

↓ 창조

짚옹고집

- 도승이 참옹고집을 벌하려고 만든 가짜 옹고집
- 송사에서 이긴 뒤 참옹고집의 재산으로 활인 구제를 함.
- (②　　　　　)의 반성을 이끌어 냄.

반성을 이끌어 냄. →

참옹고집

- 성질이 고약하고 인색하며 불효자임.
- 송사에서 패한 뒤 집에서 쫓겨나 전전걸식함.
- 자신의 잘못을 깨닫고 (③　　　　　)함.

작품의 주제

2 짚옹고집의 말에 나타나는 작가 의식을 바탕으로 이 작품의 주제를 정리해 보자.

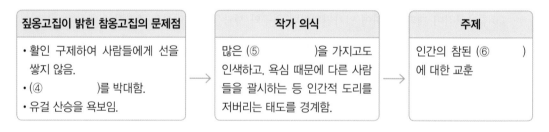

짚옹고집이 밝힌 참옹고집의 문제점

- 활인 구제하여 사람들에게 선을 쌓지 않음.
- (④　　　　　)를 박대함.
- 유걸 산승을 욕보임.

→

작가 의식

많은 (⑤　　　　　)을 가지고도 인색하고, 욕심 때문에 다른 사람들을 괄시하는 등 인간적 도리를 저버리는 태도를 경계함.

→

주제

인간의 참된 (⑥　　　　　)에 대한 교훈

어휘

다음 뜻에 해당하는 어휘를 〈보기〉에서 찾아 써 보자.

보기
가산　　　　권속　　　　자수성가　　　　전전걸식

1. 물려받은 재산이 없이 자기 혼자의 힘으로 집안을 일으키고 재산을 모음. (　　　　)

2. 정처 없이 이리저리 돌아다니며 빌어먹음. (　　　　)

3. 한집안의 재산. (　　　　)

「옹고집전」의 근원 설화가 궁금해요.

「옹고집전」은 설화를 바탕으로 만들어진 판소리계 소설입니다. 욕심 많고 인색한 부자가 자신의 집에 찾아온 도승을 괴롭히다 벌을 받는 것은 「장자못 전설」에 담겨 있는 내용이고, 자신과 똑같이 생긴 가짜에게 자리를 빼앗기는 것은 「쥐 둔갑 설화」에서 찾아볼 수 있는 이야기입니다.

「장자못 전설」은 인색한 부자가 시주승에게 쌀 대신 쇠똥을 시주했다가 벌을 받아 못 속에 잠겼다는 내용의 설화입니다. 옛날에 부유하지만 아주 인색하고 포악한 장자가 살고 있었는데, 하루는 스님이 와서 시주를 부탁하자 쌀 대신 쇠똥을 퍼 주었습니다. 이 광경을 본 며느리가 놀라 몰래 스님에게 쌀을 퍼 주며 시아버지의 무례함을 용서해 달라고 하였습니다. 그러자 스님이 며느리에게 "지금 뒷산으로 피하되 절대로 뒤를 돌아보지 말라."라고 당부했습니다. 며느리는 집을 떠나 산을 오르는데 뒤에서 천지가 진동하는 소리가 들렸습니다. 갑작스런 소리에 놀란 며느리는 스님의 당부를 잊고 자신도 모르게 뒤를 돌아보고 말았습니다. 며느리는 그 순간 그 자리에서 돌로 변해 버렸고, 장자의 집은 큰 연못으로 변했다는 내용의 이야기입니다.

「쥐 둔갑 설화」는 사람으로 둔갑하여 주인 행세를 하는 쥐를 물리친다는 내용의 설화입니다. '진짜 주인과 가짜 주인', '진가쟁주(眞假爭主)' 등으로도 불립니다. 집주인이 함부로 버린 손톱, 발톱을 오랫동안 주워 먹은 쥐가 주인으로 둔갑하고 모든 가족이 가짜를 진짜로 알며 소송에서도 지게 된 진짜가 결국 가짜로 몰려 쫓겨납니다. 진짜는 갖은 고생을 하며 떠돌아다니다가 조력자의 충고로 고양이를 데리고 집으로 돌아옵니다. 고양이가 가짜를 죽이자 그는 쥐로 변했고, 진짜가 다시 주인이 되었다는 이야기입니다.

간단 확인

1. 「장자못 전설」에서 며느리가 스님을 괴롭혀 벌을 받는 내용이 「옹고집전」에서도 나타난다.　　◯ ✕

2. 「쥐 둔갑 설화」에도 진짜와 가짜가 다투는 이야기가 담겨 있다.　　◯ ✕

허생전 | 박지원

「허생전」은 조선 후기 효종 때를 배경으로 당대 사회를 비판적으로 바라보는 시각이 담긴 고전 소설입니다. 이 작품은 조선 후기 실학자인 박지원이 쓴 한문 단편 소설로, 허생이라는 비범한 인물을 통해 당대 사회의 모순과 지배 계층인 사대부의 무능함과 허위의식을 풍자하고 있습니다.

📖 등장인물

허생의 아내
글공부만 하는 허생 대신 삯바느질로 생계를 이으며, 남편에게 돈을 벌어 오도록 요구한다.

부부

이완(이 대장)
사대부, 어영대장. 현실의 문제를 알고 있으나 실리보다는 명분을 중시하고 보수적이다.

갈등

허생
재물에 욕심이 적고, 글 읽기에만 관심 있다. 생계를 살피지 않고 경제적으로 무능력한 모습을 보이나, 비범한 식견과 능력을 지니고 있다.

도움

변 씨
한양 최고의 부자로, 사람 보는 눈을 갖추고 있어 허생에게 돈을 선뜻 빌려준다. 이완을 만나게 이어 준다.

📖 전체 줄거리

발단

허생, 아내의 질책을 듣고 집을 나가다

남산 묵적골에 사는 가난한 선비인 허생은 글공부에 전념한다. 하지만 삯바느질로 생계를 책임지다 굶주림에 지친 아내의 질책에 글 읽기를 중단하고 집을 나선다.

전개

허생, 큰돈을 벌다

허생은 변 씨를 찾아가 만 냥을 빌리고 그 돈으로 과일과 말총을 매점매석하여 큰돈을 번다. 그 돈으로 도적 떼를 데리고 빈 섬에 들어가 이상 사회 건설을 시도한다. 큰돈을 벌어 본국으로 돌아온 허생은 빈민들을 구제한 뒤 집으로 돌아온다. 허생은 변 씨와 친분을 맺고, 조선의 취약한 경제 구조와 인재 등용의 불합리성을 비판한다.

위기

허생, 이완 대장에게 세 가지 계책을 제안하다

인재를 구하는 이완 대장에게 변 씨가 허생의 이야기를 해 주고 이야기를 들은 이완 대장은 허생을 찾아온다. 변 씨가 허생에게 이완 대장을 소개하고, 허생은 세 가지 계책을 제시하지만 이완 대장은 모두 어렵다며 거절한다.

절정

허생, 명분만 중시하는 집권층에 격분하다

허생은 명분만 중시하는 사대부 계층의 행태에 몹시 화를 내며 이완 대장을 크게 꾸짖는다.

결말

허생, 종적을 감추다

이튿날, 이완 대장이 허생의 집을 찾아가지만 허생은 이미 종적을 감추었다.

📖 알아두기

☑ 박지원이 1780년 청나라에 다녀온 후에 보고 들은 바를 상세하게 기록한 견문록인 『열하일기』에 수록되어 있는 작품이다.

☑ 이 글을 쓴 박지원은 조선 후기 실학자로, 백성의 생활을 나아지게 하는 이용후생에 관심이 많았으며, 청나라의 문물을 받아들여 조선의 현실을 개혁하자는 북학 사상을 주장했다.

☑ 조선 후기에 들어서면서 양반 신분이 이전처럼 굳건히 유지되지 못하고 양반 신분이라고 해도 어려운 처지에 놓이게 된 몰락한 양반들이 생겨났다.

08 허생전

발단 - 전개 - 위기 - 절정 - 결말

허생이 변 씨에게 빌린 돈으로 매점매석하여 큰돈을 벌고, 빈 섬에 이상 국가 건설을 시도하는 상황이다.

허생은 만 냥을 빌린 뒤 집으로 돌아가지 않았다. 그리고 이렇게 생각했다.

'안성은 경기도와 충청도가 만나는 곳이요, 삼남으로 통하는 길목이렷다.'

마침내 안성으로 가서 머물며 대추, 밤, 감, 배, 금귤, 석류, 귤, 유자 등을 두 배 값으로 모조리 사들였다. 허생이 과일을 모두 매점하는 바람에 나라 전체에서 잔칫상과 제사상을 차릴 수 없게 되었다. 얼마 뒤 허생에게 두 배 값을 받고 과일을 팔았던 상인들은 허생에게 열 배 값을 주고 되사가야 했다. 허생은 한숨을 쉬며 말했다.

"만 냥으로 나라 전체가 기우니, 이 나라의 규모가 얼마나 작은지 알겠구나."

이번에는 칼, 호미, 베, 비단, 무명을 사 가지고 제주도로 들어가서 이를 팔아 말총을 몽땅 사들였다. / "몇 년 안에 나라 사람들이 머리에 망건을 못 쓰게 될 테지."

얼마 뒤 망건값이 열 배에 이르렀다. 〈중략〉

[중략 부분의 줄거리] 허생은 이상 국가 건설을 위해 빈 섬을 찾고, 당시 들끓던 도적떼에 찾아가 돈을 마련해 주겠다고 한다.

도적들이 돌아오는데 뒤처져 오지 못한 사람이 하나도 없었다. 마침내 모두 배에 태우고 무인도로 들어갔다. 허생이 도적 떼를 모두 쓸어가고 나니 온 나라에 도적 걱정이 없어졌다.

섬으로 들어간 허생과 도적들은 무인도에서 나무를 베어 집을 짓고, 대나무를 엮어 울타리를 만들었다. 땅의 기운이 온전하여 온갖 작물이 잘 자랐다. 밭을 묵히지 않고 줄기마다 주렁주렁 이삭이 달렸다. / 허생은 삼 년 먹을 식량만 남겨 두고 나머지 곡식을 모두 배에 실어 장기도로 가져가서 팔았다. '장기'는 일본의 한 고을로, 가구 수가 총 삼십 일만이었는데, 바야흐로 큰 기근이 들어 있었다. 허생은 이들에게 식량을 주어 구제하고 은화 백만 냥을 얻었다. 허생이 탄식하며 말했다. / "이제 내 작은 시험이 끝났구나!"

허생은 남녀 이천 명을 모두 불러 모아 놓고 명을 내렸다.

"내가 처음 자네들과 이 섬에 들어왔을 때는 먼저 자네들의 살림을 넉넉하게 해 준 다음에 문자를 새로 만들고, 의복 입는 제도도 새로 만들 생각이었다. 하지만 이곳은 땅이 작고 지덕이 부족하니 나는 이제 떠나야겠다. 아이가 태어나 숟가락을 잡으면 오른손을 쓰도록 가르치고, 음식은 하루라도 먼저 태어난 사람이 먼저 먹도록 양보하기 바란다."

허생은 자신이 타고 갈 배만 남겨 두고 나머지 배를 모두 불태우며 말했다.

"나가는 사람이 없으면 들어오는 사람도 없을 테지."

그러고는 은화 오십만 냥을 바다에 던졌다.

"바다가 마르면 얻는 사람이 있겠지. 온 나라를 통틀어도 백만 냥을 용납 못하는데, 이 작은 섬에서야 이 돈을 어찌 쓰겠나?"

허생은 또 ㉠글을 아는 사람을 모두 배에 태워 데리고 나왔다. 그러고는 이렇게 말했다.

"이 섬에 화근을 없애기 위해서다."

* 매점 물건값이 오를 것을 예상하고 폭리를 얻기 위하여 물건을 몰아서 사들임.
* 망건 상투를 튼 사람이 머리카락을 걷어 올려 흘러내리지 아니하도록 머리에 두르는 그물처럼 생긴 물건. 보통 말총, 코끼리의 꼬리털 또는 머리카락으로 만든다.
* 기근 흉년으로 먹을 양식이 모자라 굶주림.
* 화근 재앙의 근원.

1 윗글에 대한 설명으로 적절하지 <u>않은</u> 것은?

① 공간의 이동에 따라 사건이 전개되고 있다.

② 말과 행동을 통해 인물의 면모를 드러내고 있다.

③ 과거와 현재가 교차하면서 사건이 진행되고 있다.

④ 사회의 취약점에 대한 냉철한 인식이 표출되고 있다.

⑤ 인물이 자신의 포부를 실천하는 과정을 그려 내고 있다.

2 윗글을 감상한 내용으로 적절하지 <u>않은</u> 것은?

① 안성은 삼남으로 통하는 길목이라는 점에서 교통의 요지로 제시된 것이군.

② 만 냥으로 나라 전체가 기울었다는 허생의 말에서 당시의 경제 상황을 짐작할 수 있군.

③ 상인들이 허생에게 열 배 값을 주고 과일을 되사간 것은 경제 활동이 활발했던 시기였기 때문이군.

④ 허생이 나라 안의 도적 떼를 모두 쓸어간 데서 나라의 근심을 해결한 영웅적인 모습이 나타나 있군.

⑤ 허생이 말총을 몽땅 사들이자 망건값이 열 배가 된 것에서 당시 양반들의 허례허식의 예법을 추측할 수 있군.

3 허생이 ㉠과 같은 행동을 한 까닭을 추측한 내용으로 가장 적절한 것은?

① 외적의 침입에 대비하기 위해서

② 육지와의 교류를 부정적으로 여기고 있어서

③ 백성들로 하여금 농사에 전념하도록 하기 위해서

④ 사리사욕을 일삼는 당대의 종교적 폐단을 막기 위해서

⑤ 지식인 계층들이 백성들에게 피해를 줄 거라 생각해서

발단 - 전개 - 위기 - 절정 - 결말

집으로 돌아온 허생이 변 씨에게 돈을 갚고, 변 씨의 소개로 찾아온 이완 대장에게 계책을 제안하는 상황이다.

그 뒤로 나라 안을 두루 다니며 기댈 곳 없는 가난한 이들을 구제했는데, 그러고도 은화 십만 냥이 남았다. 허생은 말했다. / "이 돈으로 변 씨에게 빌린 돈을 갚으면 되겠군."

허생은 변 씨를 찾아갔다. / "나를 기억하겠소?" / 변 씨가 놀란 얼굴로 말했다.

"그대 얼굴은 조금도 좋아지지 않았는데, 만 냥을 다 잃은 거 아닙니까?"

허생은 웃으며 말했다. / "재물이 생겼다고 얼굴이 좋아지는 건 그대들 세계에서나 있는 일이오. 만 냥으로 어찌 도를 살찌울 수 있겠소?"

그러더니 은화 십만 냥을 변 씨에게 주며 말했다.

"내가 하루아침의 굶주림을 참지 못해 글 읽기를 마치지 못했으니 그대의 만 냥 앞에서 부끄럽구려." / 변 씨는 몹시 놀라서 일어나 절하며 감사를 표하더니 일 할의 이자만 받겠다고 했다. 허생이 몹시 화를 내며 말했다.

"그대는 나를 장사치로 보는 게요?" / 허생은 소매를 뿌리치고 나갔다. 〈중략〉

변 씨는 본래 이완 정승과 친한 사이였다. 이 대장은 당시에 어영대장의 직책을 맡고 있었는데 어느 날 변 씨에게 이런 말을 했다.

"일반 백성들이 사는 동네에도 기이한 재주를 가져서 큰일을 함께할 만한 사람이 있지 않을까?" / 변 씨가 허생 이야기를 해 주자 이 대장은 깜짝 놀랐다.

"참으로 기이하군! 정말 그런 일이 있었나? 그 사람의 이름은 뭔가?"

"소인이 3년 동안 알고 지냈으나 끝내 그 이름을 모릅니다."

"그 사람은 이인(異人)*이군. 함께 가 보세."

밤에 이 대장은 말 모는 종도 물리치고 변 씨와 단둘이 걸어서 허생의 집으로 갔다. 변 씨는 이 대장을 문밖에 서 있게 하고는 먼저 들어가 허생을 만났다. 변 씨가 이 대장을 데려온 까닭을 자세히 말했지만, 허생은 못 들은 척하며 말했다.

"얼른 가져온 술병이나 푸시오." / 두 사람은 즐겁게 술을 마셨다. 변 씨는 이 대장이 문밖에 오래 서 있는 것이 걱정되어 몇 번이나 말을 꺼냈지만, ㉠허생은 일절 대꾸하지 않았다. / 밤이 깊자 허생은 말했다. / "손님을 불러 보시오."

이 대장이 들어오는데, 허생은 편안히 앉은 채 일어나지도 않았다. 이 대장은 몸 둘 바를 몰라 하다가 국가에서 현명한 인재를 구하고 있다는 뜻을 길게 이야기하였다. 그러자 허생은 손을 내저으며 말했다.

"밤은 짧은데 말이 길어서 듣기가 너무 지루하구나. 너는 지금 벼슬이 뭔가?"

"대장입니다." / "그렇다면 너는 나라에서 신임받는 신하로군. 내가 와룡 선생* 같은 분을 천거할* 테니, 네가 조정에 요청해서 그에게 삼고초려*하게 할 수 있겠나?"

이 대장은 고개를 숙이고 한참을 있더니 말했다.

"어렵겠습니다. 두 번째 방책을 알려 주시기 바랍니다."

"나는 '두 번째'라는 건 모른다."

* 이인 재주가 신통하고 비범한 사람.
* 와룡 선생 중국 삼국 시대 촉한의 정치가이자 군사 전략가인 제갈량을 일컫는 말.
* 천거하다 어떤 일을 맡아할 수 있는 사람을 그 자리에 쓰도록 소개하거나 추천하다.
* 삼고초려 인재를 맞아들이기 위하여 참을성 있게 노력함. 중국 삼국 시대에, 촉한의 유비가 은거하고 있던 제갈량의 초옥으로 세 번이나 찾아갔다는 데서 유래한다.

4 윗글의 내용과 일치하지 <u>않는</u> 것은?

① 이 대장은 변 씨의 말을 듣고 함께 찾아가서 허생을 만났다.

② 변 씨는 허생의 겉모습을 보고 허생이 실패했다고 판단했다.

③ 이 대장은 인재가 될 만한 사람을 찾는다는 뜻을 변 씨에게 전했다.

④ 허생은 이 대장이 자신을 찾아온 뜻을 듣고 즐겁게 술을 대접했다.

⑤ 이 대장은 인재를 적극적으로 등용하라는 허생의 계책을 거절했다.

어휘

5 ㉠을 나타내는 한자 성어로 가장 적절한 것은?

① 갑론을박(甲論乙駁)

② 견강부회(牽強附會)

③ 교언영색(巧言令色)

④ 묵묵부답(默默不答)

⑤ 설왕설래(說往說來)

수능형

6 〈보기〉의 밑줄 친 부분에 해당하는 것은?

┌─── 보기 ───┐

　「허생전」의 작가인 박지원은 명망 있는 양반 사대부 집안 출신이었지만 비실용적인 성리학을 비판하고 실제적인 생활의 도모를 우선시하는 실학을 추구한 인물이다. 하지만 사대부 계층인 작가의 <u>신분적 인식에서 한계를 노출</u>하기도 한다.

└──────────┘

① 허생이 변 씨에게 빌린 돈을 열 배로 갚은 일

② 허생이 굶주림을 참지 못해 학문을 중단한 일

③ 허생이 변 씨가 데려온 이 대장을 문밖에 두었던 일

④ 허생이 자신을 장사치로 보느냐며 변 씨에게 화를 낸 일

⑤ 허생이 변 씨와 교유하면서도 자신의 이름을 밝히지 않은 일

발단 - 전개 - 위기 - 절정 - 결말

허생의 세 가지 계책을 이완 대장이 모두 거절하자 허생이 이를 질책하는 상황이다.

---

* **간청하다** 간절히 청하다.

* **종실** 임금의 친족.

* **공신** 나라를 위하여 특별한 공을 세운 신하.

* **교유** 서로 사귀어 놀거나 왕래함.

* **금하다** 어떤 일을 하지 못하게 말리다.

* **변발** 몽골인이나 만주인의 풍습으로, 남자의 머리를 뒷부분만 남기고 나머지 부분을 깎아 뒤로 길게 땋아 늘임. 또는 그런 머리.

* **빈공과** 중국 당나라 때에, 관리를 뽑기 위해 외국인에게 보게 하던 시험.

* **도모하다** 어떤 일을 이루기 위하여 대책과 방법을 세우다.

* **번오기** 중국 전국 시대의 장수. 본래 진나라의 장수였으나 연나라로 망명하였다. 진나라에 품은 원한이 있어, 진시황을 암살하려는 자객 형가를 돕고자 자신의 목숨을 내놓았다.

* **무령왕** 중국 전국 시대 조나라의 왕. 전쟁에 편리한 호복으로 복장을 개혁하였다.

* **방책** 방법과 꾀를 아울러 이르는 말.

이 대장이 거듭 간청해 묻자 ㉠허생은 말했다. / "명나라의 장병들은 조선은 옛 은혜가 있다고 하여, 그 자손들 중 청나라를 빠져나와 우리나라로 넘어온 이들이 많다. 하지만 그들은 떠돌이 생활을 하며 의지할 데 없이 살고 있다. 네가 조정에 요청해서 종실*의 여성들을 두루 이들에게 시집보내고, 공신*들과 권세가의 집을 빼앗아 거기에 살게 할 수 있겠나?" / ㉡이 대장은 고개를 숙이고 한참 있다가 말했다. / "어렵겠습니다."

"이것도 어렵다, 저것도 어렵다 한다면 대체 할 수 있는 일이 뭔가? 정말 쉬운 일이 하나 있는데, 그건 할 수 있겠나?" / "말씀해 주십시오."

"무릇 천하에 대의를 외치고자 하면서 천하의 호걸들과 미리 교유*를 맺지 않은 적은 없었다. 남의 나라를 정벌하려 하면서 첩자를 미리 보내지 않고 성공한 적도 없었지. 지금 만주족이 갑자기 천하의 주인 노릇을 하고 있지. 그들은 중국 민족과는 친하지 않지만, 조선은 다른 나라에 앞서 자기들에게 복종해 온 나라라고 여겨 신뢰하고 있어. 만일 우리 쪽에서 젊은이들을 보내 당나라와 원나라 때처럼 저들의 학교에 입학시키고 저들의 벼슬을 하게 해 달라 하고, 상인들의 출입을 금하지* 말아 달라고 청한다면, 저들은 분명 우리가 친하게 지내자는 걸 기뻐하며 허락할 거야. 그리 되면 우리나라 젊은이들을 뽑아 변발*을 하게 하고 오랑캐 옷을 입힌 뒤, 그들 중 선비는 빈공과*를 보게 하고, 다른 사람들은 멀리 강남에서 장사를 하게 하는 거야. 그러면서 저 나라의 허실을 엿보고 호걸과 사귀게 한다면 천하를 도모할* 수 있고 나라의 치욕도 씻을 수 있을 게야. 만약 주 씨를 구하다가 얻지 못하면 천하의 제후를 거느려 새로 황제가 될 사람을 하늘에 천거할 수 있을 테니, 잘 되면 중국의 스승이 될 것이요, 못돼도 제후국 중의 으뜸은 되지 않겠나."

이 대장이 놀란 표정으로 말했다. / "사대부라면 누구나 삼가 예법을 지키는데, 누가 변발을 하고 오랑캐 옷을 입으려 들겠습니까?" / 허생은 큰소리로 꾸짖었다.

"이른바 사대부라는 게 대체 무엇이냐? 오랑캐 땅에서 태어났으면서 제 입으로 사대부라고 칭하니 참으로 어리석지 않으냐? 위아래로 입은 흰 옷은 상복이요, 머리를 송곳처럼 틀어 묶은 것은 남만족의 상투에 지나지 못한데, 무슨 예법을 말하고 있느냐? 번오기*는 원한을 갚기 위해 제 목을 베는 것을 아까워하지 않았고, 무령왕*은 나라를 강하게 하기 위해 오랑캐 옷 입는 것을 부끄러워하지 않았다. 그렇거늘 너희는 지금 명나라를 위해 복수하고 싶다면서 여전히 머리털 하나를 아까워하느냐? 너희가 장차 말을 달리고 검을 휘두르고 창을 찌르고 활을 쏘고 돌을 던져야 하는데도 넓은 소매를 고치지 못하겠단 거냐? 너희는 그런 게 예법이라 여기느냐? 내가 세 가지 방책*을 말하였는데 너는 한 가지도 할 수 있는 게 없다고 하였다. 그러면서 신임받는 신하라고 하겠느냐? 신임받는 신하라는 게 본래 이런 거냐? 너 같은 자는 목을 베어 버려야 할 것이다!" 〈중략〉

이튿날, 이 대장이 다시 허생의 집에 가 보니, 집은 이미 텅 비어 있고 허생은 간 곳이 없었다.

7 윗글에 나타난 허생의 제안으로 적절하지 <u>않은</u> 것은?

① 조정에 요청해 명나라 망명객들을 우대해야 한다.

② 대의를 이루기 위해 천하의 호걸들과 미리 교유해야 한다.

③ 나라를 위해서는 오랑캐 옷을 입는 일도 부끄러워하지 말아야 한다.

④ 이완 대장과 같이 신임받는 신하가 먼저 앞장서서 예법을 따라야 한다.

⑤ 젊은이들을 청나라에 보내 벼슬과 장사를 하게 하면서 청나라의 허실을 엿보게 해야 한다.

8 ㉠(허생)과 ㉡(이 대장)에 대한 이해로 가장 적절한 것은?

① ㉠은 목적을 이루는 실질적 방안을 제시하였고, ㉡은 실현 가능성을 고려해 거부하였다.

② ㉠은 여러 방안 중에서 선택을 종용하였고, ㉡은 문제점을 고려하여 이를 보완하였다.

③ ㉠은 일의 성사를 위해 고려할 점을 제시하였고, ㉡은 상대의 입장을 고려해 절충하였다.

④ ㉠은 시대 상황에 맞는 신중한 태도를 요구하였고, ㉡은 현실상 한계점을 고려하였다.

⑤ ㉠은 상대방을 고려해 타협안을 마련하였고, ㉡은 타당성을 고려해 적극 수용하였다.

수능형
9 〈보기〉를 바탕으로 하여 윗글을 감상한 내용으로 적절하지 <u>않은</u> 것은?

> 보기
>
> 「허생전」에는 조선 후기 당대의 관념적이고 비실용적인 유교적 이념이나 집권층의 무능과 위선에 대한 비판 의식이 담겨 있다. 특히 명분에 집착하는 태도를 버리지 못하고 허례허식에만 골몰하는 사대부들의 행태를 비판하면서 실리를 중시해야 한다는 실용주의적 관점을 제시한다. 이러한 집권층의 무능과 비겁한 태도를 신랄하게 비판하지만 결국 허생이 제시한 정책이 현실적으로 수용되기 어렵다는 작가의 인식도 내포되어 있다.

① 청나라와 실제적인 교류를 해야 한다는 데서 실리를 중시하는 관점을 알아볼 수 있군.

② 허생이 제시한 방책들 중 한 가지도 이룰 수 없다는 데서 집권층의 무능과 비겁한 태도를 살펴볼 수 있군.

③ 예법을 지키기 위해 변발과 오랑캐 옷을 거절하는 데서 허례허식에 골몰하는 사대부의 모습을 엿볼 수 있군.

④ 허생이 간 곳이 없이 사라지는 결말에서 그가 제시한 정책이 현실적으로 수용되기 어렵다는 작가의 인식을 짐작할 수 있군.

⑤ 만주족이 조선을 자기들에게 제일 먼저 복종해 온 나라라고 여겨 신뢰한다는 데서 명분에 집착하는 태도를 생각해 볼 수 있군.

작품 독해

작품의 시대적 배경

1 다음 사건들을 근거로 하여 이 작품에 나타난 당대 사회상을 정리해 보자.

사건	당대 사회상
허생이 만 냥으로 과일과 (①) 을 사재기하여 큰돈을 벎.	• 당시 조선 사회의 (②) 구조가 매우 취약했음. • 당대 양반들은 아무리 비싸도 제사에 쓰이는 과일과 의관을 갖추는 데 필요한 망건을 사는 등 (③) 이 심했음.
허생이 굶주림에 허덕이는 수천의 도둑을 데리고 빈 섬으로 들어감.	• 민생이 피폐해졌음. • 백성들을 가난에서 구제할 정책이 부재했음.
허생이 이완 대장에게 나라의 정책에 관해 세 가지 제안을 하였으나 모두 거절당함.	• 인재 등용이 제대로 이루어지지 않음. • 지배 계층이 허구적인 (④)을 내세움.

갈등 양상

2 허생과 이 대장의 갈등 양상을 정리해 보자.

제안 → ← 거절

허생의 계책		이완의 입장
계책 1	적극적인 (⑤) 등용	어려움.
계책 2	명나라 후손 후대	종실과 공신들, 권세가가 기득권을 버리기는 어려움.
계책 3	청나라와의 실제적인 교류 촉구	변발, 오랑캐 옷은 사대부 예법에 어긋남.

(⑥   ) 중시   명분 중시

어휘

제시된 초성을 참고하여 다음 뜻에 해당하는 어휘를 써 보자.

1. ㄱㅇ : 서로 사귀어 놀거나 왕래함. → _____

2. ㄱㄱ : 흉년으로 먹을 양식이 모자라 굶주림. → _____

3. ㅅㄱㅊㄹ : 인재를 맞아들이기 위하여 참을성 있게 노력함. → _____

✓ **깊이 읽기**

「허생전」에 담긴 작가 박지원의 생각에 대해 알고 싶어요.

당대 사회의 모순을 비판·풍자하고 지배층의 각성을 촉구하고 있는 「허생전」은 작가인 박지원의 실학사상을 형상화한 작품으로 볼 수 있습니다. 박지원은 조선 후기의 실학자로, 청나라의 선진 문물을 받아들일 것을 주장하는 북학 운동의 선두 주자였습니다. 실학은 실용을 중시하는 학문으로, 박지원과 같은 실학자들은 경제 생산과 동떨어지고 허례허식과 명분에만 치중하는 기존 사대부 계층을 비판하며, 일반 백성들의 삶을 나아지게 하고 국가의 전반적인 개혁에 도움이 되고자 하였습니다. 박지원은 기술을 활용하여 생산을 향상하는 '이용'을 하여 일반 백성들의 생활을 나아지게 하는 '후생'을 하고 그 이후에 도덕성을 향상시킬 수 있다고 이야기하였습니다. 「허생전」에서 허생이 도적들을 데리고 간 빈 섬에서 경작한 작물을 장기도에 파는데, 이러한 대외 무역은 박지원을 비롯한 실학자들이 주장해 온 방안입니다. 남는 농산물을 수출하여 많은 돈을 번 것은 해외 무역을 통한 이용후생과 부국의 가능성을 제시한 것으로 볼 수 있습니다.

또한 박지원은 청나라를 오랑캐로 보고 배척하는 북벌론이 지닌 허위의식을 비판하였습니다. 허생과 이완 대장의 대화에서 조선 후기의 북벌론에 대한 내용이 나오는데, 병자호란 이후 청에게 당한 치욕을 씻고 임진왜란 당시 조선을 도와준 명에 대한 의리를 지키기 위해 청을 정벌하자는 주장을 담고 있습니다. 그러나 당시 조선의 국력은 청나라와 맞설 수 있는 수준이라고 보기 어려웠습니다. 박지원은 우리가 진정으로 북벌을 하려면 맹목적 비난이 아니라 현실을 객관적으로 인식하고 청나라에서 배울 것이 있으면 배워서 우리의 강점으로 이용해야 한다고 주장하였습니다.

▲ 박지원

간단 확인

1. 실학은 실용을 중시하는 학문으로, 일반 백성들이 풍요로운 경제 생활을 할 수 있는 데 관심을 기울였다.

2. 북벌론은 병자호란 이후 청나라의 문물을 수용하여 실력을 키워 청을 정벌하자는 주장이다.

규중칠우쟁론기 | 작자 미상

「규중칠우쟁론기」는 바느질 도구를 의인화하여 인간 세태를 풍자한 고전 수필입니다. 주변에서 흔히 볼 수 있는 바느질 도구에 이름을 붙여 주고 의인화하여 자신이 생각했던 바를 은근히 드러내고 있습니다. 한글로 쓰인 작품으로, 규방에서 느낄 수 있는 섬세한 정서를 잘 표현한 작품입니다.

등장인물

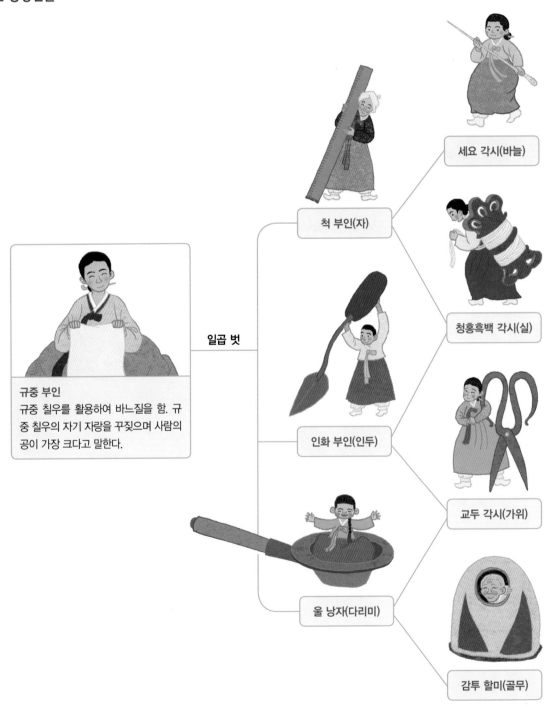

규중 부인
규중 칠우를 활용하여 바느질을 함. 규중 칠우의 자기 자랑을 꾸짖으며 사람의 공이 가장 크다고 말한다.

일곱 벗

척 부인(자)

세요 각시(바늘)

청홍흑백 각시(실)

인화 부인(인두)

교두 각시(가위)

울 낭자(다리미)

감투 할미(골무)

기

규중 칠우의 소개
바느질 도구인 바늘, 자, 가위, 인두, 다리미, 실, 골무에 각각 이름과 호를 정하여 벗을 삼았다고, 규중 칠우를 소개한다.

승

규중 칠우의 공치사
규중 칠우(척 부인, 교두 각시, 세요 각시, 청홍흑백 각시, 울 낭자, 인화 부인, 감투 할미)가 바느질의 공을 의논하는데 모두가 자신의 공이 크다는 것을 내세우며 공치사한다.

전

규중 칠우의 원망
규중 부인이 칠우의 공으로 의복을 다스리나 그 공이 사람이 쓰기에 달려 있기에 칠우의 공이라 할 수 없다고 말하고 잠이 든다. 그 말을 들은 규중 칠우가 규중 부인을 원망한다.

결

감투 할미의 사과와 규중 부인의 용서
규중 부인이 문득 잠에서 깨어나 자신을 원망하는 규중 칠우를 꾸중하자 감투 할미가 사과하여 규중 부인의 용서를 받는다.

🕮 알아두기

☑ 조선 시대 여인들이 바느질할 때 사용하던 일곱 가지 물건(바늘, 자, 가위, 인두, 다리미, 실, 골무)을 의인화하고 있다.

☑ 한글이 널리 보급된 조선 시대 후기, 어느 사대부가의 여성이 지었을 것으로 추측된다.

☑ 내용상으로 규중 칠우들이 공을 다투는 전반부와 인간에 대한 원망을 하소연하는 후반부로 구성되어 있다.

기 — 승 — 전 — 결

규중 칠우가 자신의 공을 자랑하고 있는 상황이다.

이른바 규중* 칠우(七友)는 부인네 방 가운데 있는 일곱 벗을 말함이니, 글하는 선비는 필묵*과 종이, 벼루로 글방의 벗을 삼았는데 규중의 여자만 어찌 벗이 없으리오. 이리하여 바느질을 돕는 무리에게 각각 이름과 호(號)*를 정하여 벗을 삼았으니 바늘은 ㉠'세요 각시'라 하고, 자는 ㉡'척 부인'이라 하고, 가위는 ㉢'교두 각시'라 하고, 인두는 ㉣'인화 부인'이라 하고, 다리미는 ㉤'울 낭자'라 하고, 실은 ㉥'청홍흑백 각시'라 하며, 골무는 ㉦'감투 할미'라 했다. 규중 부인이 아침 단장을 마치매, 칠우가 모여 할 일을 함께 의논하여 각각 맡은 일을 이루어 내는지라.

하루는 칠우가 모여 바느질의 공을 의논하는데 척 부인이 긴 허리를 뽐내며 말하기를,

"여러 벗들은 들으라. 가는 명주, 굵은 명주, 흰 모시, 가는 실로 짠 천, 파랑, 빨강, 초록, 자주 비단을 다 내어 펼쳐 놓고 남녀의 옷을 마련할 때, 길이와 넓으며 솜씨와 격식을 내가 아니면 어찌 이루리오. 그러므로 옷 짓는 공은 내가 으뜸이 되리라."

교두 각시가 두 다리를 빠르게 놀리며 뛰어나와 이르되,

"척 부인아, 그대 아무리 마련을 잘한들 베어 내지 아니하면 모양이 제대로 되겠느냐? 내 공과 내 덕이니 네 공만 자랑 마라."

세요 각시가 가는 허리를 구부리며 날랜 부리 돌려 이르되,

"두 벗의 말이 옳지 않다. (ⓐ   )(이)라 할 것이니, 재단에 두루 능하다 하나 내가 아니면 옷 짓기를 어찌하리오. 잘게 누빈 누비*, 듬성하게 누빈 누비, 맞대고 꿰맨 솔기*, 긴 옷을 지을 때 나의 날래고 빠름이 아니면 어찌 잘게 뜨며, 굵게 박아 마음대로 하리오. 척 부인이 재고 교두 각시가 옷감을 베어 낸다 하나, 나 아니면 공이 없으련만 두 벗이 무슨 공이라 자랑하느뇨."

청홍흑백 각시가 얼굴이 붉으락푸르락하여 화내며 말하기를,

"세요야, 네 공이 내 공이라. 자랑 마라. 네 아무리 잘난 체하나 한 솔기나 반 솔기인들 내가 아니면 네 어찌 성공하리오."

감투 할미가 웃으며 이르되, / "각시님네, 웬만히 자랑하소. 이 늙은이 머리부터 발끝까지 온몸으로 아기씨 네 손부리 아프지 아니하게 바느질 도와 드리나니, 옛말에 이르기를 '닭의 입이 될지언정 소의 꼬리는 되지 말라.'고 했소. 청홍흑백 각시는 세요의 뒤를 따라다니며 무슨 말 하시느뇨. 실로 얼굴이 아까워라. 나는 매양 세요의 귀에 찔렸으나, 낯가죽이 두꺼워 견딜 만하여 아무 말도 아니하노라."

인화 부인이 이르되, / "그대들은 다투지 마라. 나도 잠깐 공을 말하리라. 잘거나 듬성한 누비가 누구 덕에 젓가락같이 고우며, 옷 솔기도 나 아니면 어찌 풀로 붙인 듯이 고우리오. 바느질 솜씨 보잘것없는 자의 들락날락 바르지 못한 바느질도 나의 손바닥으로 한 번 씻으면 잘못한 흔적이 감추어지니, 세요의 공이 나로 인하여 빛나느니라."

* **규중** 부녀자가 거처하는 곳.
* **필묵** 붓과 먹을 아울러 이르는 말.
* **호** 본명이나 자 이외에 쓰는 이름. 허물없이 쓰기 위해 지은 이름이다.
* **인두** 바느질할 때 불에 달구어 천의 구김살을 눌러 펴거나 솔기를 꺾어 누르는 데 쓰는 기구.
* **골무** 바느질할 때 바늘귀를 밀기 위하여 손가락에 끼는 도구.
* **누비** 두 겹의 천 사이에 솜을 넣고 줄이 죽죽 지게 박는 바느질. 또는 그렇게 만든 물건.
* **솔기** 옷이나 이부자리 따위를 지을 때 두 폭을 맞대고 꿰맨 줄.

울 낭자가 커다란 입을 벌리고 너털웃음을 웃으며 이르되,

"인화야, 너와 나는 하는 일이 같다. 그러나 인화는 바느질할 때뿐이지만 나는 천만 가지 의복에 아니 참여하는 곳이 없다."

1 각 인물의 말하기 방식에 대한 설명으로 적절한 것은?

① '울 낭자'는 '인화 부인'과의 유사점을 바탕으로 자신의 겸손함을 내세우고 있다.

② '감투 할미'는 '청홍흑백 각시'의 겸손함을 칭찬하면서 자신의 공을 주장하고 있다.

③ '세요 각시'는 '척 부인'과 '교두 각시'가 사실을 숨기고 거짓말만 하고 있음을 주장하고 있다.

④ '척 부인'은 자신이 하는 일의 종류가 매우 다양하다는 점을 근거로 들어 자신의 공을 내세우고 있다.

⑤ '교두 각시'는 '척 부인'의 공이 자신의 도움이 없으면 불가능함을 근거로 자신의 공을 내세우고 있다.

2 ㉠∼㉆ 중 〈보기〉의 ㉮에 해당하는 것을 모두 고른 것은?

> 보기
>
> 이 작품은 조선 시대 부녀자들의 생활과 밀접한 관련이 있는 사물을 의인화하여 구성한 고전 수필이다. 이 작품에는 바느질에 필요한 일곱 가지 사물이 등장하는데, 각 사물의 이름은 각각 한자의 발음, ㉮사물의 생김새, 사물의 쓰임새 등에 근거하여 지은 것이다.

① ㉠, ㉡, ㉣, ㉤   ② ㉠, ㉢, ㉲, ㉆   ③ ㉡, ㉢, ㉤, ㉲

④ ㉡, ㉣, ㉲, ㉆   ⑤ ㉢, ㉣, ㉤, ㉆

3 윗글의 맥락을 고려할 때 ⓐ에 들어갈 속담으로 가장 적절한 것은?

① 갈수록 태산

② 가는 날이 장날

③ 울며 겨자 먹기

④ 쇠귀에 경 읽기

⑤ 진주가 열 그릇이나 꿰어야 구슬

기 — 승 — 전 — 결

규중 부인이 개입한 뒤, 규중 칠우가 사람을 원망하고 있는 상황이다.

규중 부인이 이르되, / "칠우의 공으로 의복을 다스리나, 그 공이 사람이 쓰기에 달려 있는데 어찌 칠우의 공이라 하리오." / 하고 말을 마치자 칠우를 밀치고 베개를 돋우고 깊이 잠이 드니, 척 부인이 탄식하며* 이르되,

"매정할* 사 사람이요, 공 모르는 것은 여자로다. 의복 마를* 때는 먼저 찾으면서 일이 끝나면 자기 공이라 하고, 게으른 종 잠 깨우는 막대는 내가 아니면 못 칠 줄로 알고, 내 허리 부러짐도 모르니 어찌 야속하고 노엽지 않으리오." / 교두 각시가 이어서 말하기를,

"그대 말이 옳다. 옷을 마르며 벨 때는 나 아니면 못하련만, 잘 드나니 아니드나니 하고 내어 던지며 양다리를 각각 잡아 흔들 때는 불쾌하고 노엽기를 어찌 헤아리겠소. 세요 각시가 잠깐이라도 쉬려고 달아나면 매양 내 탓인 양 여겨 내게 트집을 잡고, 마치 내가 감춘 듯이 문고리에 거꾸로 달아 놓고 좌우로 돌려 보며 앞뒤로 검사해서 찾아낸 것이 몇 번인 줄 알리오. 그 공을 모르니 어찌 슬프고 원망스럽지 않으리오."

세요 각시 한숨짓고 이르되, / "너는 그렇거니와 나는 일찍이 무슨 일로 사람의 손에 보채이며 싫은 소리를 듣는지 사무치게 원통하구나. 더욱이 나의 약한 허리 휘두르며 날랜 부리를 돌려 힘껏 바느질을 돕는 줄도 모르고 마음에 맞지 아니하면 나의 허리를 분질러 화로에 넣으니 어찌 원통하지 않으리오. 사람과는 극한의 원수 지간이라. 갚을 길이 없어 이따금 손톱 밑을 찔러 피를 내어 한을 풀면 조금 시원하나, 간사하고 흉악한 감투 할미가 밀어 만류하니* 더욱 애달프고 못 견딜 일이로다."

인화가 눈물지으며 이르되,

"그대는 아프다 어떻다 하는구나. 나는 무슨 죄로 붉은 불 가운데 낮을 지지면서 굳은 것 깨치는 일은 나에게 다 시키니 섧고 괴로운 것을 헤아리지 못하겠구나."

울 낭자가 슬픈 표정으로 말하기를, / "그대와 나는 하는 일이 같고 욕되기도 마찬가지라. 제 옷을 문지르고 먹을 잡아 들까부르며* 우겨 누르니, 하늘이 덮치는 듯 심신이 아득하여 내 목이 따로 떨어진 적이 몇 번이나 되는 줄 알리오."

칠우가 이렇게 이야기를 주고받으며 회포를 푸는데 자던 여자가 문득 깨어나 칠우에게 이르기를, / "여러 벗들은 어찌 그토록 내 허물을 들추어 말하느냐?"

[A]
감투 할미가 머리를 조아려 사죄하며 말하기를,

"젊은 것들이 망령되게* 생각이 없는지라 모자람이 많사옵니다. 저희들이 재주를 믿고 공이 많음을 자랑하며 원망을 했으니 마땅히 곤장을 쳐야 하나, 평소의 깊은 정과 저희들의 조그만 공을 생각하여 용서하심이 옳을까 하나이다."

여자가 답하기를, / "할미 말을 좇아 더 이상 잘못을 묻지 않을 것이다. 내 손부리가 성한 것이 할미의 공이라. 꿰어 차고 다니며 은혜를 잊지 아니할 것이니, 금주머니를 짓고 그 가운데 넣어 몸에 지니고 다니며 서로 떠나지 않게 하리라."

하고 말하니, 할미는 머리를 조아려 사례하고 나머지 벗들은 부끄러워하며 물러나니라.

* 탄식하다 한탄하여 한숨을 쉬다.
* 매정하다 얄미울 정도로 쌀쌀맞고 인정이 없다.
* 마르다 옷감이나 재목 따위의 재료를 치수에 맞게 자르다.
* 만류하다 붙들고 못 하게 말리다.
* 들까부르다 위아래로 심하게 흔들다.
* 망령되다 늙거나 정신이 흐려서 말이나 행동이 정상을 벗어난 데가 있다.

4 윗글의 내용과 일치하지 <u>않는</u> 것은?

① '교두 각시'는 사람이 자신을 함부로 대하는 것에 대한 불쾌함을 말하고 있다.

② '세요 각시'는 사람에게 복수하려는 것을 방해하는 감투 할미를 원망하고 있다.

③ '척 부인'은 자신을 사람을 깨우는 막대로 사용하는 것에 대한 불만을 말하고 있다.

④ '인화 부인'은 자신을 바느질 외의 다른 일에 사용한 것에 대한 서러움을 말하고 있다.

⑤ '울 낭자'는 인화 부인과 같은 일을 하면서도 혼자 욕을 먹는 것에 대해 불만을 말하고 있다.

수능형

5 〈보기〉를 참고하여 윗글을 감상한 내용으로 적절하지 <u>않은</u> 것은?

> 보기
>
> 조선 후기에는 여성들이 쓴 수필 작품들이 많아졌다. 여성들의 작품은 양반 사대부들의 작품과 여러 가지 차이를 보였다. 먼저 여성들의 수필은 주로 한글 수필로, 섬세한 표현이 특징적이다. 또한 부녀자의 삶과 관련 있는 일상적인 물건이 작품의 소재로 사용되기도 하였다. 특히 「규중칠우쟁론기」는 의인화한 사물을 사용하여 작품의 흥미를 높이는 한편 교훈적인 주제도 함께 담았는데, 이를 통해 조선 후기 여성들의 삶과 가치관을 엿볼 수 있다.

① 한글로 쓰인 작품으로, 인물들의 심리가 섬세하게 잘 표현되었다.

② '바느질'이라는 제재를 중심으로 조선 시대 여성들의 생활을 엿볼 수 있다.

③ 인물들의 갈등을 통해 유교적 가부장제 사회에 대한 비판을 직접 드러내었다.

④ 의인화한 사물들끼리 논쟁을 한다는 독창적인 설정이 작품에 흥미를 더해 준다.

⑤ 자신의 직분에 따라 성실하게 살아가야 한다는 교훈적인 주제를 제시하고 있다.

개념 ＋ 의인법

사람이 아닌 것을 사람인 것처럼 표현하는 방법이다.
예 꽃이 웃는다, 강물은 말없이 흐른다

---

6 [A]에서 '여자'의 반응을 고려하여 감투 할미를 평가한 내용으로 가장 적절한 것은?

① 처세술에 능한 행동으로 다른 사람의 인심을 얻는 인물이다.

② 상황에 맞지 않는 말과 행동으로 웃음을 유발하는 인물이다.

③ 어떤 상황에서도 자신의 주장을 굽히지 않는 강직한 인물이다.

④ 다른 사람에게 이익을 주기 위해 자신의 손해를 감수하는 인물이다.

⑤ 자신에게 주어진 권력을 이용해 힘이 약한 사람들을 괴롭히는 인물이다.

작품
독해

인물의 특성과 중심 내용

1 규중 칠우의 별명과 그 근거를 파악하고, 중심 인물들이 내세우는 공을 정리해 보자.

규중 칠우	별명	별명의 근거	내세우는 공
자	(①) 부인	한자의 음	길이, 넓이, 솜씨, 격식을 자신이 이룸.
(②)	교두 각시	생김새	모양이 제대로 되도록 옷감을 베어 냄.
바늘	세요 각시	생김새	재단을 하고 옷감을 잘라도 자신이 꿰매지 않으면 소용 없음.
실	청홍흑백 각시	생김새(색깔)	자신이 없으면 바늘이 성공을 못함.
골무	(③)	생김새	사람의 손을 보호함.
인두	인화 부인	쓰임새	누비와 솔기를 곱게 하며, 바느질의 잘못한 흔적을 감추어 바느질 솜씨를 빛나게 함.
(④)	울 낭자	한자의 음	인화 부인과 마찬가지의 역할을 하지만, 천만 가지 의복을 모두 폄.

작품의 구조

2 이 작품을 내용에 따라 크게 두 부분으로 나누고, 각 부분의 중심 내용을 정리해 보자.

전반부
일곱 벗이 다투어 자신의 공을 자랑함.
일곱 벗의 관계 – (⑤) 관계

규중 부인이 칠우를 나무라고 잠듦.

후반부
인간에 대해 불평하고 (⑥)함.
일곱 벗의 관계 – 동료 관계

어휘

다음 어휘에 알맞은 뜻을 찾아 바르게 연결해 보자.

1. 규중 ·   · ㉠ 붓과 먹을 아울러 이르는 말.

2. 필묵 ·   · ㉡ 부녀자가 거처하는 곳.

3. 골무 ·   · ㉢ 바느질할 때 바늘귀를 밀기 위하여 손가락에 끼는 도구.

깊이 읽기

「규중칠우쟁론기」처럼 조선 시대에 한글로 쓰인 고전 수필에 대해 더 알고 싶어요.

조선 후기까지 창작된, 글쓴이의 생각이나 느낌을 자유롭게 서술한 것으로 다양한 글쓰기 방식을 엿볼 수 있는 작품을 고전 수필이라고 합니다. 우리나라의 수필 문학의 뿌리는 깊습니다. 한문학이 도입되면서 생겨나고 발전하게 된 고전 수필은 조선 시대를 거치면서 더욱 다채로운 작품이 많이 지어졌습니다. 고전 수필은 오늘날의 수필 개념과 유사한 측면이 많지만 고전 수필만의 독특한 점 또한 존재합니다. 고전 수필 가운데는 소설적인 이야기성을 갖춘 작품들도 많습니다.

훈민정음이 창제된 이후에는 한문 수필과 더불어서 한글로 쓰인 수필 작품들이 많아졌습니다. 여성들이 국문 수필을 많이 썼는데, 궁중에서 생활하던 여인들이 쓴 궁정 수필이 많습니다. 광해군이 영창 대군을 모함하여 죽이고 영창 대군의 어머니 인목 대비를 유폐시킨 일을 다룬 「계축일기」, 혜경궁 홍씨가 남편 사도 세자의 죽음과 아들인 정조의 등극 등 궁중에서 일어났던 일과 이에 대한 심리를 담은 「한중록」 등이 있습니다.

국문 수필의 또 다른 대표적인 형태는 기행 수필입니다. 지방을 유람하고 쓴 것이나 청나라에 사절단으로 다녀온 뒤 쓴 작품들이 주를 이룹니다. 특히 동해안에서 본 일출과 월출 광경이 섬세하게 묘사되어 있는 「동명일기」가 뛰어난 작품으로 손꼽히고 있습니다.

또한 주변 사물을 의인화하여 이야기로 만든 의인체 수필도 있습니다. 의인화의 대상이 되는 사물은 주로 여성들이 집안일을 할 때 자주 사용하던 것으로, 순조 때 유씨 부인이 바늘을 부러뜨리고 애도하는 심정을 제문 형식으로 쓴 「조침문」과 일곱 가지 바느질 도구를 의인화하여 쓴 「규중칠우쟁론기」가 유명합니다. 규방에서만 느낄 수 있는 섬세한 정서를 잘 표출하고 있는 작품들입니다.

▲ 반짇고리

간단 확인

1. 궁정 수필은 고전 수필 중 지방을 유람하거나 청나라에 다녀온 뒤 쓴 작품들을 말한다.
2. 여성들이 집안일을 할 때 자주 사용하던 물건을 의인화하여 이야기로 만든 수필 작품도 있다.

10 흥보가 | 작자 미상

「흥보가」는 '흥부가', '박타령'이라는 별칭을 갖고 있는 우리나라의 대표적인 판소리 작품으로 흥미로운 내용과 해학적 표현, 생동감 넘치는 묘사와 익살 등으로 인기를 얻은 작품입니다. 착한 심성을 지니고 있지만 가난한 흥보와 부유하지만 인정 없고 고약한 놀보의 모습을 통해 조선 후기 사회 현실의 문제점을 해학적이고 풍자적으로 드러내고 있습니다.

📖 등장인물

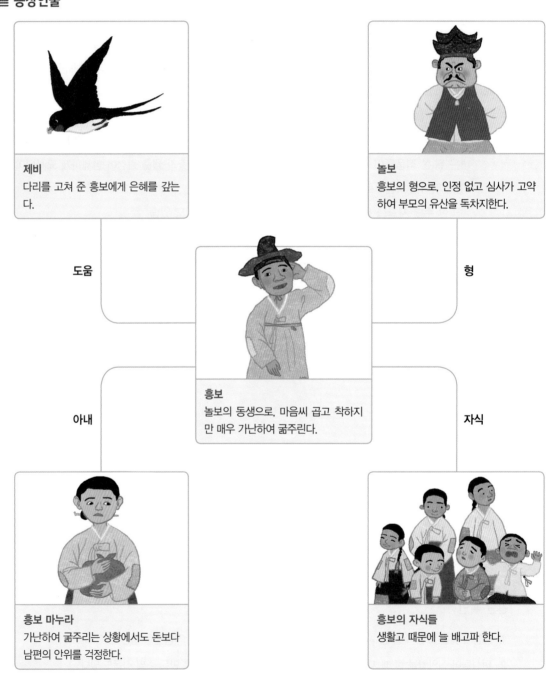

제비
다리를 고쳐 준 흥보에게 은혜를 갚는다.

도움

놀보
흥보의 형으로, 인정 없고 심사가 고약하여 부모의 유산을 독차지한다.

형

흥보
놀보의 동생으로, 마음씨 곱고 착하지만 매우 가난하여 굶주린다.

아내

자식

흥보 마누라
가난하여 굶주리는 상황에서도 돈보다 남편의 안위를 걱정한다.

흥보의 자식들
생활고 때문에 늘 배고파 한다.

📖 전체 줄거리

발단

놀보, 흥보를 쫓아내다
마음씨 착한 흥보와 욕심 많고 인정 없는 놀보가 살았다. 형인 놀보는 부모의 유산을 독차지하고 흥보와 그 처자식을 내쫓는다.

전개

흥보 가족, 굶주리다
흥보 가족은 가난으로 고생하며 살아간다. 흥보는 놀보에게 양식을 얻으러 갔다가 매만 맞고 돌아오고, 가족을 위해 품팔이와 매품팔이를 한다. 남편의 안위를 걱정한 흥보 마누라는 매품팔이를 실패하고 돌아온 남편을 보고 오히려 기뻐한다.

위기

흥보, 제비의 다리를 고쳐 주다
어느 날 흥보는 다리가 부러진 제비를 보고 치료해 주고, 이듬해 봄 강남에 갔다가 돌아온 제비가 흥보에게 박씨를 물어다 준다.

절정

흥보는 부자가 되고, 놀보는 벌을 받다
박 속에서 금은보화가 나와 흥보는 부자가 된다. 흥보가 부자가 되었다는 소식을 들은 놀보는 심술이 나서 흥보의 집으로 가, 흥보에게서 부자가 된 사연을 듣는다. 그리고 이를 따라하기 위해 멀쩡한 제비 다리를 부러뜨린 놀보는 벌을 받는다.

결말

흥보와 놀보, 함께 행복하게 지내다
흥보가 놀보에게 재물을 나누어 주고, 형제가 화목하게 살게 된다.

📖 알아두기

☑ 조선 후기 서민들의 삶의 모습이 반영되어 있다.

☑ 흥보의 가난한 삶의 모습이 해학적으로 그려져 있다.

☑ 판소리 장단은 진양조장단이 가장 느리고, 중모리장단, 중중모리장단, 자진모리장단, 휘모리장단 순으로 빠르다.

집에 식량이 떨어진 흥보가 곡식을 꾸어 보려고 관청에 갔다가 매품을 팔아 보라는 제안을 받는 상황이다.

[아니리*] 흥보가 들어가며 별안간 걱정이 생겼지. '내가 아무리 궁핍*을 걱정하는 남자가 되었을망정 반남(潘南) 박(朴)가 양반인데 호방을 보고 하대를 하나 존대를 하나? 아서라, 말은 허되 끝은 짓지 말고 웃음으로 얼버무릴 수밖에 없다.' 질청을 들어가니, 호방이 문을 열고 나오다,

"박 생원 어찌 오셨소?"

"참 양도가 절량(絶糧)*되어서 환자* 한 섬만 주시면 가을에 착실히 갚을 테니 호방 생각이 어떨는지. 하하하."

호장(戶長)이 하는 말이,

"박 생원 들어오신 김에 품 하나 팔아 보오. 우리골 좌수가 병영 영문에 잡혔는데 좌수 대신 가서 곤장 열 대만 맞으면 한 대 석 냥씩 서른 냥은 꼽아 놓은 돈이요, 마삯까지 닷 냥 지정해 두었으니 그 품 하나 팔아 보오."

"돈 생길 품이니 팔고말고. 매 맞으러 가는 놈이 말 타고 갈 것 없고 정강이말로* 다녀올 테니 그 돈 닷 냥을 날 내어 주지. 하하하."

[중모리] 저 아전 거동을 보아라. 궤(櫃) 문을 절컥 열고 돈 닷 냥을 내어 주니 흥보가 받아 들고, / "다녀오리다." / "평안히 다녀오오."

박흥보가 좋아라고 질청문 밖 썩 나서서,

"돈 봐라 돈. 돈 봐라 돈 봐. 얼씨구나 돈 돈. 돈 봐라 돈. 이 돈을 눈에 옳게 보면 삼강오륜이 다 보이고, 만일 돈을 못 보면 삼강오륜이 끊어지니 보이는 게 돈밖에 또 있느냐."

떡국집으로 들어가서 떡국 반 돈어치를 사서 먹고 막걸릿집으로 들어를 가서 막걸리 서 푼어치를 사서 마시고 어깨를 느리우고 입을 빼고,

"대장부 한 걸음에 엽전 서른닷 냥이 들어간다. 우리 집을 어서 가자." 〈중략〉

[아니리] 흥보 마누라가 하는 말이,

"여보 영감 그런디 이 돈이 무슨 돈이오? 어떻게 해서 생겨난 돈인지 좀 압시다."

"이 돈이 다른 돈이 아닐세. 우리 고을 좌수가 병영 영문에 잡혔는데 대신 가서 곤장 열 대만 맞으면 한 대에 석 냥씩 서른 냥을 준다기에 대신 가기로 하고 삯으로 받아온 돈이제."

흥보 마누라 깜짝 놀라며,

"소중한 가장 매품 팔아 먹고산단 말은 고금천지에 어디서 보았소."

[진양] "가지 마오 가지 마오, 불쌍한 영감, 가지를 마오. 천불생 무록지인이요 지부장 무명지초라. (㉠   )이니, 설마한들 죽사리까. 병영 영문 곤장 한 대를 맞고 보면 죽도록 골병 된답디다. 여보 영감 불쌍한 우리 영감, 가지를 마오."

* 아니리 판소리에서, 창을 하는 중간중간에 가락을 붙이지 않고 이야기하듯 엮어 나가는 사설.
* 궁핍 몹시 가난함.
* 양도 일정한 기간 동안 먹고살아 갈 양식.
* 절량 양식이 떨어짐.
* 환자 조선 시대에 곡식을 사창에 저장하였다가 백성들에게 봄에 꾸어 주고 가을에 이자를 붙여 거두던 일. 또는 그 곡식.
* 정강이말로 '아무것도 타지 않고 제 발로 걸어서'의 뜻임.
* 천불생 무록지인 지부장 무명지초 하늘은 녹봉 없는 사람을 태어나게 하지 않고, 땅은 이름 없는 풀을 기르지 않는다.

1 윗글의 내용으로 적절하지 <u>않은</u> 것은?

① 흥보는 호방에게 곡식을 빌려줄 것을 부탁하였다.

② 흥보는 매를 맞기로 약속하고 돈을 받은 뒤 좋아하였다.

③ 흥보 마누라는 돈이 생긴 흥보에게 돈의 출처를 물었다.

④ 흥보는 매를 맞는 일을 마누라가 알게 될까 봐 우려하였다.

⑤ 흥보 마누라는 흥보가 곤장을 맞고 골병이 들까 봐 매우 걱정하였다.

어휘

2 문맥을 고려할 때, ㉠에 들어갈 속담으로 가장 적절한 것은?

① 백지장도 맞들면 나은 법

② 모로 가도 서울만 가면 되는 법

③ 서당 개 삼 년에 풍월을 읊는 법

④ 수염이 대 자라도 먹어야 양반인 법

⑤ 하늘이 무너져도 솟아날 구멍이 있는 법

수능형

3 〈보기〉를 바탕으로 하여 윗글을 감상한 내용으로 적절하지 <u>않은</u> 것은?

> 〈보기〉
>
>   판소리는 조선 후기에 널리 불리던 우리 고유의 전통 음악으로, 고수의 북장단에 맞추어 한 사람의 창자가 서사적인 이야기를 노래와 말로 엮고 몸짓을 곁들여 구연하는 것이다. 일상적인 대화에서 쓰는 말을 사용하여 내용을 생생하게 표현하며, 반복적인 어구나 감탄사의 활용을 통해 운율을 조성한다. 또한 민중의 해학이 잘 드러나 있으며, 당대의 시대상을 알 수 있는 내용도 포함되어 있어 우리에게 재미를 준다.

① 처지에 맞지 않게 양반의 체면을 차리는 흥보의 모습이 웃음을 유발하는군.

② '돈 봐라 돈.', '가지 마오' 등의 어구가 반복되는 데서 운율감이 느껴지는군.

③ 흥보와 흥보 마누라의 대화에서 일상적인 대화의 말투가 그대로 드러나 있군.

④ '돈을 못 보면 삼강오륜이 끊어지니'에서 유교적 덕목을 무엇보다 숭상했던 당대의 사회적 분위기를 확인할 수 있군.

⑤ 흥보가 호방에게 하대를 해야 할지 존대를 해야 할지 고민하는 데서 양반의 권위가 약화되고 있던 당대의 시대상을 짐작할 수 있군.

발단—전개—위기—절정—결말

흥보가 매품팔이를 하러 갔지만 옆집 꾀수 애비가 매품팔이의 기회를 가로채서 빈손으로 돌아오는 상황이다.

[아니리] 흥보 아들놈들이 저의 어머니 울음소리를 듣고 물소리 들은 거위 모양으로 고개를 들고, / ㉠"아버지 병영 가시오?" / "오냐 병영 간다."

"갔다 올 제 ㉮떡 한 보따리 사 가지고 오시오." 〈중략〉

[아니리] 흥보가 삼문 간에 들어서 가만히 굽어보니 죄인이 볼기를 맞거늘, 흥보 마음에는 그 사람들도 돈 벌러 온 줄 알고, '저 사람들은 먼저 와서 돈 수백 냥 번다. 나도 볼기 좀 까고 업저볼까.' 볼기를 까고 삼문 간에 가 엎드렸을 제 사령* 한 쌍이 나오더니,

ⓐ"병영 생긴 후 볼기전 보는 놈이 생겼구나."

사령 중에 뜻밖에 흥보씨 아는 사령이 있던가,

ⓑ"아니 박 생원 아니시오." / "알아맞혔구만그려." / "당신 굶었소."

"ⓒ굶다니 계란이 굶지, 사람이 굶나. 그게 어떤 말인가?"

ⓓ"박 생원 대신이라 하고 어떤 사람이 와서 곤장 열 대 맞고 돈 서른 냥 받아가지고 벌써 떠나갔소." / 흥보가 기가 막혀, / ⓔ"그놈이 어떻게 생겼던가?"

"키가 구 척이요 방울눈에 기운 좋습디다." / 흥보가 말을 듣더니, "허허 그전 밤에 우리 마누라가 밤새도록 울더니마는 옆집 꾀수 애비란 놈이 알고 발등걸이*를 허였구나."

[중모리] "번수네들 그러한가. 나는 가네. 지키기나 잘들 하소. 매품 팔러 왔는데도 손재(損財)*가 붙어 이 지경이 웬일이냐. ㉡우리 집을 돌아가면 밥 달라고 우는 자식은 떡 사 주마고 달래고, 떡 사 달라 우는 자식 엿 사 주마고 달랬는데, 돈이 있어야 말을 허지."

그렁저렁 울며불며 돌아온다. 그때에 흥보 마누라는 영감이 떠난 그날부터 후원에 단(壇)을 세우고 ㉯정화수*를 바치고, 병영 가신 우리 영감 매 한 대도 맞지 말고 무사히 돌아오시라고 밤낮 기도하면서,

"㉢병영 가신 우리 영감 하마 오실 제 되었는데 어찌하여 못 오신가. 병영 영문 곤장을 맞고 허약한 체질 주린 몸에 병이 나서 못 오신가. 길에 오다 누웠는가."

[아니리] 문밖에를 가만히 내다보니 자기 영감이 분명하것다. 눈물 씻고 바라보니 흥보가 들어오거늘,

㉣"여보 영감 매 맞았소? 매 맞았거든 어디 곤장 맞은 자리 상처나 좀 봅시다."

"놔둬. 상처고 여편네 죽은 것이고, 요망스럽게 여편네가 밤새도록 울더니 돈 한 푼 못 벌고 매 한 대를 맞았으면 인사불성* 쇠아들이다." / 흥보 마누라 좋아라고,

[중중모리] "㉤얼씨구나 절씨구 얼씨구 절씨구 지화자 좋네. 얼씨구나 좋을시구. 영감이 엊그저께 병영 길을 떠나신 후 부디 매를 맞지 말고 무사히 돌아오시라고 하느님 전에 빌었더니 매 아니 맞고 돌아오시니 어찌 아니 즐거운가. 얼씨구나 절씨구. 옷을 헐벗어도 나는 좋고 굶어 죽어도 나는 좋네. 얼씨구나 절씨구."

* 사령 조선 시대에, 지방 관아에서 심부름 따위를 하던 나졸.
* 발등걸이 남이 하려는 일을 앞질러 먼저 함.
* 손재 재물을 잃을 운수.
* 정화수 이른 새벽에 길은 우물물. 가족들의 평안을 빌면서 정성을 들이거나 약을 달이는 데 쓴다.
* 인사불성 제 몸에 벌어지는 일을 모를 만큼 정신을 잃은 상태.

4 ㉠~㉤에 대한 이해로 적절하지 <u>않은</u> 것은?

① ㉠: 병영으로 가는 흥보에게 기대하는 마음이 담겨 있다.

② ㉡: 뜻을 이루지 못하고 집으로 돌아가는 아쉬운 마음이 담겨 있다.

③ ㉢: 흥보의 상황을 짐작하고 허탈해하는 마음이 담겨 있다.

④ ㉣: 흥보의 안위를 걱정하는 마음이 담겨 있다.

⑤ ㉤: 흥보가 매를 맞지 않고 돌아온 것을 기뻐하는 마음이 담겨 있다.

5 ⓐ~ⓔ 중 〈보기〉의 설명에 해당하는 것끼리 바르게 묶은 것은?

> ┤보기├
>
> **선생님:** 해학은 익살스럽거나 우스꽝스러운 말이나 행동으로 웃음을 유발하는 것을 말합니다. 과장된 진술을 통해 드러나기도 하고, 상황이나 처지에 맞지 않는 언행을 통해 드러나기도 합니다. 「흥보가」에서도 우스꽝스럽거나 과장된 묘사, 언어유희 등에서 해학을 느낄 수 있습니다.

① ⓐ, ⓑ   ② ⓐ, ⓒ   ③ ⓑ, ⓒ

④ ⓑ, ⓔ   ⑤ ⓓ, ⓔ

6 ㉮, ㉯에 대한 이해로 가장 적절한 것은?

	㉮	㉯
①	가난을 이겨 내겠다는 의지를 나타냄.	흥보에 대한 무한한 애정을 나타냄.
②	사정을 생각하지 않는 철없는 모습을 나타냄.	흥보가 무사히 돌아오기를 바라는 마음을 나타냄.
③	아버지에 대한 사랑과 존경을 나타냄.	흥보와의 갈등이 해소되기를 바라는 마음을 나타냄.
④	부모와 화목하게 살아가는 모습을 나타냄.	흥보를 대했던 과거의 행동에 대한 반성을 나타냄.
⑤	어머니의 관심을 다른 데로 돌리기 위한 의도를 나타냄.	흥보가 자신에 대한 오해를 풀기를 바라는 마음을 나타냄.

작품
독해

주요 사건과 인물의 반응

1 사건에 대한 인물들의 반응을 중심으로 하여 이 작품의 내용을 정리해 보자.

흥보	사건	흥보 아내
돈을 벌 방법을 알게 되어서 기뻐함.	흥보가 관아에 곡식을 얻으러 갔다가 (①)을 팔기로 함.	흥보가 곤장을 맞고 몸이 상할까 (②)하는 마음에 매품을 팔려는 흥보를 만류함.
돈벌이할 기회를 잃게 되어 (③)함.	꾀수 애비의 발등걸이로 흥보가 매품을 팔지 못하고 돌아옴.	흥보가 매를 맞지 않고 돌아온 것을 보고 매우 기뻐함.

사회상

2 이 작품에서 엿볼 수 있는 당대의 사회상을 정리해 보자.

작품 속 장면		당대의 사회상
흥보가 "돈을 못 보면 삼강오륜이 끊어지니 보이는 게 돈밖에 또 있느냐."라고 말하는 장면	→	정신적 가치(유교의 덕목인 삼강오륜)보다 (④)적 가치(돈)를 더 중시함.
흥보가 호방에게 하대를 할지 존대를 할지 갈등하는 장면	→	신분제가 붕괴되는 과정으로, (⑤)의 권위가 약화됨.
호장이 (⑥)를 권하고, 흥보가 이에 응하는 장면	→	민중의 생활이 어렵고, 돈으로 죗값을 치르는 일이 가능할 만큼 사회적으로 부패가 만연함.

어휘

다음 뜻에 해당하는 어휘를 〈보기〉에서 찾아 써 보자.

보기
궁핍   절량   정화수

1. 몹시 가난함. (   )

2. 양식이 떨어짐. (   )

3. 이른 새벽에 길은 우물물. 가족들의 평안을 빌면서 정성을 들이거나 약을 달이는 데 쓴다. (   )

깊이 읽기

판소리에 대해 알고 싶어요.

판소리는 17세기 말 또는 18세기 초에 걸쳐 발달하여 왔습니다. 판소리는 광대 한 사람이 고수의 북장단에 맞추어 서사적인 이야기를 소리와 아니리로 엮어 몸짓을 곁들이며 구연하는 우리 고유의 민속악입니다. 상황에 맞는 다양한 장단을 활용하고, 장면을 묘사할 때에는 아주 실감 나게 합니다. 판소리는 일상적인 언어와 비속어 표현을 그대로 사용하고 있으며, 현재 시제를 사용한 표현이 두드러지게 나타나 현장감을 느끼게 하는 특징이 있습니다.

▲ 김준근, 「기산풍속도첩」 중 「가객 소리하고」

또한 판소리는 조선 후기 사회 현실의 모습을 해학적·풍자적으로 형상화하고 있습니다. 17세기 말 또는 18세기 초에 이르러 농업 생산력이 늘어나고 상업과 수공업이 발달하면서 평민이라 하더라도 부자가 되는 사람들이 생겼습니다. 반면, 양반이어도 세력이나 살림이 아주 보잘것없어진 경우도 있었고, 흉년이나 수탈 때문에 자신의 농토를 잃어버리고 소작을 하거나 그마저도 하지 못해 빈민으로 추락하는 사람들이 많아지며 빈익빈 부익부 현상이 나타났습니다. 「흥보가」는 이러한 조선 후기의 사회상을 실감 나게 포착하면서도, 이를 해학적·풍자적으로 그려 내고 있습니다. 「흥보가」에서 놀보는 인륜 도덕도 지키지 않고 돈만을 우선하는 인물입니다. 이와 달리 흥보는 인륜 도덕을 지키고자 하나 빈민으로 전락하여 매품팔이까지 나서야 할 처지가 되었고, 양반으로의 의식은 잃지 않고 있지만 생활은 양반이 아니어서 모순이 생깁니다. 직접적으로 흥보를 궁핍하게 만든 것은 놀보였지만 어떻게 해도 흥보가 궁핍에서 벗어날 수 없었던 것은 당대 사회의 구조적 모순 때문이라고 할 수 있습니다. 또한 흥보가 하기로 한 매품팔이를 옆집 사람이 가로채는 장면은 매품팔이를 해서라도 생계를 유지해야 했던 당시 서민들의 삶의 모습을 보여 주고 있습니다.

이처럼 조선 후기 사회 현실의 문제를 해학적·풍자적으로 형상화한 판소리는 서민의 예술에서 출발하였지만 향유층이 확대되면서 전 계층의 호응을 얻었습니다.

간단 확인

1. 판소리는 창자 한 사람이 공연하며, 음악성과 현장성이 중시된다.

2. 「흥보가」에는 조선 후기 사회의 모습이 해학적으로 표현되어 있다.

고전
시가

갈래 기본 개념

■ 고전 시가의 개념

개화기 이전의 한국의 시와 노래를 통칭하는 말. 고대 가요부터 고려 가요, 시조, 민요 등이 모두 고전 시가에 해당함.

1. 한시

(1) 개념

한문으로 이루어진 정형시

(2) 특징

- 삼국 시대에 한자가 보급되면서 한시가 창작되기 시작하였으며 조선 시대까지 창작되고 향유됨.
- 우리 민족의 사상과 감정을 표현하고 있으므로 우리 문학에 포함됨.

(3) 대표 작품

작품	시대	내용
제가야산독서당 (최치원)	신라	세상을 멀리하고 산중에 은둔하고 싶은 마음을 표현함.
송인(정지상)	고려	대동강을 배경으로 임과 이별한 슬픔을 노래함.
고시(정약용)	조선	부패한 조선 후기의 사회 현실을 비판함.

2. 고려 가요

(1) 개념

고려 시대에 평민들이 부르던 민요적 시가

(2) 특징

- 남녀 간의 사랑과 이별, 삶의 애환 등 평민들의 소박하고 진솔한 감정을 표현함.
- 3음보를 기본 음보로 하며, 감흥과 리듬감을 일으키는 후렴구가 발달함.

(3) 대표 작품

작품	내용
가시리	떠나는 임에게 다시 돌아오라고 애원함.
서경별곡	서경(평양)의 여인이 사랑하는 사람을 떠나보내며 이별의 정한을 읊음.
청산별곡	힘든 현실을 피해 이상향을 그리는 심정을 노래함.

3. 시조

(1) 개념

고려 시대 말부터 발달해 온 우리나라 고유의 정형시

(2) 특징

- 고려 시대에 발생하여 조선 시대 대표적인 서정 문학 갈래로 자리잡았으며 현대까지 이어지고 있음.
- 초장, 중장, 종장의 3장 6구 45자 내외를 기본으로 하고, 각 장은 4음보의 율격을 지님.
- 3장 6구 4음보의 기본 형태를 가진 평시조와 일정한 격식에서 벗어난 사설시조가 있음.

(3) 전개 양상

시대	특징
고려 후기	고려에 대한 우국충정의 마음을 노래한 시조가 주를 이룸. 예 백설이 잦아진 골에(이색), 이 몸이 주거 주거(정몽주)
조선 전기	• 유교적 이념과 규범, 안빈낙도 등 사대부의 정서를 표현한 시조가 주를 이룸. 예 눈 마자 휘어진 대를(원천석), 십 년을 경영하여(송순) • 두 개 이상의 단시조가 하나의 제목으로 엮어져 있는 형태의 연시조가 등장함. 예 강호사시가(맹사성), 도산십이곡(이황), 오우가(윤선도) • 사랑과 이별을 표현한 여성 작가의 시조도 창작됨. 예 동지ㅅ둘 기나긴 밤을(황진이), 묏버들 가려 것거(홍랑)
조선 후기	• 작가층이 넓어지고 다양한 현실적 삶을 다룬 작품이 많아짐. • 서민 의식이 발달하며 사설시조가 생겨남. 예 어이 못 오던다, 두터비 파리를 물고

4. 민요

(1) 개념

민중 속에서 자연 발생하여 오랫동안 전해 오는 노래

(2) 특징

- 3음보와 4음보의 연속체로 이루어지며 대개 후렴구가 붙어 있음.
- 서민들의 생활 감정과 삶이 함축되어 있음.
  예 논매기 노래, 강강술래, 아리랑, 잠 노래, 시집살이 노래

나라를 향한 마음

우리 고전 시가를 생각하면 어떠한 내용이 떠오르나요? 임금과 나라에 대한 충성을 이야기하는 작품이 떠오르지는 않나요? 옛날 사대부들에게 임금에 대한 충성은 중요한 가치였습니다. 그래서 '충의(忠義)'와 같은 유교적 이념을 노래한 고전 시가가 많이 창작되었습니다. 주로 임금을 향한 충성스러운 마음을 노래하거나 나라에 대한 걱정을 표현했습니다. 그러면 나라를 향한 마음을 노래한 고전 시가를 살펴보고, 각 작품에서 이를 어떻게 표현하고 있는지 알아봅시다.

📖 **나라를 향한 마음을 노래한 대표 고전 시가**

📖 **알아두기**

☑ 변함없는 지조와 절개, 임금에 대한 마음을 표출한 작품들이 많다.

☑ 여성 화자를 내세워 임금에 대한 마음을 노래한 작품들이 지어졌는데, 이를 '충신연주지사'라고 한다.

☑ 대나무, 소나무, 매화, 국화 등의 소재를 통해 지조와 절개에 대한 다짐을 간접적으로 노래하기도 한다.

01 백설이 잦아진 골에 |이색

백설이 잦아진* 골에 구름이 머흐레라*

반가온 매화는 어느 곳에 픠엿는고

석양에 홀로 셔 이셔 갈 곳 몰라 하노라

[현대어 풀이]
백설이 잦아진 (ⓐ   )에 구름이 험하구나.
반겨 줄 매화는 어느 곳에 (ⓑ   ).
석양에 홀로 서서 갈 곳을 몰라 하노라.

시어·시구 풀이

＊ 잦아진 녹아 없어진.
＊ 머흐레라 험하구나.

독해 연습

1 |해독| 현대어 풀이의 빈칸에 들어갈 말로 적절한 것을 골라 보자.

(1) ⓐ 골 ⋯➡ (들판 / 골짜기)

(2) ⓑ 픠엿는고 ⋯➡ (피었는가 / 패었는가)

2 |시적 상황| 다음 빈칸에 들어갈 적절한 말을 써 보자.

(1) 화자는 기울어 가는 고려 왕조의 현실에 대해 ☐☐하고 있다.

(2) 화자는 '☐☐'과 '☐☐'를 긍정적으로, '☐☐'을 부정적으로 인식하고 있다.

3 |시어의 의미| '매화'에 대한 설명으로 적절한 것을 모두 골라 보자.

> ㄱ. 절개와 지조의 속성을 담은 소재이다.
> ㄴ. '구름'과 대조적으로 사용된 시어이다.
> ㄷ. 화자가 현실적 고난을 극복하는 계기이다.

실전 확인

1 위 시에 대한 설명으로 적절하지 <u>않은</u> 것은?

① 대상을 의인화하여 표현하고 있다.

② 자연물을 활용하여 시상을 전개하고 있다.

③ 4음보를 규칙적으로 사용하여 안정된 리듬감을 형성하고 있다.

④ 상황을 언급한 뒤 그 상황에 대한 화자의 정서를 나타내고 있다.

⑤ 긍정적 대상과 부정적 대상을 대비하여 말하고자 하는 바를 효과적으로 전달하고 있다.

개념 ➕ 운율 형성 방법

• 3음보, 4음보 등 일정한 음보를 반복함.
• 4·4조, 7·5조 등 일정한 글자 수를 반복함.
• 같거나 비슷한 소리, 단어, 구절 등을 반복함.
• 의성어·의태어를 사용함.

2 〈보기〉를 참고하여 위 시를 감상한 내용으로 적절하지 <u>않은</u> 것은?

> **보기**
>
> 이 작품은 고려의 유신(遺臣)인 이색이 지은 시조로, 고려의 국운이 쇠퇴하고 조선 왕조 건국을 추진하는 신흥 세력들이 득세하는 현실에 대한 한탄이 드러나 있다. 고려에 충절을 다할 우국지사를 찾기 힘들고 신진 세력들이 득세하는 상황에서의 고뇌와 안타까움을 노래하고 있다.

① '백설이 잦아진' 것은 국운이 쇠퇴해 가는 고려의 현실을 표현한 것이군.

② '구름이 머흐레라'는 고려에서 조선으로의 역사적 전환기에서 현실을 수용하는 화자의 모습이 담겨 있군.

③ '매화'는 고려에 충절을 다하는 우국지사를 상징적으로 나타낸 것이군.

④ '석양'은 신흥 세력의 득세로 몰락해 가고 있는 고려 왕조를 의미하겠군.

⑤ '갈 곳 몰라 하노라'에서는 고려 왕조가 기울어져 가는 현실에서 화자가 느끼는 고뇌가 잘 드러나는군.

핵심 정리

시적 상황과 화자의 정서

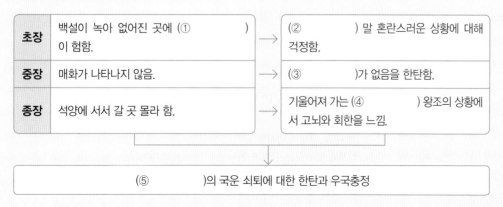

초장	백설이 녹아 없어진 곳에 (①)이 험함.	→	(②) 말 혼란스러운 상황에 대해 걱정함.
중장	매화가 나타나지 않음.	→	(③)가 없음을 한탄함.
종장	석양에 서서 갈 곳 몰라 함.	→	기울어져 가는 (④) 왕조의 상황에서 고뇌와 회한을 느낌.

↓

(⑤   )의 국운 쇠퇴에 대한 한탄과 우국충정

02 이 몸이 주거 가셔 | 성삼문

시가

시어·시구 풀이

* 봉래산 중국 전설에서 나타나는 가상의 산. 신선이 사는 신령스러운 산.
* 낙락장송 우뚝 솟은 소나무.
* 만건곤할 하늘과 땅에 가득할.
* 독야청청 남들이 모두 절개를 꺾는 상황에서도 홀로 절개를 굳세게 지키고 있음을 비유적으로 이르는 말.

이 몸이 주거 가셔 무어시 될고 하니

봉래산(蓬萊山)* 제일봉(第一峯)에 낙락장송* 되야 이셔

백설이 만건곤(滿乾坤)할* 제 독야청청(獨也靑靑)*하리라

[현대어 풀이]

이 몸이 죽은 뒤에 (ⓐ   ) 될까 생각해 보니

봉래산 제일 높은 봉우리에 우뚝 솟은 소나무가 되어서

흰 눈이 온 세상을 뒤덮을 (ⓑ   ) 홀로 푸른빛을 발하리라.

독해 연습

1 |해독| 현대어 풀이의 빈칸에 들어갈 적절한 말을 써 보자.

(1) ⓐ 무어시 ··· (   )

(2) ⓑ 제 ··· (   )

2 |시적 상황| 다음 설명이 맞으면 ○에, 틀리면 X에 표시해 보자.

(1) 화자는 자신의 굳은 절개를 표현하고 있다.　　　　　　　(○ , X)

(2) 화자는 죽어서 '백설'로 다시 태어나고자 한다.　　　　　(○ , X)

3 |시어의 의미| '낙락장송'에 대한 설명으로 적절한 것을 <u>모두</u> 골라 보자.

> ㄱ. '백설'과 색채의 대비를 이루고 있다.
> ㄴ. 화자의 변함없는 신념과 의지를 나타내는 소재이다.
> ㄷ. 화자가 지키고 보호하고자 하는 대상으로 제시되어 있다.

1 위 시의 '초장'(㉮)과 '중·종장'(㉯)의 시상 전개 방식으로 가장 적절한 것은?

① ㉮에서 원인을 밝히고, ㉯에서 결과를 제시하고 있다.

② ㉮에서 스스로 질문을 던지고, ㉯에서 대답하고 있다.

③ ㉮에서 배경을 드러내고, ㉯에서 정서를 표현하고 있다.

④ ㉮에서 문제점을 지적하고, ㉯에서 해결 방안을 제시하고 있다.

⑤ ㉮에서 개인 문제를 언급하고, ㉯에서 사회 상황으로 확대하고 있다.

2 〈보기〉의 ㉠~㉤ 중 위 시를 이해한 내용으로 적절하지 않은 것은?

> 보기
>
> 　오늘 수업 시간에 '절의가'에 대해 배웠어. '절의가'는 임금이나 나라에 대한 절개와 의리를 주제로 한 작품을 통틀어 이르는 말이야. 이 시조는 성삼문이 세조에게 왕위를 빼앗긴 단종의 복위를 꾀하다가 발각되어 잡혔을 때 자신의 충절을 밝히며 지은 작품이라고 배웠어. 이 작품에서 ㉠'낙락장송'은 변함없는 절개와 지조를 상징하고, ㉡'백설'은 시련과 고난, 즉 왕위를 찬탈한 수양 대군 일파를 의미한다고 볼 수 있어. 화자는 ㉢불의한 세력, 즉 세조를 추종하는 세력들이 들끓게 된 현실에서도 '독야청청'하겠다고 하며 단종에 대한 지조와 절개를 끝까지 지키겠다는 의지를 보여. 특히 ㉣색채 대비를 통해 표현 효과를 높이고 있는 점과 ㉤'이 몸이 주거 가셔 무어시 될고 하니'에서 드러나듯 자신이 죽은 이후에 닥칠 상황까지 걱정하는 마음이 인상적이야.

① ㉠　　　② ㉡　　　③ ㉢　　　④ ㉣　　　⑤ ㉤

핵심 정리

시어의 의미와 화자의 태도

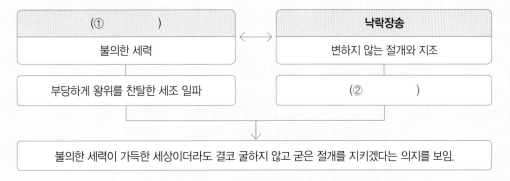

(①)	⟷	낙락장송
불의한 세력		변하지 않는 절개와 지조
부당하게 왕위를 찬탈한 세조 일파		(②)

불의한 세력이 가득한 세상이더라도 결코 굴하지 않고 굳은 절개를 지키겠다는 의지를 보임.

03 천만 리 머나먼 길에 | 왕방연

천만 리 머나먼 길에 고은 님 여의옵고*

내 마음 둘 데 업서 냇가에 안쟈시니

저 ㉠믈도 내 안 같아서 우러 밤길 가는구나

[현대어 풀이]

천만 리 머나먼 곳에 고운 임을 두고 이별하고 돌아오다가

내 슬픈 마음을 둘 데가 없어서 냇가에 (ⓐ   )

저 (ⓑ   )도 내 마음 같아서 울면서 밤길을 흘러가는구나.

시어 · 시구 풀이

＊ 여의옵고 이별하옵고.

독해 연습

1 |해독| 현대어 풀이의 빈칸에 들어갈 말로 적절한 것을 골라 보자.

(1) ⓐ 안쟈시니 … (앉았더니 / 얹혔더니)

(2) ⓑ 믈 … (물 / 무리)

2 |시적 상황| 다음 설명이 맞으면 ○에, 틀리면 X에 표시해 보자.

(1) 화자는 임과 이별한 상태이다.   (○ , X)

(2) 화자는 흐르는 물을 바라보며 아름다운 자연의 섭리를 깨닫고 있다.   (○ , X)

개념 ＋ 감정 이입

감정 이입은 화자의 감정을 다른 대상에 옮겨 넣어 마치 대상이 화자의 정서를 함께 느끼는 것처럼 표현하는 기법이다.

예 붉은 해는 서산마루에 걸리었다. / 사슴의 무리도 슬피 운다. / 떨어져 나가 앉은 산 위에서 / 나는 그대의 이름을 부르노라. → 사슴의 정서와 화자의 정서를 동일시함.

3 |표현 방법| 위 시의 표현 방법에 관한 설명으로 적절한 것을 모두 골라 보자.

ㄱ. 화자의 정서를 감각적으로 형상화하였다.

ㄴ. 유사한 문장 구조를 반복하며 시상을 전개하고 있다.

ㄷ. 시적 대상에 감정을 이입하여 화자의 정서를 드러내고 있다.

실전 확인

1 〈보기〉를 바탕으로 하여 위 시를 감상한 내용으로 적절하지 <u>않은</u> 것은?

> **보기**
>
> 이 작품은 세조에게 왕위를 빼앗긴 단종이 영월로 유배될 때 단종을 호송하였던 작가가 돌아오면서 느낀 슬프고 괴로운 마음을 읊은 작품이라고 알려져 있다.

① '천만 리'라는 과장된 표현을 통해 이별의 상황을 강조하고 있군.

② '고은 님'은 작가가 호송하여 영월로 유배된 단종을 가리키겠군.

③ '내 마음'에는 영월에 두고 온 단종에 대한 안타까움과 죄책감이 담겨 있겠군.

④ '냇가'는 화자와 단종을 만나지 못하게 가로막는 방해물이군.

⑤ '안'은 단종과 이별한 비통하고 애절한 마음이겠군.

2 ⓐ～ⓓ 중 ㉠과 시적 기능이 유사한 것을 <u>모두</u> 고른 것은?

> ㄱ. 우러라 우러라 ⓐ새여 자고 니러 우러라 새여. / 널라와 시름 한* 나도 자고 니러 우니로라.
> ㄴ. 까마귀 검다 하고 ⓑ백로야 웃지 마라. / 겉이 검은들 속조차 검을소냐. / 겉 희고 속 검을 손 너뿐인가 하노라.
> ㄷ. 꽃은 무슨 일로 피면서 쉬이 지고 / 풀은 어찌하여 푸르는 듯 누르나니 / 아마도 변치 않는 건 ⓒ바위뿐인가 하노라.
> ㄹ. 방안에 켰는 ⓓ촛불 뉘와 이별하였길래 / 눈물을 흘리면서 속 타는 줄 모르느냐 / 저 촛불 나와 같아서 속 타는 줄 모르도다.
>
> * 한: 많은.

① ⓐ, ⓑ   ② ⓐ, ⓒ   ③ ⓐ, ⓓ   ④ ⓑ, ⓒ   ⑤ ⓑ, ⓓ

핵심 정리

시적 상황과 화자의 정서

초장	머나먼 영월의 유배지에 (①)을 두고 옴.
중장	안타까운 마음을 둘 곳 없어 (②)에 앉아 있음.
종장	저 (③)도 내 마음 같아서 애통해하며 흘러감.

↓

임과 이별한 애절한 마음
→ 단종을 유배지에 두고 온 비통하고 애절한 심정을 나타냄.

04 내 마음 버혀 내여 | 정철

내 마음 버혀 내여 뎌 돌을 만들고져
㉠구만 리 장천(長天)*에 번드시 걸려 이셔
고은 님 계신 곳에 가 비최여나 보리라

[현대어 풀이]
내 마음 (ⓐ   ) 저 (ⓑ   )을 만들고 싶구나.
구만 리 먼 하늘에 번듯하게 걸려 있어서
고운 임 계신 곳에 가 비추어나 보리라.

시어 · 시구 풀이

* 장천 끝없이 잇닿아 멀고도 넓은 하늘.

독해 연습

1 |해독| 현대어 풀이의 빈칸에 들어갈 말로 적절한 것을 골라 보자.

(1) ⓐ 버혀 내어 ⋯ (베어 내어 / 버텨 내어)

(2) ⓑ 돌 ⋯ (돌 / 달)

2 |시적 상황| 다음 설명이 맞으면 ○에, 틀리면 X에 표시해 보자.

(1) 화자는 임이 가까이 있다고 여기고 있다. (○ , X)

(2) 화자는 임 계신 곳을 비추고 싶어서 자신의 마음으로 달을 만들고 싶어 한다. (○ , X)

(3) 화자는 임을 야속하게 생각하며 원망하고 있다. (○ , X)

3 |시어의 의미| '돌'에 대한 설명으로 적절한 것을 <u>모두</u> 골라 보자.

> ㄱ. 화자의 임에 대한 마음을 담고 있다.
> ㄴ. 임이 확인할 수 있는 구체적 대상이다.
> ㄷ. 임금이 백성에 대해 선정을 베푸는 일을 나타내고 있다.

실전 확인

1 〈보기〉를 고려할 때, 밑줄 친 시어의 성격이 ㉠과 **다른** 하나는?

> **보기**
>
> ㉠은 구체적 수치를 표현한 말이되 사실적으로 쓰인 의미가 아닙니다. 즉, '구만 리'는 임이 계신 곳과 그만큼 멀리 떨어져 있음을 강조하기 위해 활용된 표현입니다.

① 천만 리 머나먼 길에 고은 님 여의옵고 / 내 마음 둘 데 업서 냇가에 안쟈시니

② 이 몸이 죽고 죽어 일백 번 고쳐 죽어 / 백골(白骨)이 진토(塵土)되어 넋이라도 있고 없고

③ 이화우 흩뿌릴 제 울며 잡고 이별한 임 / 추풍낙엽에 저도 날 생각하는가 / 천리(千里)에 외로온 꿈만 오락가락 하노매

④ 행여나 다칠세라 너를 안고 줄 고르면 / 떨리는 열 손가락 마디마디 에인 사랑 / 손 닿자 애절히 우는 서러운 내 가얏고여

⑤ 이런들 어떠하며 저런들 어떠하리 / 만수산 드렁칡이 얽어진들 어떠하리 / 우리도 이같이 얽어져 백 년까지 누리리라

2 위 시(A)와 〈보기〉(B)를 비교하여 이해한 내용으로 적절한 것은?

> **보기**
>
> 동짓달 기나긴 밤을 한 허리를 버혀 내어
> 춘풍(春風) 이불 아래 서리서리 넣었다가
> 어론 님 오신 날 밤이여든 굽이굽이 펴리라
>
> – 황진이

① A와 B에서는 모두 추상적 개념을 구체적인 사물로 형상화하였다.

② A와 B에서는 모두 음성 상징어를 통해 대상을 구체적으로 표현하였다.

③ A와 B에서는 모두 역설적인 표현을 활용하여 임에 대한 그리움을 표현하였다.

④ A와 달리 B에서는 임과 화자 사이의 심리적 거리감을 수치로 표현하였다.

⑤ B와 달리 A에서는 청각적 이미지를 활용하여 화자의 정서를 감각적으로 표현하였다.

개념 + 음성 상징어

음성 상징어란 의성어와 의태어를 의미한다. 의성어는 사람이나 사물의 소리를 흉내 낸 말이고, 의태어는 사람이나 사물의 모양이나 움직임을 흉내 낸 말이다. 음성 상징어를 사용하면 화자의 상황이나 대상을 생동감 있게 표현할 수 있다.
예 의성어: 쌕쌕, 멍멍, 우당탕 / 의태어: 아장아장, 엉금엉금, 번쩍번쩍

핵심 정리

표현상 특징

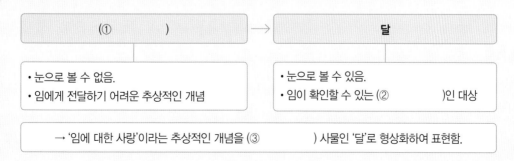

① | → 달

- 눈으로 볼 수 없음.
- 임에게 전달하기 어려운 추상적인 개념

- 눈으로 볼 수 있음.
- 임이 확인할 수 있는 (②)인 대상

→ '임에 대한 사랑'이라는 추상적인 개념을 (③) 사물인 '달'로 형상화하여 표현함.

깊이 읽기

단종에 대해 알고 싶어요.

단종은 조선의 제6대 왕으로 아버지는 문종, 어머니는 현덕 왕후 권씨입니다. 세종 대왕의 뒤를 이어 1450년에 문종이 즉위하자 세자로 책봉되었습니다. 문종은 세자가 어린 것을 염려하여 황보인, 김종서, 집현전 학자인 성삼문·박팽년 등에게 세자가 왕이 되었을 때의 보필을 부탁하였습니다. 문종이 재위 2년 만에 죽게 되어 단종은 1452년 11세의 어린 나이로 즉위하였습니다. 하지만 1453년, 단종의 숙부인 수양 대군이 정권을 빼앗고자 좌의정 김종서, 영의정 황보인, 병조판서 조극관 등을 죽이고, 동생인 안평 대군도 죽였습니다. 수양 대군은 단종을 보필하려고 했던 사람들을 숙청하고 모든 권력을 장악하였습니다. 이 사건을 계유정난이라고 합니다.

수양 대군의 편에 서서 계유정난을 일으키는 것을 도운 한명회, 권람 등이 강요하여 1455년에 단종은 수양 대군에게 왕위를 물려주었습니다. 그 뒤 성삼문, 박팽년, 하위지, 이개, 유응부, 유성원이 단종의 복위를 도모하다 발각되어 모두 처형되었고, 단종은 강원도 영월에 유배되었습니다. 그 뒤 수양 대군의 동생이며 단종의 숙부인 금성 대군이 다시 단종의 복위를 계획하다 발각되었고 단종은 서인으로 강봉되었다가 1457년 10월에 죽음을 당하였습니다.

단종 복위 운동을 하다가 죽음을 당한 성삼문 등의 여섯 명을 사육신이라고 하고, 수양 대군이 왕위를 빼앗은 것에 분개하여 한평생 벼슬하지 않고 단종을 위하여 절의를 지킨 김시습, 원호, 이맹전, 조여, 성담수, 남효온을 생육신이라고 합니다.

▲ 청령포 단종 기거처

간단 확인

1. 계유정난은 수양 대군이 정권을 잡기 위해 일으킨 사건이다.

2. 사육신과 생육신은 단종이 왕위를 빼앗긴 것에 분개하고 단종을 위하여 절의를 지킨 사람들이었다.

II 자연과 함께하는 삶

학교나 시험에서 벗어나 자연에서 편안하게 살고 싶다는 생각을 해 본 적이 있나요? 옛날 사대부들은 자연에서의 삶에 대해 많이 생각하였습니다. 그들은 자연을 마음을 수양하는 공간이며 인간의 도를 깨우쳐 주는 스승이라고 생각하였지요. 그래서 우리의 시가 문학에서 자연은 중요한 소재이자 배경입니다. 자연에서 살아가는 삶에 대한 만족감을 노래하기도 하고, 자연을 예찬하기도 하고, 자연과 더불어 살고자 하는 태도를 담아내기도 하였습니다. 그러면 자연과 함께하는 삶과 관련 있는 고전 시가를 살펴보고, 각 작품에서 이를 어떻게 드러내고 있는지 알아봅시다.

자연과 함께하는 삶을 노래한 대표 고전 시가

알아두기

- ☑ 자연을 예찬하거나 자연에 귀의하여 생활하는 것을 소재로 한 시가 문학 작품들을 '강호가도'라고 한다.
- ☑ 가난한 생활을 하면서도 편안한 마음으로 도를 즐겨 지키는 '안빈낙도'의 삶을 노래한 작품이 많다.
- ☑ 세속적 삶을 벗어나 자연 속에서 살아가는 삶에 대한 만족감이 드러나기도 하고, 자연을 예찬하거나 그 속에서도 임금을 잊지 않고 은혜를 찬양하기도 한다.

05 십 년을 경영하여 |송순

십 년을 경영하여 초려 삼간(草廬三間)* 지여 내니
나 혼 간 둘 혼 간에 ㉠청풍(淸風) 혼 간 맡겨 두고
강산(江山)은 들일 데 업스니 둘러 두고 보리라

[현대어 풀이]
십 년을 계획하여 초가삼간을 (ⓐ   )
(그 초가삼간에) 나 한 칸, 달 한 칸에, 맑은 바람 한 칸 맡겨 두고
강산은 들여놓을 곳이 (ⓑ   ) 둘러 두고 보리라.

시어·시구 풀이
* **초려 삼간** 초가삼간. 세 칸 밖에 안 되는 초가라는 뜻으로, 아주 작은 집을 이르는 말.
* **혼 간** 한 칸.

독해 연습

1 |해독| **현대어 풀이의 빈칸에 들어갈 적절한 말을 써 보자.**

(1) ⓐ 지여 내니 ⋯ (   )

(2) ⓑ 업스니 ⋯ (   )

2 |시적 상황| **초성을 참고하여 다음 빈칸에 들어갈 적절한 말을 써 보자.**

(1) '나', '달', 'ㅊ ㅍ'이 초가삼간을 한 칸씩 나누어 쓰며 자연과 하나가 되는 모습을 보이고 있다.

(2) 화자는 초려 삼간에서의 삶에 대해 ㅁ ㅈ ㄱ을 보이고 있다.

3 |화자의 태도| **위 시에 나타난 화자의 태도와 그에 대한 설명을 바르게 연결해 보자.**

(1) 안분지족 •
(2) 물아일체 •
(3) 자연 친화 •

• ㉠ 자연을 훼손하지 않고 자연과 잘 어울림.
• ㉡ 편안한 마음으로 제 분수를 지키며 만족할 줄 앎.
• ㉢ 자연과 인간이 어떠한 구별도 없이 어울려 하나가 됨.

실전 확인

1 위 시에 대한 감상으로 적절하지 <u>않은</u> 것은?

① '십 년을 경영하여'라고 하는 걸 보니 화자가 오랫동안 현재의 삶을 준비했음을 알 수 있어.

② '초려 삼간 지여 내니'에서 소박한 삶을 즐기려는 화자의 태도가 드러나는 듯해.

③ '나 흔 간 둘 흔 간'에서는 인간의 삶과 자연을 구분하려는 모습을 보이고 있군.

④ '청풍 흔 간 맡겨 두고'에서는 의인법을 사용하여 대상에 대한 친근감이 느껴져.

⑤ '강산'을 둘러 두고 본다는 데에서 자연과 함께하고 싶은 화자의 마음을 느낄 수 있어.

2 위 시의 ㉠과 〈보기〉의 ⓐ를 이해한 내용으로 가장 적절한 것은?

> 보기
>
> ⓐ바람이 눈을 몰아 산창(山窓)에 부딪히니
> 찬 기운 새어 들어 자는 매화를 침노(侵擄)하니
> 아무리 얼우려 한들 봄뜻이야 앗을쏘냐
>
> — 안민영, 「매화사」 제6수

① ㉠과 ⓐ는 모두 화자의 흥취를 부각하는 대상이다.

② ㉠과 ⓐ는 모두 화자에게 시련을 안겨 주는 대상이다.

③ ㉠과 ⓐ는 모두 화자가 친근감을 느끼고 있는 대상이다.

④ ㉠과 달리 ⓐ는 화자가 예찬하는 대상이다.

⑤ ⓐ와 달리 ㉠은 화자가 긍정적으로 보는 대상이다.

핵심 정리

시적 상황과 화자가 지향하는 가치

초장	십 년을 계획하여 (①　　　　)을 마련함.
중장	화자와 (②　　　　)과 맑은 바람이 한 칸씩 맡음.
종장	(③　　　　)은 들일 데가 없어 곁에 둘러 두고 봄.

↓

자연과 인간이 하나가 되는 (④　　　　)의 삶을 추구함.

06 짚방석 내지 마라 | 한호

* **짚방석** 짚을 엮어 만든 방석. 이 시에서는 인간이 만든 인위적인 것의 의미로 쓰임.
* **솔불** 관솔불. 송진이 많이 엉긴. 소나무의 가지나 옹이에 붙인 불.
* **박주산채** 맛이 변변하지 못한 술과 산나물.

짚방석(方席)* 내지 마라 낙엽(落葉)인들 못 안즈랴
솔불* 혀지 마라 어제 진 들 도다 온다
아희야 박주산채(薄酒山菜)*ㄹ만정 업다 말고 내여라

[현대어 풀이]
짚방석 내지 마라. 낙엽엔들 앉지 못하겠느냐.
관솔불을 (ⓐ   ) 마라. 어제 졌던 밝은 달이 다시 떠오른다.
아이야, 변변하지 않은 술과 산나물일지라도 좋으니 (ⓑ   ) 말고 내오너라.

독해 연습

1 |해독| 현대어 풀이의 빈칸에 들어갈 말로 적절한 것을 골라 보자.

(1) ⓐ 혀지 … (켜지 / 하지)

(2) ⓑ 업다 … (엎다 / 없다)

2 |시적 상황| 다음 설명이 맞으면 ○에, 틀리면 X에 표시해 보자.

(1) 화자는 안빈낙도의 태도를 보이고 있다. (○ , X)

(2) 화자는 달이 뜰 것이기에 솔불을 켜지 말라고 하고 있다. (○ , X)

(3) 화자는 박주산채마저 떨어진 농촌의 현실을 안타까워하고 있다. (○ , X)

3 |시어의 의미| 다음은 시어의 의미를 설명한 것이다. 초성을 참고하여 빈칸에 알맞은 내용을 써 보자.

	소재	소재의 의미
ㄱ	ㅈ ㅂ ㅅ , 솔불	인위적인 소재
ㄴ	낙엽, 돌	ㅈ ㅇ ㅈ 인 소재
ㄷ	박주산채	화자의 ㅅ ㅂ 한 삶의 태도를 드러냄.

개념 ✚ 대유법

하나의 사물이나 관념을 나타내는 말이 경험적으로 그것과 밀접하게 연관된 다른 사물이나 관념을 나타내도록 표현하는 수사법이다.
예 흰옷 → 우리 민족 / 백의(白衣)의 천사 → 간호사 / 요람에서 무덤까지 → 태어나서 죽을 때까지

실전 확인

1 위 시에 대한 설명으로 적절하지 <u>않은</u> 것은?

① 대유법을 사용하여 소박한 흥취를 나타내고 있다.

② 생활 주변의 소재를 바탕으로 시상을 전개하고 있다.

③ 자연물에 인격을 부여하여 주제 의식을 드러내고 있다.

④ 대립적 시어를 사용하여 화자가 지향하는 삶을 드러내고 있다.

⑤ 비슷한 문장 구조를 반복하여 화자의 삶의 태도를 부각하고 있다.

2 위 시와 〈보기〉의 공통점으로 가장 적절한 것은?

> 보기
>
> 전원에 남은 흥을 전 나귀*에 모두 싣고
> 계산 니근 길*로 흥겨워하며 돌아와서
> 아해야, 금서(琴書)*를 다스려라 남은 해를 보내리라.
>
> – 김천택
>
> * 전 나귀: 다리를 저는 나귀.
> * 계산 니근 길: 계곡이 있는 산의 익숙한 길.
> * 금서: 거문고와 책.

① 공간의 이동에 따른 흥취를 드러내고 있다.

② 자연에서 노동하는 모습을 사실적으로 그려 내고 있다.

③ 자연 속에서도 임금의 은혜를 잊지 않고 찬양하고 있다.

④ 전원을 배경으로 풍류를 즐기는 삶의 태도가 드러나 있다.

⑤ 삶의 고뇌로 현실에서 도피하려는 화자의 모습이 나타나 있다.

핵심 정리

화자가 추구하는 삶의 태도

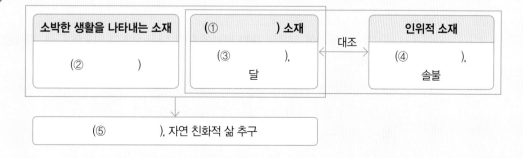

소박한 생활을 나타내는 소재	(①) 소재		인위적 소재
(②)	(③), 달	대조	(④), 솔불

(⑤   ), 자연 친화적 삶 추구

07 산촌에 눈이 오니 | 신흠

산촌(山村)에 눈이 오니 돌길이 무쳐셰라
시비(柴扉)*를 열지 마라 날 츠즈리 뉘 있으랴
밤중만 일편명월(一片明月)이 긔 벗인가 하노라

시어·시구 풀이

* **돌길** 돌이 많은 길. 이 시에서는 산촌에 사는 화자와 세상 사람들을 연결해 주는 매개체의 역할을 함.
* **시비** 사립문. 사립짝을 달아서 만든 문.

[현대어 풀이]

산골 마을에 눈이 오니 돌길이 (ⓐ   ).
사립문을 열지 마라. 날 (ⓑ   )(ⓒ   ) 있겠느냐?
밤중에 나타나는 한 조각 밝은 달만이 내 벗인가 하노라.

독해 연습

1 |해독| **현대어 풀이의 빈칸에 들어갈 말로 적절한 것을 골라 보자.**

(1) ⓐ 무쳐셰라 ⋯▸ (묶였구나 / 묻혔구나)

(2) ⓑ 츠즈리 ⋯▸ (찾을 리가 / 찾을 이가)

(3) ⓒ 뉘 ⋯▸ (누워 / 누가)

2 |시적 상황| **다음 빈칸에 들어갈 적절한 말을 써 보자.**

(1) 화자는 ☐☐에서 자연을 벗하며 살아가고 있다.

(2) 산촌에 눈이 내려 ☐☐이 묻혀 화자와 세상과의 연결이 끊어졌다.

3 |표현 방법| **위 시에 사용된 표현 방법에 대한 다음 설명이 맞으면 ○에, 틀리면 X에 표시해 보자.**

(1) 스스로 묻고 대답하는 형식으로 표현하고 있다.   (○ , X)

(2) 표면적으로 모순되지만 그 속에 진실을 담고 있다.   (○ , X)

(3) 쉽게 판단할 수 있는 사실을 의문의 형식으로 제시하고 있다.   (○ , X)

1 위 시에 대한 설명으로 적절하지 <u>않은</u> 것은?

① 4음보의 규칙적인 운율이 나타나 있다.

② 자연에 대한 친화적인 태도가 나타나 있다.

③ 세상과 단절되어 있는 화자의 상황이 드러나 있다.

④ 설의적 표현을 사용하여 화자의 상황을 강조하고 있다.

⑤ 자연물에 감정을 이입하여 화자의 심리를 나타내고 있다.

> **개념 +** 설의법
>
> 쉽게 판단할 수 있는 사실을 의문의 형식으로 제시하여 독자가 스스로 판단하게 하는 표현법. 그 의미가 강조되는 효과가 있다.
>
> **예** 가난하다고 해서 외로움을 모르겠는가 → 가난해도 외로움을 안다는 의미를 의문 형식으로 표현함으로써 독자가 스스로 판단하게 하여 그 의미를 강조함.

2 〈보기〉를 참고하여 위 시를 감상한 내용으로 적절한 것은?

> 보기
>
> 이 작품은 작가가 인목 대비 폐위 사건으로 고향인 춘천에 유배되었을 때 지은 시조로 알려져 있다. 이 작품을 구성하는 주요 공간을 다음과 같이 정리할 수 있다.
>
> | ㉮ | ㉰ | ㉯ |
> |---|---|---|
> | 인간 세상 | | 자연 |

① '산촌'은 ㉮에 해당하는 공간으로, 현재 화자가 위치한 곳이다.

② '돌길'은 ㉰에 해당하는 것으로, ㉮와 ㉯를 연결하는 역할을 한다.

③ '시비'는 ㉮에 해당하는 소재로, 인간이 자연에 미친 부정적인 영향을 드러낸다.

④ '츠즈리'는 ㉯에 위치한 인물로, 화자가 추구하는 이상적인 인물이다.

⑤ '일편명월'은 ㉯에 위치한 소재로, ㉮에서의 삶으로 돌아가고 싶은 소망을 드러내는 존재이다.

핵심 정리

시적 상황과 화자의 태도

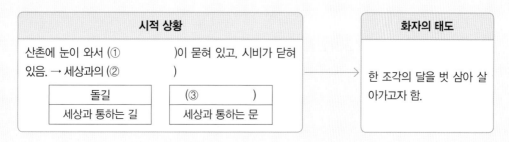

시적 상황	화자의 태도
산촌에 눈이 와서 (①)이 묻혀 있고, 시비가 닫혀 있음. → 세상과의 (②) 돌길 / 세상과 통하는 길 ··· (③) / 세상과 통하는 문	한 조각의 달을 벗 삼아 살아가고자 함.

08 오우가 | 윤선도

내 벗이 몇인고 하니 수석(水石)과 송죽(松竹)이라

동산에 둘 오르니 그 더욱 반갑구나

두어라* 이 다섯밖에 또 더하야 무엇하리 〈제1수〉

구름 빛이 조타 하나 검기를 자주 한다

바람 소리 맑다 하나 그칠 때가 많구나

조코도 그칠 적 없기는 믈뿐인가 하노라 〈제2수〉

더우면 꽃 피고 추우면 닙 디거늘

솔아, 너는 어찌 눈서리를 모르느냐

구천*에 불휘 곧은 줄을 그로 하여 아노라 〈제4수〉

[현대어 풀이]
내 벗이 몇인가 하니 물과 바위와 소나무와 대나무이다. / 동산에 달이 떠오르니 그 더욱 반갑구나.
두어라, 이 다섯밖에 또 더하여 무엇하겠느냐.

구름의 빛깔이 깨끗하다고 하나 검기를 자주 한다. / 바람 소리가 맑다고 하나 (계속 부는 것이 아니라) 그칠 때가 많구나. / 깨끗하면서도 그치지 않는 것은 물뿐인가 하노라.

따뜻해지면 꽃이 피고 추워지면 잎이 (ⓐ   ) / 소나무야, 너는 어찌 눈서리를 모르느냐?
깊은 땅속에 (ⓑ   )가 곧게 뻗은 것을 그것으로 하여 알겠구나.

시어·시구 풀이

＊ 두어라 감탄사. 종장 음수율 3글자를 맞추기 위함.

＊ 구천 땅속. 깊은 밑바닥.

독해 연습

1 |해독| 현대어 풀이의 빈칸에 들어갈 말로 적절한 것을 골라 보자.

(1) ⓐ 디거늘 ⋯ (지거늘 / 되거늘)

(2) ⓑ 불휘 ⋯ (부리 / 뿌리)

2 |시적 상황| 다음 빈칸에 들어갈 적절한 말을 써 보자.

(1) 화자는 ☐, 바위, ☐☐☐, 대나무, 달을 친구라고 말하고 있다.

(2) 화자는 대조의 방법을 이용하여 물의 덕목을 ☐☐하고 있다.

3 |시어의 의미| 다음 소재와 속성을 알맞게 연결해 보자.

(1) 물 •

(2) 바람 •

(3) 소나무 •

• ㉠ 맑으나 순간적임.

• ㉡ 깨끗하고 불변함.

• ㉢ 지조가 있어 변하지 않음.

실전 확인

1 〈보기〉를 참고하여 위 시를 감상한 내용으로 적절하지 <u>않은</u> 것은?

> 보기
>
> 　　고전 시가에서 자연물은 인간이 감상하고 즐기는 심미적 대상에 그치지 않고 인간이 본받거나 경계해야 할 품성을 지닌 대상으로 표현되어 교훈적인 의미를 주기도 한다. 「오우가」는 다섯 벗을 예찬하며 자연물이 지닌 속성을 통해 인간이 지녀야 할 바람직한 품성에 대해 이야기하는 교훈적인 성격의 대표적인 작품이다.

① 〈제1수〉의 '내 벗'은 화자에게 교훈을 주는 자연물들을 의미하는군.

② 〈제1수〉의 '이 다섯'은 인간이 본받아야 할 바람직한 품성을 지닌 대상이군.

③ 〈제2수〉의 '구름'은 쉽게 변하는 존재라는 면에서 부정적인 가치를 지닌 존재군.

④ 〈제2수〉의 '바람'은 '맑다'는 긍정적인 속성을 지녔다는 점에서 화자가 본받고자 하는군.

⑤ 〈제2수〉의 '믈'은 쉽게 그치지 않기 때문에 화자는 이를 예찬하는군.

2 위 시의 〈제4수〉에 대한 이해로 적절하지 <u>않은</u> 것은?

① 초장에서는 대구법을 사용하여 음악적 효과를 주고 의미를 강조한다.

② 초장에서는 계절에 따라 변하는 자연물의 보편적인 속성이 나타난다.

③ 중장은 초장과 대조가 되면서 '솔'의 고유한 특성을 부각한다.

④ 중장의 '눈서리'는 '솔'이 이겨 내야 할 시련이나 고난을 의미한다.

⑤ 종장의 '불휘 곧은 줄'을 통해 예찬의 대상이 '솔'의 욕심 없는 태도임이 드러난다.

핵심
정리

시상 전개 방식

〈1수〉 오우	〈2수〉 물	〈3수〉 바위	〈4수〉 소나무	〈5수〉 대나무	〈6수〉 달	오우에 대한 예찬
다섯 벗을 소개함.	(① 　　　) 그치지 않음.	변하지 않음.	(② 　　　)와 절개	지조가 있고 욕심 없음.	광명과 과묵함	

깊이 읽기

조선 시대에 자연을 노래한 시조에 대해 알고 싶어요.

「십 년을 경영하여」는 자연과 하나가 되는 삶을 추구하는 내용이 담겨 있고, 「짚방석 내지 마라」에서는 인위적인 것 대신 자연적인 것을 추구하며 변변치 않은 술과 산나물에도 만족하는 모습이 드러나지요? 조선 시대 시조 중에는 자연과 더불어서 소박한 생활을 하며 도를 지키는 안빈낙도나 자연 속에서 만족하며 지내는 안분지족, 자연과 하나가 되는 물아일체의 삶을 노래한 작품이 많습니다.

이처럼 조선 시대 사대부들은 자연을 예찬하거나 자연에서 평화롭게 살고 싶은 소망을 노래한 시가를 많이 창작하였습니다. 이러한 시가 문학 작품들을 강호가도(江湖歌道)라고 하는데, 그들에게 자연은 심성을 수양하는 공간이며, 인간의 도를 깨우쳐 주는 스승이기도 했습니다. 자기 수양에 힘쓰고 세속적인 욕심을 줄이며 자연에 순응하고자 하는 사상을 작품에 담았습니다.

조선 시대에 사대부들은 당쟁에 휘말려 유배를 가거나 자기 몸을 보전하기 어려운 경우가 많았습니다. 세상이 어지러워 벼슬길에서 물러난 사람도 많았습니다. 이처럼 자의로, 때로는 타의로 자연에 머물면서 그들은 번거로운 속세와 구별되는 자연의 아름다움을 예찬하기도 하고 자연에서의 소박한 삶의 모습을 표현하였습니다.

「산촌에 눈이 오니」 역시 작가인 신흠이 인목 대비 폐위 사건으로 유배되었을 때 지은 시조로 알려져 있습니다. 또한 벼슬을 그만두고 강호에 묻혀 자연을 즐기며 살면서도 한편으로는 임금의 은혜에 감사하는 내용을 담은 「강호사시가」나 속세를 떠나 자연에 살면서 학문을 가르치고 깨우치는 즐거움을 담은 「도산십이곡」, 「고산구곡가」와 같은 작품도 있습니다. 정극인, 송순, 이황, 이이, 윤선도 등이 강호가도의 시가를 창작한 대표적인 사대부들입니다.

간단 확인

1. 조선 시대에 사대부들은 자연 친화적 태도를 담은 시조를 많이 창작하였다.

2. 조선 시대 사대부들은 자연이 심성을 수양하고 인간의 도를 깨우쳐 주는 공간이라고 생각하였다.

III 사랑과 그리움

누군가를 좋아해 본 적이 있나요? 누군가를 좋아하면 그 사람이 보고 싶고 그 사람과의 만남을 기다리게 되기도 하지요. 옛날 사람들도 그랬답니다. 사랑과 그리움은 누구나 느끼는 보편적 감정으로, 고전 시가에도 사랑하는 사람에 대한 그리운 마음을 표현한 작품이 많습니다. 임에 대한 자신의 마음을 전하고 싶어 하기도 하고, 임을 그리워하거나 오지 않는 임을 원망하는 태도를 보이기도 합니다. 그러면 사랑과 그리움을 담고 있는 고전 시가를 살펴보고, 각 작품에서 이를 어떻게 노래하고 있는지 살펴봅시다.

📖 사랑과 그리움을 노래한 대표 고전 시가

📖 알아두기

☑ 사랑하는 사람과 함께하는 즐거움보다는 이별의 슬픔이나 임을 그리워하는 마음을 노래한 작품이 많다.

☑ 고려 시대에는 남녀 간의 사랑을 솔직히 표현한 작품이 다수 창작되었다.

☑ 조선 시대 사대부들은 유교적 사상 때문에 사랑을 노래한 작품을 많이 짓지 않았으나, 기녀들이나 평민들은 남녀 간의 사랑과 일상적인 감정을 작품에 담아냈다.

묏버들 가려 것거 보내노라 임의손대*

자시는 창밖에 심거 두고 보소서

밤비에 새잎곧* 나거든 나인가도 여기소서

시어·시구 풀이

＊ 임의손대 '임에게'의 옛말.
＊ 곧 예스러운 표현으로, 앞
　말을 강조하는 뜻을 나타
　내는 보조사.

[현대어 풀이]

산버들을 (예쁜 것으로) 골라 (ⓐ　　　) 보내노라 임에게.

(ⓑ　　　) 창문 밖에 (ⓒ　　　) 보소서.

밤비에 새잎이 나면 마치 나를 본 것처럼 여기소서.

독해 연습

1 |해독| 현대어 풀이의 빈칸에 들어갈 말로 적절한 것을 골라 보자.

(1) ⓐ 것거 ⋯ (걷어 / 꺾어)

(2) ⓑ 자시는 ⋯ (드시는 / 주무시는)

(3) ⓒ 심거 두고 ⋯ (심어 두고 / 던져 두고)

2 |시적 상황| 다음 빈칸에 들어갈 적절한 말을 써 보자.

(1) 화자는 임에게 ☐☐☐을 꺾어 보낸다.

(2) 화자는 임과 ☐☐하게 된 여인으로 볼 수 있다.

3 |시어의 의미| '묏버들'에 대한 설명으로 적절한 것을 모두 골라 보자.

> ㄱ. 화자에게 시련을 주는 소재이다.
> ㄴ. 임에게 사랑과 그리움을 전하는 매개체이다.
> ㄷ. 임으로 하여금 화자를 떠올리게 하는 소재이다.

실전 확인

1 위 시의 화자에 대한 설명으로 가장 적절한 것은?

① 이별의 원인이 자신에게 있다고 자책하고 있다.

② 사랑하는 사람과 다시 만날 것이라는 확신을 가지고 있다.

③ 과거와 현재를 비교하면서 행복했던 과거를 회상하고 있다.

④ 사랑하는 사람이 자신을 잊지 말고 기억해 주기를 소망하고 있다.

⑤ 이별의 상황을 받아들이면서 사랑하는 사람의 앞날을 축복하고 있다.

2 〈보기〉를 참고하여 위 시를 감상한 내용으로 적절하지 <u>않은</u> 것은?

┤ 보기 ├

기녀 시조는 자신의 사랑과 이별 문제를 노래한다는 점에서 사대부 시조와 비교된다. 이 작품은 조선 선조 때의 기녀인 홍랑이 지은 시조로, 유교적 가치관을 주로 노래한 사대부들의 시조와는 달리 인간의 기본적인 감정을 솔직하게 표현하였다. 섬세하고 세련된 표현 방법이 돋보이는 작품이다.

① '묏버들'을 통해 화자의 마음을 표현하는 방법이 인상 깊게 느껴졌어.

② '것거 보내노라 임의손대'에서 화자가 임과 이별한 상황에서 자신의 마음을 노래하고 있음을 짐작할 수 있군.

③ '보내노라 임의손대'에서는 어순을 바꾸어 표현함으로써 화자의 마음을 강조하고 있군.

④ '심거 두고 보소서'에는 이별을 거부하는 화자의 솔직한 마음이 담겨 있어.

⑤ '나인가도 여기소서'에서는 임에 대한 애틋한 사랑의 감정이 느껴졌어.

개념 ➕ 도치법

문장 성분의 정상적인 배열 순서를 바꾸어 놓는 표현 방법이다. 문장의 순서를 바꿔 변화를 줌으로써 그 내용을 강조하는 효과가 있다.

핵심 정리

시어의 역할

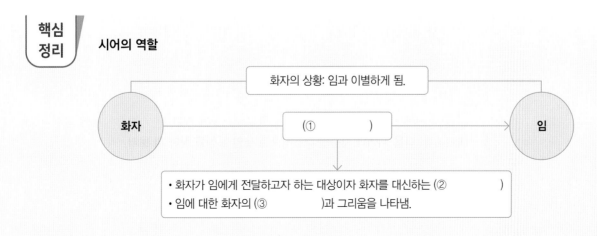

화자의 상황: 임과 이별하게 됨.

화자 ────── (①) ──────▶ 임

• 화자가 임에게 전달하고자 하는 대상이자 화자를 대신하는 (②)
• 임에 대한 화자의 (③)과 그리움을 나타냄.

동지(冬至)ㅅ둘 기나긴 밤을 한 허리를 버혀 내어

춘풍(春風) 니불 아레 서리서리* 너헛다가

어론 님* 오신 날 밤이여든 구뷔구뷔 펴리라

[현대어 풀이]
동짓달 기나긴 밤의 한가운데를 베어 내어
봄바람 같은 (ⓐ   ) 아래 서리서리 (ⓑ   ),
정든 임 오시는 날 밤이면 굽이굽이 펴리라.

시어·시구 풀이

＊ 서리서리 국수, 새끼, 실 따위를 헝클어지지 아니 하도록 둥그렇게 포개어 감아 놓은 모양.

＊ 어론 님 정든 임. 사랑하 는 임.

독해 연습

1 |해독| **현대어 풀이의 빈칸에 들어갈 말로 적절한 것을 골라 보자.**

(1) ⓐ 니불 … (이불 / 잎을)

(2) ⓑ 너헛다가 … (널었다가 / 넣었다가)

2 |시적 상황| **다음 중 빈칸에 들어갈 말로 적절한 것을 골라 보자.**

(1) 화자가 처한 현재 상황의 계절적 배경은 (봄 / 겨울)이다.

(2) 화자는 '님'과의 만남을 (기대 / 체념)하고 있다.

3 |표현 방법| **다음 시어나 시구와 대조적으로 쓰인 표현을 찾아 써 보자.**

| ㄱ. 동지ㅅ둘 기나긴 밤 ⟷ (|) |
| ㄴ. 너헛다가 ⟷ (|) |

실전 확인

1 위 시에 대한 설명으로 적절하지 <u>않은</u> 것은?

① 4음보의 율격을 통해 운율을 형성하고 있다.

② 색채어를 사용하여 대상의 특성을 나타내고 있다.

③ 추상적인 시간 개념을 구체적인 사물처럼 표현하고 있다.

④ 고유어를 주로 사용하여 우리말의 아름다움을 잘 살리고 있다.

⑤ 음성 상징어를 사용하여 대상의 상태를 감각적으로 표현하고 있다.

개념 + 어휘의 체계

• **고유어:** 우리말에 본디부터 있던 말이나 그것에 기초하여 새로 만들어진 말.
  예 아버지, 어머니, 하늘, 땅

• **한자어:** 한자를 바탕으로 만들어진 말.
  예 교실, 시계, 부모

• **외래어:** 외국에서 들어온 말로 국어에서 널리 쓰이는 단어.
  예 버스, 컴퓨터, 피아노

2 〈보기〉를 참고하여 위 시를 감상한 내용으로 적절하지 <u>않은</u> 것은?

> **보기**
>
> 이 작품에는 두 개의 시간이 제시된다. 하나는 초장에 제시된 '현재'의 시간이고, 다른 하나는 종장에 제시된 '미래'의 시간이다. 이 두 개의 시간에서 화자가 처한 상황이나 화자의 심리 등은 대조를 이루는데, 이러한 대조는 이 작품의 주제를 효과적으로 드러낸다.
>
> | ㉮ 현재 | ←→ | ㉯ 미래 |

① ㉮는 화자에게 부정적인 시간이고, ㉯는 긍정적인 시간이다.

② ㉮는 임이 부재하는 시간이고, ㉯는 임이 존재하는 시간이다.

③ ㉮는 시각적으로 어두운 시간이고, ㉯는 시각적으로 밝은 시간이다.

④ ㉮는 화자의 현실이 반영된 시간이고, ㉯는 화자의 소망이 반영된 시간이다.

⑤ ㉮는 빨리 가기를 바라는 시간이고, ㉯는 오래 지속되기를 바라는 시간이다.

핵심 정리

시적 상황과 표현상 특징

시적 상황	임과 떨어져 있음(임의 부재).
표현상 특징	• '(①)'이라는 추상적 개념을 베어 내고 펼쳐 낼 수 있는 형체가 있는 구체적 사물처럼 표현함. • '동지ㅅ둘 기나긴 밤(임이 없는 시간)'과 '어론 님 오신 날 밤(임과 함께하는 시간)'을 (②)하여 시상을 전개함. • '(③)', '구뷔구뷔'와 같이 우리말의 묘미를 살린 음성 상징어를 활용함.

↓

(④   )을 기다리는 마음을 참신한 표현 방법을 활용하여 호소력 있게 형상화함.

시어 · 시구 풀이

* **뒤주** 쌀 따위의 곡식을 담아 두는 나무로 된 궤짝.
* **궤** 물건을 넣도록 나무로 네모나게 만든 그릇.
* **결박하여** 몸이나 손 따위를 움직이지 못하도록 동이어 묶어.
* **쌍배목** 쌍으로 된 문고리를 거는 쇠.
* **걸쇠** 대문이나 방의 여닫이문을 잠그기 위하여 빗장으로 쓰는 'ㄱ' 자 모양의 쇠.
* **수기수기** 깊이깊이.

어이 못 오던다 무슨 일로 못 오던다

　너 오는 길에 무쇠로 성(城)을 쌓고 성 안에 담 쌓고 담 안에 집을 짓고 집 안에 뒤주 놓고 뒤주 안에 궤를 놓고 궤 안에 너를 결박하여 놓고 쌍배목 외걸쇠에 용거북 자물쇠로 수기수기 잠갔더냐 네 어이 그리 아니 오던다

　흔 둘이 셜흔 늘이여니 날 보라 올 하루 업스랴

[현대어 풀이]

어찌 못 (ⓐ　　), 무슨 일로 못 (ⓐ　　)?

　너 (ⓑ　　) 길에 무쇠로 성을 쌓고, 성 안에 담을 쌓고, 담 안에 집을 짓고, 집 안에 뒤주 놓고, 뒤주 안에 궤를 놓고, 궤 안에 너를 결박하여 놓고, 쌍배목 외걸쇠에 용거북 자물쇠로 깊이깊이 잠가 두었더냐? 네 어찌 그리 아니 오던가?

　한 달이 (ⓒ　　) 날인데 날 보러 올 하루가 없겠는가?

독해 연습

1 |해독| 현대어 풀이의 빈칸에 들어갈 말로 적절한 것을 골라 보자.

(1) ⓐ 오던다 ⋯⋯ (오다가 / 오던가)

(2) ⓑ 오는 ⋯⋯ (오늘 / 오는)

(3) ⓒ 셜흔 ⋯⋯ (서른 / 서러운)

2 |시적 상황| 다음 설명이 맞으면 ○에, 틀리면 X에 표시해 보자.

(1) 화자는 임을 기다리고 있다.　　　　　　　　　　　　　　(○ , X)

(2) 화자는 한 달을 기다린 끝에 임과 재회하였다.　　　　　　　(○ , X)

3 |시의 특징| 초성을 참고하여 빈칸에 들어갈 알맞은 말을 넣어 위 시에 대한 설명을 완성해 보자.

ㄱ. 이 시는 평시조에서 형식이 많이 자유로워진 [ㅅ][ㅅ][ㅅ][ㅈ]이다.

ㄴ. 부정적인 상황을 익살스럽게 표현한 [ㅎ][ㅎ][ㅈ] 표현이 사용되었다.

ㄷ. 만남을 제약하는 [ㄱ][ㅅ]의 상황을 설정하여 답답한 마음을 나타내었다.

1 위 시에 사용된 표현 방법으로 적절한 것을 <u>모두</u> 고른 것은?

> ㄱ. 반어적 표현을 사용하여 주제 의식을 드러내고 있다.
> ㄴ. 작은 것에서 큰 것으로 정도를 점차 확대하며 표현하고 있다.
> ㄷ. 앞 구절의 끝 부분을 다음 구절의 머리에서 이어받으며 표현하고 있다.
> ㄹ. 내용적으로 연결되거나 비슷한 어구를 여러 개 늘어놓으며 표현하고 있다.

① ㄱ, ㄷ   ② ㄴ, ㄷ   ③ ㄷ, ㄹ

④ ㄴ, ㄷ, ㄹ   ⑤ ㄱ, ㄴ, ㄷ, ㄹ

> **개념 ➕ 연쇄법과 열거법**
>
> • 열거법: 내용적으로 연결되거나 비슷한 어구를 여러 개 늘어놓아 전체의 내용을 표현하는 수사법이다.
> 예 그녀는 나에게 산이요. 강이요, 바다요, 하늘이다.
> • 연쇄법: 앞 구절의 끝 어구를 다음 구절의 앞에서 이어받아 시적 상황을 강조하는 수사법이다.
> 예 바람 불면 비가 오고 비가 오면 낙엽 지고 낙엽 지면 추워지고 추워지면 그가 올까.

2 위 시(A)와 〈보기〉의 시(B)를 비교한 내용으로 적절한 것은?

> 보기
>
> 아래는 조선 중기의 학자인 서경덕이 지은 평시조로, 임에 대한 그리움과 기다림의 마음을 잘 표현한 작품으로 평가받고 있다.
>
> 마음이 어린* 후(後)니 하는 일이 다 어리다
> 만중운산(萬重雲山)*에 어느 님 오리마는
> 지는 잎 부는 바람에 행여 그인가 하노라
>
> *어린: 어리석은.   * 만중운산: 첩첩이 겹쳐 구름이 덮인 산.

① A와 B는 모두 각 장이 4음보의 규칙적인 모습을 보인다.

② A와 B의 화자는 모두 자신의 처지를 긍정적으로 생각하고 있다.

③ A와 달리 B는 간절한 그리움을 해학적으로 표현하고 있다.

④ A와 달리 B는 종장의 처음을 3글자의 시구로 시작하고 있다.

⑤ B와 달리 A는 대상에 대한 원망을 드러내고 있다.

핵심 정리

시적 상황과 화자의 정서

초장	(①)이 오지 못하는 이유를 알 수 없음.
중장	(②)이 오지 못하는 이유를 가정함. → 연쇄법, (③), 점강법 등을 사용하여 해학적으로 표현함.
종장	한 달 중에 (④)도 자신을 찾아오지 않는 임을 이해하기 어려움.

↓

> 임이 오지 않는 상황에 대한 답답함과 오지 않는 임에 대한 (⑤   )과 탄식 → 임에 대한 그리움

가시리 가시리잇고 나는*
버리고 가시리잇고* 나는
　　위 증즐가 대평성대(大平盛代)

날러는 엇디 살라 ᄒ고
버리고 가시리잇고 나는
　　위 증즐가 대평성대(大平盛代)

[현대어 풀이]
가시겠습니까? 가시겠습니까?
(나를) 버리고 가시겠습니까?

나는 (ⓐ　　) 살라 하고
(나를) 버리고 가시겠습니까?

잡사와 두어리마나는
선ᄒ면* 아니 올세라
　　위 증즐가 대평성대(大平盛代)

셜온 님 보내옵노니 나는
가시는 듯 돌아오소서 나는
　　위 증즐가 대평성대(大平盛代)

(당신을) 붙잡아 두고 싶지만
서운하면 아니 오실까 두렵습니다.

(ⓑ　　) 임을 보내 드리니
가시자마자 돌아오십시오.

시어·시구 풀이

* 나는 특별한 의미 없이 악률을 맞추기 위해 사용한 여음구.
* 가시리 ~ 가시리잇고 '가시리(a)/가시리잇고(a)/버리고(b)/가시리잇고(a)'의 'a-a-b-a' 구조가 사용됨. 이는 민요에서 자주 사용하는 민요조의 구조임.
* 선ᄒ면 서운하면.

독해 연습

1 |해독| 현대어 풀이의 빈칸에 들어갈 말로 적절한 것을 골라 보자.

(1) ⓐ 엇디 … (어디 / 어찌)
(2) ⓑ 셜온 … (서러운 / 새로운)

2 |시적 상황| 다음 설명이 맞으면 ○에, 틀리면 X에 표시해 보자.

(1) 화자는 임과 이별하는 상황에 처해 있다. (○ , X)
(2) 화자는 떠나는 임이 돌아오지 않을까 두려워하고 있다. (○ , X)
(3) 화자는 임과의 이별을 받아들이지 못하고 임을 적극적으로 붙잡고 있다. (○ , X)

3 |시구의 의미| '셜온 님'의 해석으로 타당한 것을 모두 골라 보자.

> ㄱ. 화자를 두고 떠나는 이별을 서러워하는 임
> ㄴ. 다른 사람들을 서럽게 만든 죄로 떠나야 하는 임
> ㄷ. 화자를 두고 떠남으로써 화자를 서럽게 만드는 임

실전 확인

1 〈보기〉는 위 시의 화자의 정서와 태도를 순서 없이 나열한 것이다. 시상 전개에 따라 바르게 배열한 것은?

> 보기
>
> ㄱ. 뜻밖에 닥친 이별의 상황에 안타까워하고 있다.
> ㄴ. 감정을 절제하면서 체념하는 태도를 보이고 있다.
> ㄷ. 이별의 상황을 수용하면서 자신의 소망을 밝히고 있다.
> ㄹ. 떠나는 임을 원망하며 자신의 처지를 하소연하고 있다.

① ㄱ – ㄴ – ㄷ – ㄹ   ② ㄱ – ㄴ – ㄹ – ㄷ
③ ㄱ – ㄷ – ㄹ – ㄴ   ④ ㄱ – ㄹ – ㄴ – ㄷ
⑤ ㄱ – ㄹ – ㄷ – ㄴ

2 〈보기〉를 참고하여 위 시를 감상한 내용으로 적절하지 않은 것은?

> 보기
>
> 이 작품은 고려 가요이다. 민요적인 성격이 강한 고려 가요는 고려 시대의 민중들 사이에서 널리 불렸던 것으로 추측된다. 3음보의 전통적인 율격을 바탕으로 하면서 민중들의 일상적인 삶이나 사랑, 이별에서 느끼는 진솔한 정서를 주로 노래하였다. 형식 면에서는 연 구분이 생겼는데, 각 연은 악기의 소리를 흉내 내며 흥을 돋우는 의미 없는 후렴구로 구분하였다. 사람들 사이에 노래로 전해지던 고려 가요 중 일부는 조선 시대에 궁중 음악으로 사용되면서 그 명맥을 유지하여 현재까지 전해지게 되었다.

① 3음보를 사용하여 민요적인 느낌을 준다.
② '대평성대'의 반복으로 작품의 주제를 강조하고 있다.
③ '위 증즐가 대평성대'는 연과 연을 구분해 주는 역할을 한다.
④ 사람들이 보편적으로 느낄 수 있는 이별의 정서를 노래하고 있다.
⑤ '위 증즐가'는 의미의 전달보다는 흥을 돋우는 것을 목적으로 한다.

핵심 정리

시적 상황과 화자의 태도

1연(기)	뜻밖의 (①)에 대한 안타까움과 하소연
2연(승)	하소연(원망)의 고조
3연(전)	감정의 절제와 (②)
4연(결)	임이 바로 돌아오기를 바라는 (③)

→

- 떠나는 임에 대한 원망과 안타까움을 드러냄.
- 임을 적극적으로 만류하지 못하고 임이 곧 돌아오기를 소망함.
  → (④   ) 태도

깊이 읽기

조선 시대 여성 작가들이 쓴 시조의 특징이 궁금해요.

고려 후기에 발생한 시조는 조선 전기에 시가 문학의 중심 갈래로 자리 잡았습니다. 사대부들이 주로 시조를 썼는데, 사대부들과 가까이 지내던 기녀들도 시조 창작자로 참여하였습니다. 여성의 감성을 노래한 황진이, 이매창, 홍랑 등이 쓴 시조들이 대표적입니다. 이들은 임을 사랑하고 그리워하는 마음을 이야기하거나 사대부의 시에 화답하는 시조 등을 지었는데 사대부들이 주로 유교적 관념을 표출한 데 반해, 기녀들의 시조는 인간의 정서를 솔직하게 표현했습니다. 또한 사랑과 그리움과 같은 인간의 솔직한 감정을 아름다운 우리말의 묘미를 잘 살려 표현한 점이 돋보입니다. 「묏버들 가려 것거」에서는 임에 대한 사랑과 그리움을 화자의 분신이라고 할 수 있는 '묏버들'을 통해 구체화하여 드러내었고, 「동지ㅅ둘 기나긴 밤을」에서는 추상적인 시간을 구체적인 사물로 형상화하여 화자의 마음을 참신하게 표현하였습니다. 이처럼 여성 작가들은 사랑과 이별이라는 주제를 참신한 발상으로 표현하여 시조에 새로운 활기를 불어넣었습니다.

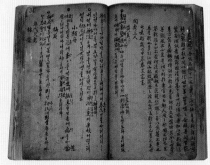
▲ 『청구영언』에 실린 여성 작가의 시조

간단 확인

1. 조선 전기에 시조는 사대부들만이 짓고 즐길 수 있는 문학 갈래였다.

2. 조선 전기 여성 작가들이 지은 시조는 인간의 솔직한 감정을 한자어의 아름다움을 살려 창작하였다는 점이 큰 특징이다.

삶의 애환과 현실 비판

하루하루 일상을 살아가면서 느낀 점이나 사회적으로 문제가 되는 일에 대해 글로 표현해 본 적이 있지요? 옛날 사람들도 현실에서 느낀 점들을 글로 남기곤 했습니다. 이 중에는 당시 사람들의 삶의 모습이나 사회의 문제점을 풍자하고 비판하는 고전 시가들도 있지요. 동물을 이용하여 현실을 우회적으로 비판하거나 대상을 희화화하여 해학적으로 풍자하는 등 다양한 작품들이 있습니다. 그러면 삶의 애환이나 현실 비판이 담겨 있는 고전 시가를 살펴보고, 각 작품에서 무엇에 대해 이야기하고 있는지 살펴봅시다.

삶의 애환과 현실 비판을 노래한 대표 고전 시가

알아두기

- ☑ 조선 후기에 오면서 시조의 내용이 다양해지고, 형식도 자유로워졌다.
- ☑ 임진왜란과 병자호란 이후 평민 의식이 성장하고, 문학의 작가층이 확대되었다.
- ☑ 민요, 잡가 등 서민들의 생활 감정과 삶의 모습을 담은 작품들이 다수 창작되었다.

13 두터비 파리를 물고 | 작자 미상

> 두터비 파리를 물고 두엄 우희 치달아 안자
>
> 건넛산 바라보니 백송골(白松鶻)*이 써 있거늘 가슴이 섬뜩하여 풀떡 쀠여 내닫다가
>
> 두엄 아래 잣바지거고
>
> 모쳐라 날랜 나일망정 어혈질* 뻔 하여라

시어·시구 풀이

* 백송골 매의 한 종류로, 몸이 크며 성질이 굳세고 날쌔어 사냥하는 데 쓰임.
* 어혈질 피멍이 들.

[현대어 풀이]

두꺼비가 파리를 물고 두엄 (ⓐ   ) 뛰어 올라가 앉아

건너편 산을 바라보니 흰 송골매가 (ⓑ   ) 있거늘 가슴이 섬뜩하여 펄쩍 뛰어 내닫다가 두엄 아래 (ⓒ   ).

마침 날랜 나이기에 망정이지 (하마터면) 피멍이 들 뻔했구나.

독해 연습

1 |해독| 현대어 풀이의 빈칸에 들어갈 말로 적절한 것을 골라 보자.

(1) ⓐ 우희 ⋯ (위에 / 아래에)

(2) ⓑ 써 ⋯ (서 / 떠)

(3) ⓒ 잣바지거고 ⋯ (자빠졌구나 / 자버렸구나)

2 |시적 상황| 다음 빈칸에 들어갈 적절한 말을 써 보자.

(1) ☐☐☐는 힘없는 백성을 억압하는 존재로 볼 수 있다.

(2) 두꺼비는 자빠지고 난 후 스스로를 날래다고 자신을 ☐☐☐하고 있다.

3 |시어의 의미| '백송골'에 대한 설명으로 적절한 것을 <u>모두</u> 골라 보자.

> ㄱ. 두꺼비를 놀라게 만드는 존재이다.
>
> ㄴ. 파리를 아끼고 보살펴 주는 존재이다.
>
> ㄷ. 두꺼비보다 더 높은 힘을 지닌 존재이다.

실전 확인

1 위 시에 대한 설명으로 적절하지 <u>않은</u> 것은?

① 대상을 해학적으로 묘사하고 있다.

② 서민들이 사용하는 일상어를 구사하고 있다.

③ 의인법을 활용하여 인간 사회를 풍자하고 있다.

④ 의태어를 사용하여 대상의 행동을 표현하고 있다.

⑤ 유사한 문장 구조를 반복하여 운율을 형성하고 있다.

2 〈보기〉를 참고하여 위 시를 감상한 내용으로 적절하지 <u>않은</u> 것은?

개념 ✚ 풍자

현실의 부정적인 대상이나 모순을 빗대어 넌지시 비판함으로써 웃음을 유발하는 표현 방식이다.

> **보기**
>
> 우의적 표현은 다른 대상에 빗대어 간접적으로 어떤 뜻을 나타내거나 풍자하는 표현 방식이다. 이 작품은 당대 현실을 익살스럽게 풍자하고 있는데, 힘없는 자를 괴롭히는 지배층이 자신보다 강한 자 앞에서는 비굴해지는 모습을 우의적으로 표현하고 있다.

① '두터비', '백송골', '파리'와 같은 동물을 이용한 우의적 표현을 사용하였군.

② '두터비'가 '파리'를 문 것은 힘없는 서민을 괴롭히는 권력자의 모습을 우의적으로 나타낸 것이겠군.

③ '두터비'가 '백송골'을 보고 놀라는 상황은 자신보다 강한 사람을 만났을 때 약해지는 모습을 우의적으로 드러낸 것이겠군.

④ '두터비'가 '두엄 아래 잣바지'는 상황을 통해 풍자하는 대상을 희화화하고 있군.

⑤ '날랜 나일망정'은 힘 없는 자를 괴롭히고 자신보다 더 강한 존재에게는 비굴했던 일에 대해 '두터비'가 반성하는 체하는 것을 풍자한 것이군.

핵심 정리

시어의 의미와 의미 구조

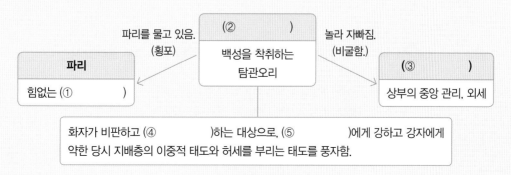

薰子初來時 연 자 초 래 시	㉠제비 한 마리 처음 날아와
喃喃語不休 남 남 어 불 휴	㉡지지배배 그 소리 그치지 않네.
語意雖未明 어 의 수 미 명	㉢말하는 뜻 분명히 알 수 없지만
似訴無家愁 사 소 무 가 수	집 없는 서러움을 호소하는 듯
榆槐老多穴 유 괴 로 다 혈	"느릅나무 홰나무 묵어 ㉣구멍 많은데
何不此淹留 하 불 차 엄 류	어찌하여 그곳에 깃들지 않니?"
燕子復喃喃 연 자 부 남 남	제비 다시 지저귀며
似與人語酬 사 여 인 어 수	사람에게 말하는 듯
榆穴鸛來啄 유 혈 관 래 탁	┌ "느릅나무 구멍은 황새가 쪼고 ㉤ └ 홰나무 구멍은 뱀이 와서 뒤진다오."
槐穴蛇來搜 괴 혈 사 래 수	

독해 연습

1 |시적 상황| **다음 빈칸에 들어갈 적절한 말을 써 보자.**

(1) 화자는 제비의 [ ][ ] 소리를 듣고 있다.

(2) 화자는 제비가 집이 없는 [ ][ ][ ]을 호소한다고 느끼고 있다.

(3) 이 시는 제비가 화자의 [ ][ ]에 대답을 하는 형식을 취하고 있다.

2 |시어의 의미| **'황새'에 대한 설명으로 적절한 것을 모두 골라 보자.**

> ㄱ. 화자가 연민을 느끼고 있는 대상이다.
> ㄴ. 제비가 저항 의지를 표현하고 있는 대상이다.
> ㄷ. 제비에게 있어서 뱀과 유사한 속성을 지닌 존재이다.
> ㄹ. 제비가 집 없는 서러움을 호소하는 이유가 되는 대상이다.

실전 확인

1 위 시의 표현상 특징으로 적절한 것은?

① 설의법을 활용해 상황을 제시하고 있다.

② 대화체 형식을 활용하여 시상을 전개하고 있다.

③ 제비를 의인화하여 화자의 처지를 부각하고 있다.

④ 촉각적 심상을 활용해 소재의 특성을 제시하고 있다.

⑤ 해학적 표현을 통해 당대 서민의 삶을 긍정적으로 표현하고 있다.

개념 ➕ 심상(이미지)

시를 읽을 때 마음속에 그려지는 감각적인 모습이나 느낌을 심상이라고 한다. 시인은 시적 대상이나 상황을 구체적이고 생동감 있게 그려 내기 위해 심상을 활용한다.

• 시각적 심상: 새악시 볼에 떠오르는 부끄럼같이

• 청각적 심상: 뒷문 밖에는 갈잎의 노래

• 후각적 심상: 꽃 피는 사월이면 진달래 향기

• 미각적 심상: 물새알은 간간하고 짭조름한 미역 냄새

• 촉각적 심상: 발목이 시리도록 밟아도 보고

• 공감각적 심상: 푸른 휘파람 소리가 나거든요. → 청각인 '휘파람 소리'를 '푸른'으로 시각화함.

---

2 〈보기〉를 참고하여 ㉠~㉤에 대해 설명한 내용으로 적절하지 않은 것은?

> 보기
>
> 이 작품은 조선 후기 지배층의 횡포를 고발한 시로, 제비·황새·뱀과 같은 동물들을 이용해 당시 지배층에 의해 삶의 터전을 빼앗기고 수탈당하는 백성들의 현실을 우의적으로 드러내고 있다.

① ㉠은 지배 세력으로부터 착취당하는 백성들을 상징하겠군.

② ㉡은 백성들의 고달픈 처지가 지속되는 것을 보여 주는 듯하군.

③ ㉢은 말할 수 없을 정도로 지배층의 횡포가 극심함을 나타내는군.

④ ㉣은 백성들이 살아가는 터전을 나타낸다고 할 수 있군.

⑤ ㉤은 지배층에 의해 백성들이 괴롭힘을 당하는 현실을 보여 주는군.

핵심 정리

시어의 의미와 주제

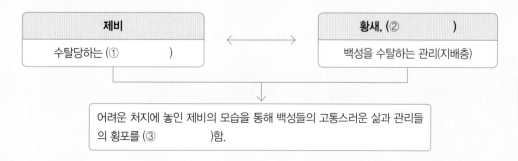

제비		황새, (②)
수탈당하는 (①)	↔	백성을 수탈하는 관리(지배층)

어려운 처지에 놓인 제비의 모습을 통해 백성들의 고통스러운 삶과 관리들의 횡포를 (③   )함.

댁들에 동난지이 사오 |작자 미상

댁들에 동난지이* 사오 저 장사야 네 황화* 그 무엇이라 웨는다 사자

외골내육(外骨內肉) 양목(兩目)이 상천(上天) 전행(前行) 후행(後行) 소(小)아리

팔족(八足) 대(大)아리 이족(二足) 청장(淸醬)* 아스슥하는 동난지이 사오

장사야 하 거북이 웨지 말고 게젓이라 하렴은

[현대어 풀이]

사람들아, 동난젓 사오. 저 장수야, 네 물건 그 무엇이라 (ⓐ   )? 사자.
밝은 단단하고 안은 물렁하며, 두 눈은 위로 솟아 하늘을 향하고, 앞뒤로 기는 작은 (ⓑ   ) 여덟 개, 큰
(ⓑ   ) 두 개, 청장이 아스슥하는 동난젓 사오.
장수야, 그렇게 거북하게 외치지 말고 게젓이라 하려무나.

시어 · 시구 풀이

* 동난지이 방게를 간장에 넣어 담근 것.
* 황화 여러가지 자질구레한 일용 잡화.
* 청장 진하지 아니한 간장.

독해 연습

1 |해독| 현대어 풀이의 빈칸에 들어갈 말로 적절한 것을 골라 보자.

(1) ⓐ 웨는다 ⋯→ (외우느냐 / 외치느냐)

(2) ⓑ 아리 ⋯→ (다리 / 머리)

2 |시적 상황| 다음 설명이 맞으면 ○에, 틀리면 X에 표시해 보자.

(1) 손님들은 장수의 말에 관심을 나타내고 있다.   (○ , X)

(2) 장수는 손님들에게 게젓을 사라고 이야기하고 있다.   (○ , X)

(3) 장수는 손님들에게 자신이 파는 물건의 특성을 알기 쉽게 설명하고 있다.   (○ , X)

3 |표현 방법| 위 시의 표현 방법에 대한 설명으로 적절한 것을 모두 골라 보자.

개념 ＋ 돈호법

사람이나 사물의 이름을 불러 주의를 불러일으키는 수사법이다.
예 '여러분!', '솔아! 솔아! 푸른 솔아!'

> ㄱ. 돈호법을 사용하여 생동감을 유발하고 있다.
> ㄴ. 한자어를 사용하여 중심 소재의 특성을 묘사하고 있다.
> ㄷ. 말을 주고받는 대화체 형식으로 내용을 전개하고 있다.
> ㄹ. 계절감을 나타내는 시어를 활용하여 시적 분위기를 조성하고 있다.

실전 확인

1 위 시에 대한 설명으로 적절한 것은?

① 의성어를 사용하여 생동감을 더하고 있다.

② 대상을 의인화하여 친근감을 드러내고 있다.

③ 반어법을 통해 화자의 생각을 제시하고 있다.

④ 과거를 회상하는 방식으로 화자의 정서를 드러내고 있다.

⑤ 고달프게 살아가는 서민들의 삶을 해학적으로 표현하고 있다.

2 〈보기〉는 위 시에 대한 선생님의 설명이다. 이를 바탕으로 하여 위 시를 감상한 내용으로 적절하지 <u>않은</u> 것은?

> 보기
>
> **선생님:** 이 작품은 조선 후기에 물건을 파는 사람과 손님들 간의 상거래 장면을 대화체로 보여 주고 있어요. 초장은 게젓 장수의 말과 손님의 말, 중장은 게젓 장수의 말, 종장은 손님의 말로 구성된 대화체 형식으로 생생한 삶의 현장을 보여 줄 뿐만 아니라 손님의 말을 통해 게젓 장수의 태도를 풍자·비판하고 있답니다.

① 초장은 물건을 팔고자 소리치는 '장사'의 말로 시작되고 있군.

② 초장에는 '장사'의 말에 관심을 두고 있는 손님의 말이 제시되어 있군.

③ 중장에는 게젓에 대해 어려운 한자말로 전달하고 있는 '장사'의 말이 열거되고 있군.

④ 종장에는 물건에 대해 잘 몰라 '장사'에게 추가 설명을 요청하는 손님의 말이 제시되어 있군.

⑤ 종장에서 손님이 '장사'에게 '거북이 웨지 말'라는 것은 어려운 말로 잘난 체하는 게젓 장수의 태도를 꼬집는 것이군.

핵심 정리

시상 전개 방식

초장	(①)을 팔려는 장수와 이에 관심을 보이는 손님들 간의 대화
중장	어려운 (②)를 사용하여 게젓에 대해 설명하고 있는 게젓 장수의 말
종장	장황하고 어렵게 말하는 게젓 장수에게 충고하는 손님의 말

↓

서민들의 상거래 모습을 익살스럽게 보여 주면서, 게젓 장수의 말을 풍자하여 굳이 어려운 말을 사용하려는 현학적 태도를 비판함.

잠아 잠아 짙은 잠아 이내 눈에 쌓인 잠아

염치 불구 이내 잠아 검치 두덕* 이내 잠아

어제 간밤 오던 잠이 오늘 아침 다시 오네

잠아 잠아 무삼 잠고 가라 가라 멀리 가라

세상 사람 무수한데 구태 너는 간 데 없어

원치 않는 이내 눈에 이렇듯이 자심하뇨*

주야에 한가하여 **월명 동창*** 혼자 앉아

삼사경 깊은 밤을 헛되이 보내면서

잠 못 들어 한하는데 그런 사람 있건마는

무상 불청* **원망 소리** 올 때마다 듣난고니

석반*을 거두치고 황혼이 될 듯 말 듯

낮에 못한 남은 일을 밤에 하려 마음먹고

언하당* 황혼이라 **섬섬옥수*** 바삐 들어

등잔 앞에 고개 숙여 실 한 바람 불어 내어

드문드문 질긋 바늘 두엇 뜸 뜰 듯 말 듯

난데없는 이내 잠이 **소리 없이 달려드네**

눈썹 속에 숨었는가 눈알로 솟아 온가

이 눈 저 눈 왕래하며 무삼 요술 피우는고

맑고 맑은 이내 눈이 절로절로 희미하다

시어·시구 풀이

* 검치 두덕 욕심 언덕.
* 자심하뇨 점점 더 심해지느냐.
* 월명 동창 달이 밝게 비추는 동쪽의 창.
* 무상 불청 청하지 않은.
* 석반 저녁밥.
* 언하당 말이 끝나자마자 바로. 여기서는 '그런 생각을 하자마자 바로'의 뜻임.
* 섬섬옥수 가냘프고 고운 여인의 손을 이르는 말.

독해 연습

1 |시적 상황| 다음 설명이 맞으면 〇에, 틀리면 X에 표시해 보자.

(1) 화자는 바느질을 해야 하는데 잠이 계속 몰려들어 어려움을 겪고 있다.　　　(〇 , X)

(2) 화자는 잠 못 들어 힘들어하는 사람에게 공감을 표현하고 있다.　　　(〇 , X)

2 |표현 방법| 위 시에서 운율을 형성하는 방법으로 적절한 것을 <u>모두</u> 골라 보자.

> ㄱ. 동일한 시어를 반복하여 운율을 형성한다.
> ㄴ. 4·4조를 바탕으로 4음보를 반복하여 운율을 형성한다.
> ㄷ. 의성어와 의태어를 빈번하게 사용하여 운율을 형성한다.

실전 확인

1 위 시에 대한 설명으로 적절하지 <u>않은</u> 것은?

① 잠을 청자로 설정하여 시상을 전개하고 있다.

② 익살과 해학을 통해서 삶의 애환을 풀어내고 있다.

③ 넋두리를 하는 형식으로 화자의 감정을 나타내고 있다.

④ 후렴구를 통해 운율을 형성하고 구조적 통일성을 갖추고 있다.

⑤ 화자와 대조되는 처지의 대상을 통해 화자의 상황을 부각하고 있다.

2 위 시(㉮)와 〈보기〉(㉯)를 연관지어 감상한 내용으로 적절하지 <u>않은</u> 것은?

> ─ 보기 ─
>
> 귓도리 저 귓도리 어여쁘다* 저 귓도리
> 어인 귓도리 지는 달 새는 밤의 긴 소리 쟈른 소리 절절(節節)이 슬픈 소리 제 혼자 우러 녜어 사창(紗窓)* 여윈 잠을 살뜰히도* 깨우는구나
> 두어라 제 비록 미물(微物)이나 무인동방(無人洞房)에 내 뜻 알 이는 너뿐인가 하노라
> – 작자 미상
>
> *어여쁘다: 불쌍하다.
> *사창: 비단 휘장을 친 창으로 여인의 방을 일컬음.
> *살뜰히도: 알뜰하게도. 여기서는 '얄밉게도'의 뜻임.

① ㉮에서는 '잠', ㉯에서는 '귓도리'를 반복하여 운율을 형성하고 있군.

② ㉮의 '월명 동창', ㉯의 '무인동방'에서 화자의 처지를 짐작할 수 있군.

③ ㉮의 '원망 소리'는 화자가 하는 소리, ㉯의 '슬픈 소리'는 귓도리가 내는 소리이군.

④ ㉮의 '섬섬옥수'와 ㉯의 '사창'을 통해 두 작품의 화자가 모두 여성임을 짐작할 수 있군.

⑤ ㉮의 '소리 없이 달려드네'는 잠이 몰려드는 상황을, ㉯의 '깨우는구나'는 잠을 못 이루는 상황을 나타내는군.

핵심 정리

시의 짜임과 특징

기(1~3행)	염치없이 자꾸 찾아오는 (①)
승(4~10행)	바쁜 자신을 찾아오는 잠에 대한 원망
전(11~16행)	저녁을 먹고 (②)을 시작하자마자 또다시 몰려드는 잠
결(17~19행)	잠 때문에 눈이 희미해짐.

↓

밤새워 바느질하는 여성들의 삶의 (③)을 (④)적인 태도로 그려 냄.

깊이읽기

사설시조에 대해 알고 싶어요.

조선 중기를 지나면서 점점 문학의 창작층이 확대되고 작품에 담긴 정서와 주제도 다채로워졌습니다. 사설시조 역시 조선 중기 이후 발달한 시조의 형태로, 다양한 정서와 주제를 표현하였습니다. 평시조에 비해 산문적 성격을 띠며, 서민적인 내용이 담겨 있습니다.

먼저 형식 면에서 살펴보면 일반적으로 초장·중장·종장이 3~5음절씩 4개의 음보로 이루어져 있는 45자 안팎의 정제된 형식의 평시조와 달리, 사설시조는 초장·중장·종장의 3장 구조는 유지하고 있지만 각 구나 장이 자유롭게 길어질 수 있는 파격을 보였으며 특히 중장에서 그러한 특징이 나타나는 경우가 많습니다.

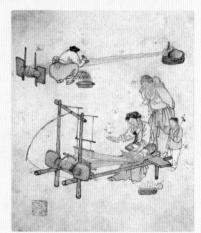

내용 면에서 살펴보면 사설시조는 관념적인 이야기보다는 남녀 간의 정이나 삶의 애환, 현실 사회에 대한 비판 등 인간 생활의 실상을 다루는 경우가 많습니다. 생동감 있는 언어로 삶의 다양한 면모를 작품에 담아냈습니다. 「두터비 파리를 물고」에서 지배층의 횡포를 풍자하거나 「댁들에 동난지이 사오」에서 일상적인 시정(市井)의 상거래 장면을 해학적·풍자적으로 표현한 것이 그 예이지요.

평시조가 양반 중심의 문학이었다면, 사설시조는 작가가 알려지지 않은 작품이 많습니다. 사대부, 중인, 평민 등 사설시조의 작가가 누구인지에 대해서는 다양한 의견이 존재합니다.

▲ 조선 후기 서민들의 생활 모습을 엿볼 수 있는 김홍도의 「자리짜기」

간단 확인

1. 사설시조는 초장·중장·종장의 3장의 구조에서 벗어나서 자유로운 형식을 보인다.

2. 사설시조는 남녀 간의 사랑이나 삶의 애환 등 일상에서 느끼는 문제와 감정을 담은 작품이 많다.

빠른시작
빠작
중학 국어 고전 문학 독해

 빠작으로 내신과 수능을 한발 앞서 준비하세요.

빠른시작
빠
작

중학 국어
고전 문학 독해

정답과 해설

동아출판

정답과 해설

고전 산문

작품 해제

이 작품은 고구려를 건국한 주몽의 생애를 다룬 건국 신화이다. 고귀한 혈통과 비범한 능력을 지닌 주몽이 여러 가지 시련과 위기를 극복하고 고구려를 건국하는 내용을 담고 있다. 천제의 아들인 해모수와 수신 하백의 딸인 유화에게서 태어난 주몽은 천신과 수신의 혈통을 이어받은 존재라고 할 수 있다. 이는 우리 민족이 고대부터 천신과 수신을 숭배했음을 보여 주며, 이러한 주몽의 고귀하고 신성한 혈통은 후대의 고구려인들이 자부심을 가지게 했을 것이다. 또한 유화가 햇빛을 받고 잉태하였고, 주몽이 알에서 태어난 것 등을 통해 당시 고대인들이 하늘과 태양을 숭배하는 사상을 지녔음을 추측할 수 있다. 더불어 활쏘기를 잘하는 주몽은 유목 민족의 우두머리가 될 요인을 지니고 있다고 할 수 있으며, 그의 활쏘기 능력은 군사적 능력의 상징이라고도 볼 수 있다. 또한 대부분의 건국 신화 영웅이 뚜렷한 시련을 겪지 않는 것과 달리, 주몽은 고구려를 건국하기까지 여러 차례 고난과 시련을 겪으며 위업을 달성하는 것이 특징적이다. 이 작품은 전형적인 영웅의 일대기적 구조를 잘 갖추고 있어 후에 많은 영웅 소설에도 영향을 주었다.

주제

주몽의 탄생과 고구려의 건국

문제

1 ④   2 ⑤   3 ③   4 ⑤   5 ③
6 ③

작품 독해

① 알   ② 활   ③ 물고기
④ 고구려   ⑤ 주몽

어휘

1 장성   2 준수   3 백발백중

깊이 읽기

1 ○   2 X

---

1 답 ④

이 글은 고구려 건국 신화인 「주몽 신화」로, 고구려 건국에 신성성을 부여하는 이야기이다. 이 글에서는 특정한 소재가 증거로 제시되고 있지 않다. 이런 증거물은 전설에 주로 나온다.

| 오답 풀이 |

① 고구려를 건국한 주몽에 대한 이야기이다.

② 주몽의 아버지인 해모수가 하늘에서 내려온 존재로 제시되어 있고, 유화가 햇빛으로 잉태하여 알을 낳는 점 등을 볼 때, 태양과 하늘에

대한 숭배 사상을 짐작할 수 있다.

③ 햇빛으로 잉태하고, 알에서 사람이 태어나는 등 비현실적 상황을 바탕으로 주인공이 신성한 존재임을 보여 주고 있다.

⑤ 주몽은 기이하게 알에서 태어났고, 그 알을 길에 버리니 소와 돼지가 피해 가고 들에 버리니 새가 오히려 보살펴 준다. 이러한 일화들을 통해 주몽의 신성성을 부각하고 있다.

2 답 ⑤

주몽이 햇빛을 받고 잉태한 유화가 낳은 알에서 태어난 것은 그가 태양과 하늘의 기운을 타고 태어났음을 의미한다고 볼 수 있다. 주몽이 알을 깨뜨리고 나오는 것이 신성한 존재에서 인간적 존재로 성격이 변모함을 나타내는 것은 아니다.

| 오답 풀이 |

① 유화와 해모수가 인연을 맺은 후 햇빛이 비추어 주몽을 잉태한 것은 그가 태양의 정기를 받은 천신의 자손임을 나타내는 것이다.

② 금와왕이 유화가 낳은 알을 버리라고 하는 데서 금와왕은 알을 부정시하였음을 짐작할 수 있다.

③ 길에 버려진 알을 소와 말이 밟지 않고 피해 간 것은 알에서 나올 존재를 보호하는 행위로, 알에서 나올 존재가 신성한 존재임을 보여 준다.

④ 유화는 물의 신 하백의 딸이고, 해모수는 천제의 아들이므로 주몽은 천신과 수신의 결합으로 태어난 존재라고 볼 수 있다.

3 답 ③

㉠은 하느님이 자신의 자손에게 이곳에 나라를 세우게 할 것이므로 다른 곳으로 터전을 옮겨 가라고 지시하는 내용으로, 하느님의 뜻을 전하는 방법으로 사용되었다. ㉠의 내용을 들은 해부루왕은 이 말에 따라 도읍을 옮기므로 인물이 해야 할 일을 알려 주는 기능을 했다고 할 수 있다.

4 답 ⑤

주몽은 졸본천까지 내려와 적의 침입을 방어하는 데 유리한 산이 험한 곳을 도읍으로 정하고 미처 궁궐은 짓지 못하고 풀로 엮어 집을 짓고 나라를 열었다고 하였다.

| 오답 풀이 |

① 부여에서는 활을 잘 쏘는 사람을 '주몽'이라 했기 때문에 백발백중의 실력을 가진 주몽에게 이 이름이 붙었다.

② 금와왕의 왕자들과 사냥을 나갔을 때, 주몽에게 화살을 적게 주어도 주몽이 다른 왕자들보다 훨씬 많은 짐승을 잡아 왔다고 하였다.

③ 유화는 왕자들이 주몽을 해치려 한다는 것을 눈치채고 주몽에게 떠날 것을 권유한다.

④ 주몽은 모둔곡에서 옷차림이 이상한 세 사람을 만나는데 모두 지혜로운 사람으로, 주몽은 이들에게 각각 일을 맡기고 나라를 세운다.

5 답 ③

주몽이 동부여를 떠날 때 함께 따라 나선 오이·마리·협보는 주몽의 조력자라고 볼 수 있지만 이 글에서 주몽이 위기에 처했을 때 극복할 수 있게 도움을 주는 내용은 나타나 있지 않다.

|오답 풀이|
① 일곱 살이 되었을 때 스스로 활과 화살을 만들어 쐈고 백발백중의 뛰어난 실력을 보인 점, 금와왕의 아들들 중 누구도 주몽의 재주를 따라갈 수 없었던 점 등은 주몽의 비범한 능력을 보여 주는 것이다.
② 주몽의 능력에 두려움을 느낀 왕자들이 주몽을 죽이려고 하는 것은 주인공이 겪는 위기와 시련에 해당하는 사건이다.
④ 다리가 없는 강에서 물고기와 자라 떼는 주몽을 위해 다리를 만들어 주어 주몽을 죽이려고 쫓아온 추격군을 피해 강을 건너갈 수 있게 도왔다. 이처럼 물고기와 자라 떼의 도움으로 주몽은 위기를 극복하는데 이는 강의 신 하백의 후손이라는 주몽의 신분과 관련이 있다.
⑤ 주몽이 위기를 이겨 내고 졸본천에 내려와 고구려를 건국하는 것은 주인공의 위업 달성에 해당하는 내용이다.

6 답 ③

㉠은 대소가 주몽의 비범한 능력을 두려워하여 후에 자신에게 해가 될까봐 주몽을 미리 없애자고 금와왕에게 제안한 내용이다. 대소의 입장에서는 앞일을 대비하는 행동이므로 '미리 준비가 되어 있으면 걱정할 것이 없음.'을 뜻하는 ③의 '유비무환'의 의도라 할 수 있다.

|오답 풀이|
① '결자해지'란 맺은 사람이 풀어야 한다는 뜻으로, 자기가 저지른 일은 자기가 해결하여야 함을 이르는 말이다.
② '살신성인'이란 자기의 몸을 희생하여 인(仁)을 이룸을 뜻한다.
④ '학수고대'란 학의 목처럼 목을 길게 빼고 간절히 기다림을 뜻한다.
⑤ '화룡점정'이란 무슨 일을 하는 데에 가장 중요한 부분을 완성함을 비유적으로 이르는 말이다. 용을 그리고 난 후에 마지막으로 눈동자를 그려 넣었더니 그 용이 실제 용이 되어 홀연히 구름을 타고 하늘로 날아올라갔다는 고사에서 유래한다.

깊이 읽기
2 가야의 시조인 수로왕 역시 하늘에서 내려온 해처럼 둥근 황금 알에서 태어났다고 하였다. 이처럼 난생의 내용은 「주몽 신화」에서만 찾아 볼 수 있는 특징이 아니다.

02 이생규장전
18~27쪽

작품 해제
이 작품은 김시습이 지은 『금오신화』에 수록된 다섯 편의 전기 소설 중 하나이다. 주인공인 이생과 최 여인은 세 번의 만남과 이별을 경험하게 된다. 작품의 전반부는 서로 사랑하는 사이가 된 이생과 최 여인이 부모의 반대로 헤어지지만 이를 극복하고 결혼하는 이야기로, 현실적인 내용을 보여 주고 있다. 자유연애로 만난 두 주인공이 부모의 반대를 극복하고 결혼하는 모습은 당대 사회에서 허용하지 않았던 자유연애에 대한 작가의 생각이 반영된 것이라고 볼 수 있다. 또한 적극적이고 능동적인 여성 주인공을 내세운 것도 주목할 만하다. 작품의 후반부는 홍건적의 침입으로 죽은 최 여인이 이생과 재회하여 함께 지내다 이별하는 내용으로, 산 사람과 죽은 사람의 사랑이라는 비현실적인 내용을 다루고 있다. 죽은 최 여인이 돌아와서 사랑을 나눈다는 내용은 비현실적이지만 이를 통해 죽음마저도 넘어서는, 사랑에 대한 강한 의지와 애절한 사랑을 효과적으로 드러내고 있다.

주제
생사를 초월한 남녀의 애절한 사랑

문제
1 ⑤	2 ④	3 ③	4 ⑤	5 ④
6 ③	7 ⑤	8 ③	9 ⑤	

작품 독해
① 홍건적   ② 저승   ③ 비현실적
④ 죽음   ⑤ 적극적

어휘
1 현혹   2 궁벽하다   3 빈객

깊이 읽기
1 ○   2 X

1 답 ⑤

최 여인은 이생이 담장 안을 엿보면서 이생과의 만남이 시작되었다고 말하고 있다. 따라서 부모님의 뜻에 따라 이생을 만났다는 진술은 적절하지 않다.

|오답 풀이|
① '그런데 그대께서 붉은 살구꽃이 핀 담장 안을 한번 엿보시자 ~ 거듭 만나서는 백년해로한 경우보다 정분이 더하였습니다.'를 통해 알 수 있다.
② '어찌 생각이나 했겠습니까 ~ 육신이 찢김을 스스로 택하였어요.'를 통해 알 수 있다.
③ 도적을 크게 꾸짖는 최 여인의 말과 '하지만 끝내 이리와 시랑 같은 놈에게 ~ 육신이 찢김을 스스로 택하였어요.'를 통해 알 수 있다.
④ '저는 본디 양가의 딸입니다 ~ 어찌 알았겠습니까?'를 통해 알 수 있다.

정답과 해설 • 3

2 답 ④

〈보기〉에서 우리나라 전기 소설의 비현실적인 사건은 단순히 재미만을 목적으로 한 것이 아니라 그것을 통해 현실의 벽을 넘거나 현실의 문제를 비판하며 인생에 관한 다양한 문제를 그리고 있다고 하였다. 이 글에서도 비현실적인 내용을 통해 현실의 벽, 즉 죽음을 넘어선 아름다운 사랑의 이야기를 전하려 했음을 알 수 있다.

| 오답 풀이 |

① 구체적인 배경은 오히려 현실감을 주기 위한 것이다.
② 정절을 지킨 최 여인의 행동은 오히려 유교적 덕목에 맞는 행동이라 평가할 수 있다.
③ 공민왕 때를 배경으로 한 것은 비현실적인 내용이 아니다.
⑤ 〈보기〉에서 비현실적인 요소가 단순히 재미만을 위한 것이 아니라고 설명하고 있다.

3 답 ③

죽은 최 여인이 다시 나타났지만 이생은 그녀의 존재를 의심하거나 괴이하게 생각하지 않았다. 따라서 '어느 정도 믿기는 하지만 확실히 믿지 못하고 의심함.'이라는 뜻의 '반신반의'는 적절하지 않다.

| 오답 풀이 |

① '백년해로'는 부부가 되어 한평생을 사이좋게 지내고 즐겁게 함께 늙음을 이르는 말이므로 적절하다.
② '구사일생'은 죽을 고비를 여러 차례 넘기고 겨우 살아남을 이르는 말이므로 적절하다.
④ '각자도생'은 제각기 살아 나갈 방법을 꾀함을 이르는 말이므로 적절하다.
⑤ '일장춘몽'은 한바탕의 봄꿈이라는 뜻으로, 헛된 영화나 덧없는 일을 비유적으로 이르는 말이므로 적절하다.

4 답 ⑤

마지막 부분의 최 여인의 말 중에서 '천제께서 저와 그대의 연분이 ~ 시름을 달래도록 하였던 것이지요.'를 통해 알 수 있다.

| 오답 풀이 |

① 재산을 도적에게 약탈당하지 않았는가 하는 말에 최 여인은 골짜기에 잘 묻어 두었다고 대답하고, 이생과 함께 그 재산을 찾아온다. 따라서 도적에게 재산을 약탈당했다는 진술은 적절하지 않다.
② 최 여인의 말 중에서 이생을 원망하는 내용은 찾을 수 없다.
③ 이생이 최 여인과 재회한 후 인간사에 게을러졌다는 것은 최 여인과 함께 지내다 세상일에 무관심해졌다는 의미이다. 게으름 때문에 최 여인과의 만남을 지속할 수 없게 된 것은 아니다.
④ 이생이 수습한 것은 부모님의 유해였다. 최 여인의 유해를 수습했다는 내용은 제시된 부분에 나타나 있지 않다.

5 답 ④

〈보기〉의 ②에서 천녀는 사랑하는 사람을 두고 원치 않는 곳에 시집을 가게 되어 병이 들었는데, 천녀의 혼이 사랑하는 사람에게 가서 함께 살았다고 하였다. 즉, 자신의 뜻과 달리 사랑하는 사람을 떠나야 했던 상황에 처했지만 그것을 초월하여 혼이라도 사랑하는 사람에게 찾아와 함께하였음을 이야기하고 있다. 최 여인도 이 고사를 인용하여 천녀의 혼이 사랑하는 사람을 찾아갔듯이 자신도 사랑하는 이생에게로 왔음을 말하고 있는 것이다.

| 오답 풀이 |

①, ② ① 추연의 고사를 인용한 것은 추웠던 골짜기에 따뜻한 봄이 찾아왔다는 것을 말하기 위함이다.
③ ② 천녀의 고사를 인용한 것은 천녀의 혼이 사랑하는 사람을 찾아갔듯이 자신도 사랑하는 이생에게로 왔음을 말하기 위함이지 사랑하는 남자를 두고 죽어간 여인의 서글픔을 전달하기 위한 것은 아니다.
⑤ 〈보기〉의 ③에 따르면 취굴주의 향기는 죽은 사람이 다시 살아난다는 징표임을 알 수 있다. 최 여인이 '취굴에서 삼생의 향기도 물씬 일어나네요.'라고 말한 것은 죽은 사람이 다시 살아났다는 것을 의미하고, 그 죽은 사람이 바로 자신임을 말하고 있음을 알 수 있다. 즉, 최 여인은 고사를 인용하여 죽었던 자신이 이생을 찾아왔음을 말하고 있는 것이지 사랑하는 사람과 헤어져야 하는 안타까운 현실을 부정하고 있는 것은 아니다.

6 답 ③

본문에서 이생은 친척과 빈객의 길흉사에 하례하고 조문해야 하는 경우가 있더라도 문을 걸어 잠그고 밖에 나가지 않았다고 하였다. 이러한 상황에 어울리는 한자 성어는 '집에만 있고 바깥출입을 아니함.'을 의미하는 '두문불출'이다.

| 오답 풀이 |

① '고립무원'은 고립되어 구원을 받을 데가 없음을 이르는 말이다.
② '각골난망'은 남에게 입은 은혜가 뼈에 새길 만큼 커서 잊지 아니함을 이르는 말이다.
④ '문전성시'는 찾아오는 사람이 많아 집 문 앞이 시장을 이루다시피 함을 이르는 말이다.
⑤ '오매불망'은 자나 깨나 잊지 못함을 이르는 말이다.

7 답 ⑤

삽입된 최 여인의 시에 이생과 최 여인 사이에 있었던 일이 압축적으로 제시되어 있다.

| 오답 풀이 |

① 이 글은 시간 순서대로 사건이 전개되고 있으며, 과거와 현재가 교차되지 않는다.
② 이 글은 전지적 작가 시점의 글로, 이 글의 서술자는 작품 안이 아니라 작품 밖에 위치해 있다.
③ 이 글은 두 주인공에 초점을 맞추고 있다. 제시된 부분은 주로 일정 공간 내에서의 이야기를 시간의 흐름에 따라 전달하고 있다. 장면 전환이 자주 나타나지 않는다.
④ 제시된 부분에서 인물의 외양을 묘사하여 인물의 성격 변화를 암시하고 있는 부분은 나타나 있지 않다. 이 작품에서 인물의 성격이 변화하고 있다고 보기는 어렵다.

8 답 ③

ⓒ에서는 이생은 산 사람이지만 최 여인은 이승의 사람이 아

니어서 인간 세계에 오래 머물러 있을 수 없기에 두 사람이 이승과 저승으로 나뉘어져 만날 수 없게 될 것임을 말하고 있다. 또한 글의 마지막 부분을 보면 최 여인의 장례를 지내고 최 여인을 추모하며 지내던 이생은 수개월 만에 세상을 떠났음을 알 수 있다. 따라서 이생이 수명이 많이 남아 최 여인이 떠난 뒤에도 수십 년간 이승에 남아 있음을 암시한다는 진술은 적절하지 않다.

| 오답 풀이 |
① 혼자 남아 여생을 보내고 싶지 않다는 마음을 설의적 표현을 사용하여 표현하고 있다.
② 최 여인이 저승으로 떠나지 않기를 바라는 말로, 최 여인과 함께 백년해로하고 싶은 이생의 마음이 드러나 있다.
④ 자신이 남아 있으면 이생에게 죄가 미칠 수 있기 때문에 최 여인이 떠나려 함을 알 수 있다.
⑤ 최 여인은 이생에게 자신의 유해가 그냥 밖에 드러나 있지 않게 해 달라고 부탁하고 있다. 즉, 이생이 최 여인의 유골을 거둔 것은 그 부탁을 실천하기 위함이다.

9 답 ⑤

'천상과 인간 사이에 소식이 막히리라.'는 이생과 최 여인이 이제 작별을 하게 되면 천상과 인간 사이에 길이 막혀 다시 만나기 힘들 것임을 암시하는 내용이다. 따라서 최 여인이 소망하는 미래 상황이라고 볼 수 없다.

| 오답 풀이 |
① 홍건적의 침입으로 혼란스러운 전쟁터를 '전장의 창과 방패가 시야에 가득 어지러운 곳'이라고 표현하였다.
② 도적에게 죽임을 당한 최 여인의 처지를 부서진 '옥구슬'에 빗대어 표현하였다.
③ 자신의 해골이 수습되지 못하고 흩어져 있는 것에 대한 최 여인의 서러움을 설의법을 사용하여 표현하였다.
④ 깨졌던 구리거울이 다시 갈라지는 것은 이별 뒤에 재회했다가 또다시 헤어지는 상황을 이야기하며, 이에 '마음만 쓰려라.' 하며 직설적으로 감정을 표현하였다.

깊이 읽기

2 『금오신화』의 주인공들은 현실에서는 끝내 자신의 의지를 실현하지 못하고 쓸쓸한 죽음을 맞거나, 숨을 거두고 난 뒤 비현실적인 세계에서 그 능력을 인정받는 등의 모습을 보인다고 하였다.

---

03 박씨전
28~37쪽

작품 해제

이 작품은 병자호란을 배경으로, 박씨 부인의 영웅적 면모를 다룬 여성 영웅 소설이자 군담 소설이다. 구성상 추한 외모 때문에 박씨가 시댁에서 천대받는 가정 내의 갈등을 다룬 전반부와 병자호란을 배경으로 박씨가 영웅적으로 활약하는 후반부로 나뉜다. 박씨가 허물을 벗는 것은 소설의 전반부와 후반부를 나누는 사건으로, 박씨가 변신하면서 가정 내의 갈등이 해소되고 이후 사회적 갈등을 다룬 후반부 이야기가 진행된다. 이 작품은 실존 인물을 등장시켜 작품에 사실성을 부여하고 있으며 역사적 사실을 배경으로 하되 그 내용을 일부 허구적으로 바꾸고 있는데, 이는 전쟁에서 진 패배감을 극복하려는 민중의 욕구를 반영하고 있다고 볼 수 있다. 또한 초인적인 능력을 지닌 박씨의 활약은 당시 지배 계층이었던 무능한 양반 남성들에 대한 비판과 봉건적 가족 제도에서 억압되어 살아야 했던 여성들의 해방 의식을 반영한 것이라고 할 수 있다. 여성도 남성 못지않게 우수한 능력을 갖추어 국난을 타개할 수 있다는 의식을 반영한 것이다.

주제

① 박씨의 영웅적 기상과 재주
② 청나라에 대한 적개심과 대리 만족

문제

| 1 ① | 2 ⑤ | 3 ③ | 4 ② | 5 ① |
| 6 ④ | 7 ② | 8 ① | 9 ① | |

작품 독해

① 오랑캐(청나라)　　② 허물　　③ 병자호란
④ 민족의 자긍심　　⑤ 여성

어휘

1 ㉣　　2 ㉢　　3 ㉠　　4 ㉡

깊이 읽기

1 X　　2 ○

---

1 답 ①

이 글은 작품 밖에 위치한 서술자가 전지전능한 위치에서 사건의 내막과 인물의 내면 심리까지 모두 알고 이야기하는 시점인 전지적 작가 시점의 작품이다. 또한 이 글의 서술자는 단순히 사건만을 전달하지 않고 인물이나 사건에 대한 자신의 생각도 함께 드러내고 있다.

2 답 ⑤

박 처사는 '사람의 팔자와 길흉화복은 다 하늘에 달린 것', '너의 액운이 다 끝났으니'라고 말하며 딸의 불운이 하늘의 뜻이라고 말하고 있으며, 그 불운을 자신이나 딸의 탓이라고 말하지 않고 있다.

① '어진 아내를 푸대접하여', '제가 늘 타이르곤 하지만'이라는 상공의 말을 통해 알 수 있다.
② '죄송한 마음은 산과 바다와 같습니다.', '처사 대하기가 민망할 따름입니다.'라는 상공의 말을 통해 알 수 있다.
③ 박씨에 대해 '어진 아내', '예사롭지 않은 며늘애'라고 말하는 상공의 말을 통해 알 수 있다.
④ '영랑이 뛰어난 재주로 과거에 급제하였으니'라는 박 처사의 말을 통해 알 수 있다.

3 답 ③

이 글에서 박 처사는 허물을 벗고 변화하는 술법을 딸에게 가르쳐 준다. 주인공인 박씨가 추한 허물을 벗고 변신할 수 있도록 돕고 있으므로, 주인공을 돕는 조력자의 역할을 하고 있다.

4 답 ②

박씨가 용골대를 혼내 주는 부분은 조선이 청나라에 일방적으로 항복한 역사적 사실과 다른 부분으로, 이는 전쟁의 패배로 상심한 백성들에게 민족적 자긍심을 심어 주기 위한 내용으로 볼 수 있다.

5 답 ①

[A]에서 용골대는 꾀를 내어 사면에 못을 파게 한 뒤 화약과 염초를 묻고 불을 지르게 하였으나, 박씨의 능력으로 오히려 그 불기운이 오랑캐 진영을 덮쳐 피해를 당하게 된다. 따라서 이러한 용골대의 상황은 자신의 꾀가 오히려 해로 돌아왔기에 '제 꾀에 제가 넘어간다'라는 속담으로 평가할 수 있다.

| 오답 풀이 |

② '열 번 찍어 아니 넘어가는 나무 없다'는 아무리 뜻이 굳은 사람이라도 여러 번 권하거나 꾀고 달래면 결국은 마음이 변한다는 말이다.
③ '하늘이 무너져도 솟아날 구멍이 있다'는 아무리 어려운 경우에 처하더라도 살아 나갈 방도가 생긴다는 말이다.
④ '종로에서 뺨 맞고 한강에서 눈 흘긴다'는 욕을 당한 자리에서는 아무 말도 못 하고 뒤에 가서 불평함을 비유적으로 이르는 말이다.
⑤ '재주는 곰이 넘고 돈은 되놈이 받는다'는 수고하여 일한 사람은 따로 있고, 그 일에 대한 보수는 다른 사람이 받는다는 말이다.

6 답 ④

고전 소설에서는 현실 세계에서는 도저히 불가능한 사건이 발생하기도 한다. ㉣에서는 갑자기 진이 변하여 백여 길이나 되는 늪이 되었는데, 이는 일상적인 현실에서는 일어날 수 없는 것으로 고전 소설의 전기적 특성을 보여 주는 것이다. 이를 통해 박씨와 계화의 비범한 능력을 부각하고 있다.

7 답 ②

'조선의 운수가 사나워 은혜도 모르는 너희에게 패배를 당했지만', '하늘의 뜻이기에 거역하지 못하겠구나.' 등의 박씨의

말을 통해 모든 것을 하늘의 뜻으로 돌리는 운명론적 세계관을 알 수 있다.

| 오답 풀이 |

① 계화는 박씨의 명을 받아 용골대 앞에 나타났다.
③ 박씨는 사람 목숨 죽이는 것을 좋아하지 않기 때문에 용골대를 죽이지 않고 보내 준다고 말하고 있다.
④ 용골대가 왕비를 모셔 가지 않겠다고 한 것은 박씨의 능력에 겁을 먹어서이다. 용골대가 아우의 머리를 달라고 부탁하지만 박씨는 이를 거절한다.
⑤ 진양성에서 패한 원수를 갚은 것은 박씨가 아니라 조양자로, 박씨가 이와 관련한 고사를 인용하여 용울대의 머리를 주지 않고 두고 보며 남한산성에서 패한 분을 풀겠다는 자신의 뜻을 밝힌 것이다.

8 답 ①

'무지개', '비', '얼음', '눈' 등의 소재가 나오지만 이는 계절적 배경을 드러내는 것이 아닌 계화의 비범한 능력으로 기이한 현상이 발생한 것을 표현한 것이다.

| 오답 풀이 |

② 용골대의 말을 통해 과거에 청나라의 왕비가 박씨를 조심하라고 말한 일이 독자들에게 전달되고 있다.
③ 계화가 주문을 외자 기이한 일이 벌어져 용골대의 군사들을 괴롭히고 있다. 이는 계화의 비범한 능력을 보여 주는 것이다.
④ 당당한 모습을 보이던 용골대는 계화의 능력을 본 후 겁을 먹고 용서를 빌게 된다.
⑤ 용골대가 무릎을 꿇고 애걸하는 것은 역사적 사실과 다른 허구적인 내용으로, 독자들의 흥미를 유도하는 데 효과적인 역할을 한다.

9 답 ①

〈보기〉의 빈칸에는 '부인의 태산 같은 은혜를 잊지 않을 것이옵니다.'에 해당하는 한자 성어가 들어가야 하므로 제시된 한자 성어 중 '죽은 뒤에라도 은혜를 잊지 않고 갚음을 이르는 말.'인 '결초보은(結草報恩)'이 가장 적절하다.

| 오답 풀이 |

② '동상이몽'은 같은 자리에 자면서 다른 꿈을 꾼다는 뜻으로, 겉으로는 같이 행동하면서도 속으로는 각각 딴생각을 하고 있음을 이르는 말이다.
③ '사필귀정'은 모든 일은 반드시 바른길로 돌아감을 뜻한다.
④ '상부상조'는 서로서로 도움을 뜻하는 말이다.
⑤ '와신상담'은 불편한 섶에 몸을 눕히고 쓸개를 맛본다는 뜻으로, 원수를 갚거나 마음먹은 일을 이루기 위하여 온갖 어려움과 괴로움을 참고 견딤을 비유적으로 이르는 말이다.

깊이 읽기

1 병자호란이 청나라가 조선을 침략한 전쟁인 것은 맞지만 조선은 이 전쟁에서 패하여 임금이 신하의 예를 행하기로 하며 굴욕적인 항복 의식을 치렀다.

작품 해제

이 작품은 조선 후기 영웅 소설로, 천상계에서 죄를 짓고 지상계에 다시 태어난 유충렬이 비범한 능력으로 고난을 극복하고 위기에 처한 가문과 국가를 구하는 이야기이다. 군담 소설의 하나로, 전형적인 영웅 소설의 일대기적 구조를 지니고 있으며 선악의 대립이 극명하게 제시되어 있다. 유충렬은 두 차례의 시련을 겪는데, 첫 번째 시련은 간신 정한담이 유충렬의 아버지인 유심에게 누명을 씌워 유심이 유배를 가고 유충렬과 가족들이 죽을 뻔한 위기에 처하는 것이다. 두 번째 시련은 간신 정한담의 모함으로 유충렬의 장인인 강희주가 유배를 가고 정한담이 반란을 일으켜 국가적 위기를 맞게 되는 것이다. 유충렬이 겪는 시련은 가족의 위기이면서 국가의 위기와도 관련이 된다. 유충렬은 탁월한 능력으로 고난을 극복하고 나라를 구해 가문의 명예를 회복하여 부귀영화를 누리게 된다.

주제

유충렬의 고난 극복과 승리

문제

1 ⑤	**2** ③	**3** ④	**4** ③	**5** ④
6 ⑤	**7** ⑤	**8** ⑤		

작품 독해

① 충성심 ② 정한담 ③ 유심
④ 반란 ⑤ 유충렬

어휘

1 막급 **2** 하해 **3** 모함

깊이 읽기

1 ○ **2** ○

1 답 ⑤

유심을 귀양 보내 죽게 한 것을 원망하는 충렬의 말에 천자는 '후회가 막급하나 할 말 없어 우두커니 앉아 있다'고 하였으며 친히 계단 아래로 내려와서 투구를 씌우면서 손을 잡고 '과인은 보지 말고' 나라를 도와주면 그 공을 갚겠다고 하는 것으로 보아 자신의 과오를 인정하고 있음을 알 수 있다.

| **오답 풀이** |
① 천자가 문걸의 목을 베어 들고 오는 충렬을 보고 놀라고 또 기뻐했다는 서술과 '적장 벤 장수 성명이 무엇이냐? 빨리 모시고 들어오라.', '그대는 뉘신데 죽을 사람을 살리는가?'라는 말을 통해 적장 문걸을 벤 충렬의 능력에 대한 천자의 놀라움을 확인할 수 있다.
② '충렬이 부친 유심의 죽음과 장인 강희주의 죽음을 몹시 원통하고 분하게 여겨'라는 서술과 '그 놈의 말을 듣고 충신을 멀리 귀양 보내어 죽이고'라는 충렬의 말에서 확인할 수 있다.
③ 충렬의 말을 듣고 태자는 버선발로 내려와 진심을 담아 충렬을 위로하고 설득하는데, 충렬은 이에 감화하여 천자 앞에 사죄한다.

④ 충렬은 귀양을 간 아버지와 장인의 죽음에 슬퍼하며 통곡하는데 이때 '진중의 군사들이 눈물을 흘리지 않는 이가 없더라.'라고 하였다.

2 답 ③

〈보기〉는 고전 소설에 자주 등장하는 서술 방식인 편집자적 논평에 대해 소개하고 있다. ⓒ은 충렬의 원통함과 슬픔에 산천초목, 즉 모든 자연까지 함께 슬퍼했다고 서술자가 직접 개입하여 서술한 편집자적 논평에 해당한다.

3 답 ④

[A]에서는 '주나라 성왕', '관숙과 채숙'과 관련된 이야기를 언급하며 충렬의 마음을 돌려 천자를 돕도록 설득하고 있다.(ㄴ) 또한 충렬에게 '온 힘으로 충성을 다하여 황상을 도우시면, 태산 같은 그대 공로는 천하를 반분하고, 하해 같은 그 은혜는 죽은 뒤에라도 풀을 맺어 갚겠다는 말로 후일의 보상을 약속하며 충렬에게 도움을 청하고 있다.(ㄹ)

| **오답 풀이** |
ㄱ. '충신이 죽는 것은 모두 다 하늘에 달린 일'이라며 천자에 대한 원망을 거두라고 말하고 있을 뿐 동정심을 자아내고 있지는 않다.
ㄷ. 연륜은 여러 해 동안 쌓은 경험에 의하여 이루어진 숙련의 정도라는 뜻으로, 태자가 자신의 연륜을 내세우고 있지는 않다.

4 답 ③

정한담이 도성에 쳐들어가서 천자를 쫓는 사건과 충렬이 금산성에서 적군을 무찌르는 사건은 동시에 일어난 사건이다.

| **오답 풀이** |
① 이 글에는 충렬이 적군 10만 명을 한칼에 무찌르고 천사마가 눈 한 번 깜짝하는 사이에 황성 밖을 지나 번수 가에 이르는 등 비현실적이고 전기적인 요소들이 나타나 있다.
② 이 글은 현재의 사건이 전개되고 있을 뿐 과거 사건을 회고하는 형식은 나타나지 않는다.
④ 이 글에는 천자를 배신하고 위협하는 정한담이나 정한담에게 대응 한번 제대로 하지 못하고 당하는 천자의 모습 등 인물의 부정적인 면모는 나타나 있으나 이를 반어적 표현을 통해 드러내지는 않는다.
⑤ 서술자가 직접 개입하고 있는 것은 맞지만 과거 사건의 전말을 압축적으로 제시하고 있지는 않다.

5 답 ④

충렬이 적병과 싸우고 있을 때 뜻밖에 달빛이 희미해지며 난데없이 빗방울이 떨어져 하늘의 기운을 살피니 도성에 살기가 가득하고 천자의 자미성이 떨어지는 변고가 있었다고 하였다. 이것은 승리를 예감하게 하는 것이 아니라 천자에게 위기가 닥쳤음을 암시하는 불길한 징조를 나타낸다고 볼 수 있다.

| **오답 풀이** |
① 충렬이 한칼에 10만 명을 죽이고 장성검으로 조화를 부리는 모습은 충렬의 비범한 능력을 보여 주며 충렬이 영웅적 활약을 하고 있음을 나타낸다.

② 비룡은 천자를 위기에서 구하는 데에 필요한 소재로, 천자가 있는 곳까지 충렬을 눈 깜짝하는 사이에 데려다 준다. 비룡은 충렬이 본래 천상의 인물이었음을 알려 주며 충렬의 비범함을 드러내는 요소이다.

③ 엎어지고 자빠지며 도망가는 천자의 모습이나 백사장에 엎어져 있는 천자의 모습에서 무능하고 나약함을 느낄 수 있다. 이는 왕실의 무능력함을 보여 준다.

⑤ 천자를 항복시키려는 한담은 간신의 모습으로, 천자를 구해 내려는 충렬은 충신의 모습으로 제시된다.

6 답 ⑤

㉠은 천자를 해치려는 정한담에게 충렬이 호통을 치자 정한담이 놀라 간담이 서늘하게 되었다는 것이다. 따라서 ㉠의 상황을 나타내는 말로는 '혼백이 어지러이 흩어진다는 뜻으로, 몹시 놀라 넋을 잃음을 이르는 말.'인 '혼비백산'이 가장 적절하다.

| 오답 풀이 |
① '구상유취'는 입에서 아직 젖내가 난다는 뜻으로, 말이나 행동이 유치함을 이르는 말이다.
② '산전수전'은 산에서도 싸우고 물에서도 싸웠다는 뜻으로, 세상의 온갖 고생과 어려움을 다 겪었음을 이르는 말이다.
③ '태연자약'은 마음에 어떠한 충동을 받아도 움직임이 없이 천연스러움을 뜻한다.
④ '호시탐탐'은 범이 눈을 부릅뜨고 먹이를 노려본다는 뜻으로, 남의 것을 빼앗기 위하여 형세를 살피며 가만히 기회를 엿봄을 뜻한다.

7 답 ⑤

㉤은 죽은 줄 알았던 자신의 부인을 만난 놀라움과 반가움을 표현한 말이지, 진짜 자신의 부인이 맞는지 의심하고 있는 것은 아니다.

8 답 ⑤

〈보기〉는 이 글의 이야기 구조와 서사적 요소를 설명하고 있다. 금산성에 이르러 천자와 태후가 가마에서 바삐 내려 장막 밖으로 나오는 것은 한담을 물리치고 남적과의 싸움에서 승리한 충렬을 맞이하기 위한 것으로, 가족의 위기가 국가의 위기로 연결되고 있는 상황으로 볼 수 없다.

| 오답 풀이 |
① 유심의 말을 통해 간신의 모함으로 유심이 유배를 가게 되면서 일곱 살이던 충렬과 헤어졌음을 알 수 있다. 따라서 충렬이 성장 과정에서 겪은 시련은 유심이 유배를 가면서 가족 간의 헤어짐이 발생한 데에서 비롯된 것이라고 볼 수 있다.
② '이때 장안의 ~ 요란하였다.'라는 서술에 나타난 백성들의 모습에서 충렬이 남적을 물리친 영웅으로 환영을 받으며 귀환하고 있음을 확인할 수 있다.
③ 충렬이 모친을 모시고 와서 연왕이 된 부친 유심과 함께 만나게 되는 데서 헤어짐이라는 가족의 위기가 해결됨을 알 수 있다.
④ 승상 강희주는 충렬의 장인이다. 옥문관으로 귀양 간 승상 강희주와 죽은 줄 알았던 강 낭자를 살려 온 것은 가족 위기의 해소로, 남적을 물리친 일은 국가 위기의 해소로 볼 수 있다.

05 구운몽

작품 해제
이 작품은 꿈을 활용하여 주인공이 깨달은 바를 드러낸 고전 소설이다. 성진이라는 불제자가 하룻밤의 꿈속에서 온갖 부귀영화를 누리고 깨어나 부귀영화의 덧없음과 인생무상의 깨달음을 얻어 불법에 귀의하게 된다는 내용으로, 현실과 꿈이 교차하는 '현실-꿈-현실'의 구조로 되어 있다. 꿈과 현실의 이중적 구조인 환몽 구조로 이루어진 몽자류 소설의 효시가 되는 작품이다. 조선 시대 양반 사회의 생활상과 이상을 반영하고 있는 양반 소설의 대표적 작품으로, 도교의 신선 사상·유교적인 입신양명·불교적인 공(空) 사상 등 다양한 사상을 반영하고 있으며 그중에서도 불교적 색채가 두드러진다. 조선 후기 숙종 때 김만중이 유배지인 남해에서 어머니를 위로하기 위해 지었다고 알려져 있다.

주제
부귀영화의 덧없음에 대한 깨달음

| 문제 |
1 ② 　 2 ④ 　 3 ② 　 4 ④ 　 5 ④
6 ① 　 7 ① 　 8 ③ 　 9 ⑤

| 작품 독해 |
① 불도 　 ② 꿈 　 ③ 양소유
④ 현실 　 ⑤ 성진 　 ⑥ 부귀영화

| 어휘 |
1 흠모 　 2 옥음 　 3 윤회

| 깊이 읽기 |
1 ○ 　 2 X

1 답 ②

성진이 육관 대사가 부르자 크게 놀라고 깊은 밤에 급히 부르시는 이유가 있을 것이라 생각하며 동자를 따라 법당으로 가는 것으로 보아 자신을 부르는 이유를 이미 눈치채고 있었다는 설명은 적절하지 않다.

| 오답 풀이 |
① 성진은 불교의 도가 높다 해도 적막하고 가장 높은 법을 깨닫는다 한들 누가 자신이 세상에 났다는 것을 알아주겠냐고 생각하며 불교 수행에 회의를 느끼고 있다.
③ 성진은 문책하는 육관 대사에게 조금도 공손하지 않거나 불순한 일이 없었다며 죄를 알지 못하겠다고 말하고 있다.
④ 육관 대사는 성진이 용궁에 가서 술을 먹은 일, 팔선녀와 수작한 일, 불가의 적막함을 싫어한 일을 들어 성진을 꾸짖고 있다.
⑤ 성진은 팔선녀의 목소리와 모습이 아른거리고, '나가면 삼군의 장수가 되고 ~ 대장부의 떳떳한 일이지 않은가.'라고 생각하는 데서 입신양명과 같은 속세의 출세와 부귀영화를 생각하고 있음을 알 수 있다.

2 답 ④

성진은 마음이 혼란스러워 명향을 피우고 꿇어앉아 목의 염주를 헤아린다. 이는 마음속의 번뇌를 물리치고 사사로운 망념을 잠재우려는 행동의 일환으로 내적 갈등을 해소하고자 하는 노력에 해당한다.

3 답 ②

㉠은 팔선녀를 그리워하며 세속적 삶에 대해 생각하던 성진이 스승의 부르심을 받는 상황을 나타낸다. 즉 스승에게 불려가 문책을 받는 사건이 뒤에 이어지므로 ㉠은 새로운 사건이 전개될 것임을 예고한다고 할 수 있다.

4 답 ④

진채봉은 여자가 장부를 따르는 것은 큰일이라고 하며 스스로 중매를 서고 있다. 하지만 주위의 시선을 의식하여 오늘 밤에 만나자고 하는 양생의 제안을 거절하고 날이 밝으면 만나 언약하자고 이야기하고 있다.

| 오답 풀이 |
① 양생은 채봉과 만남을 잇지 못하고 헤어진 후 슬퍼하고, 채봉은 양생의 비범함에 반해 인연을 맺고 싶어한다.
② '이 상공은 용모가 옥 같고 눈썹이 그림 같아서～'와 같은 비유적 표현을 활용하여 인물의 외양을 제시하고 있다.
③ '여자가 장부를 따르는 것은 평생의 큰일이다.', '남녀가 아직 혼례를 치르기 전에 사사로이 만나는 것은 예절에 어긋난 듯'하다는 말 등을 통해 당시의 유교적 사회 분위기를 짐작할 수 있다.
⑤ 채봉은 탁문군, 사마상여의 사례를 떠올리고, '신하도 또한 임금을 가린다'는 옛말을 떠올리며 여성인 자신도 남편을 직접 선택할 수 있다고 생각한다.

5 답 ④

편지를 통해 자신의 마음을 함축적으로 전달하고자 한 것이지, 거리가 멀어 선택한 방법은 아니다. 또한 양생은 현재 채봉과 같이 진나라에 있다.

| 오답 풀이 |
① ㉠을 써서 유모에게 주며 '꽃다운 인연을 맺어 이 한 몸 의탁하려는 뜻이 있다고' 전하라는 채봉의 말을 통해 알 수 있다. 진채봉은 여자가 장부를 따르는 일이 평생의 큰일이므로, 스스로 나서서 ㉠을 써 양생에게 전달하도록 하고 있다.
② ㉠을 읽고 양생이 글의 산뜻함을 거듭거듭 칭찬했다는 것으로 보아 짐작할 수 있다.
③ 진채봉이 양소유가 전한 ㉡을 다 읽고 나서 꽃다운 얼굴에 기쁜 빛이 가득했다고 하였다.
⑤ ㉡은 양소유가 ㉠을 읽고 유모에게 건네준 답장으로, '원하건대 달 아래 줄을 놓아 / 봄소식을 전하리라'며 진채봉과 만나고 싶다는 뜻을 드러내고 있다.

6 답 ①

ⓐ는 양생의 용모가 옥 같고 눈썹이 그림 같아서 만인 가운데서도 봉황이 닭 무리 속에 있는 것 같이 뛰어날 것이라는

내용이다. 따라서 ⓐ와 관련된 한자 성어로는 '많은 사람 가운데 가장 뛰어난 인물을 이르는 말.'인 '군계일학'이 가장 적절하다.

| 오답 풀이 |
② '금지옥엽'은 금으로 된 가지와 옥으로 된 잎이라는 뜻으로, 임금의 가족을 높여 이르는 말이다.
③ '무골호인'은 줏대가 없이 두루뭉술하고 순하여 남의 비위를 다 맞추는 사람을 뜻하는 말이다.
④ '백면서생'은 오직 글만 읽고 세상일에는 전혀 경험이 없는 사람을 뜻하는 말이다.
⑤ '오합지졸'은 까마귀가 모인 것처럼 질서가 없이 모인 병졸이라는 뜻으로, 임시로 모여들어서 규율이 없고 무질서한 병졸 또는 군중을 이르는 말이다.

7 답 ①

이 글은 '현실 – 꿈 – 현실'의 액자 구조로 되어 있는데 이 과정에서 전기적 요소가 등장하며 사건이 전개되고 있다. 육관 대사가 나타나 조화를 부려 양소유를 성진으로 되돌려 놓는 전기적 사건이 제시되어 있다.

| 오답 풀이 |
② '장주가 꿈에 나비가 되었다 나비가 장주가 되었다.'에서 장자의 고사를 활용하고 있다.
③ 이 글은 전지적 작가 시점에서 서술자가 인물의 심리와 행동, 일어나는 사건 등을 서술하고 있다.
④ 성진이 양소유로 살던 꿈에서 깨어 다시 성진으로 돌아오는 데서 확인할 수 있다.
⑤ '말을 마치기도 전에 구름이 사라지고 ～ 제 몸이 연화도량의 성진 행자인 것을 알 수 있었다.'는 성진과 그 주변 환경을 묘사한 부분이다. 이것은 성진이 꿈에서 깨어나 다시 현실로 돌아오는 과정을 보여 주는 것으로 장면이 전환되고 있음을 나타내고 있다.

8 답 ③

ⓒ은 성진이 꿈을 꾼 시간이 향로에 피운 불이 다 타고 달이 질 무렵까지라는 뜻이다. 성진은 이미 꿈에서 깨어났으므로 꿈속의 세계가 머지않아 끝날 것임을 암시하는 것은 아니다.

9 답 ⑤

꿈에서 깨어난 성진은 육관 대사가 자신에게 꿈을 꾸게 하여 인간의 부귀와 남녀의 정욕이 다 헛된 것임을 알게 한 것을 깨닫게 된다. 이에 '스승의 은혜는 천만겁을 지나도 갚지 못할 것'이라고 말하고 있는 것으로 보아 꿈을 꾸게 한 육관 대사를 원망하고 있다는 내용은 적절하지 않다.

| 오답 풀이 |
① 처음 부분의 양소유의 말을 통해 알 수 있다.
② ⓐ, ⓒ에서의 육관 대사가 ⓑ에서의 노승과 동일한 인물이다.

깊이 읽기

2 「구운몽」은 '꿈–현실–꿈'이 아닌, '현실–꿈–현실'의 구조로 이루어져 있다.

작품 해제

이 작품은 조선 후기 전라도 남원을 배경으로 기생의 딸인 춘향과 양반가 자제인 몽룡의 신분을 초월한 사랑 이야기를 다룬 고전 소설이다. 암행어사 설화, 열녀 설화 등 여러 설화를 바탕으로 판소리로 창작된 작품이 소설로 정착된 판소리계 소설로, 운문체와 산문체, 양반의 언어와 민중의 언어 등이 혼재되어 있고, 구어체와 현재형 시제 등을 사용하여 장면을 생동감 있게 표현하고 있는 데에서 판소리계 소설의 특징을 엿볼 수 있다. 춘향은 권력의 횡포에도 굴하지 않고 자신의 뜻을 굽히지 않는데, 이러한 춘향의 의지는 민중의 의지를 나타내는 것이라고도 볼 수 있다. 조선 후기의 사회상 및 민중의 소망이 투영되어 있으며, 뛰어난 풍자와 해학으로 오늘날까지도 많은 이들이 즐겨 읽는 작품이다.

주제
① 신분을 초월한 남녀 간의 사랑
② 불의한 지배 계층에 대한 항거

문제

1 ⑤	2 ②	3 ③	4 ②	5 ②
6 ④	7 ②	8 ⑤	9 ①	

작품 독해

① 춘향　　　② 탐관오리　　　③ 사랑
④ 지배 계층

어휘

1 인궤　　　2 거동　　　3 봉고파직

깊이 읽기

1 X　　　2 ○

---

1 답 ⑤

운봉은 거지꼴을 한 몽룡이 지은 글을 보고, 몽룡이 변 사또를 벌주기 위해 내려온 어사또임을 눈치채고 '일이 났다!'라고 말하고 있다. 이는 상황을 모르는 본관 사또와 대비되면서 변 사또의 어리석음을 부각하는 역할을 하기도 한다.

| 오답 풀이 |

① '그저 왔다.'라는 말에서는 반가움보다는 못마땅함이 느껴진다. 이는 몽룡이 걸인의 모습을 한 것과 관계가 있다.
② 춘향이 '애고 이게 누구시오?'라고 말한 것은 몽룡을 알아보지 못해서 그런 것이 아니라 오랜만에 몽룡을 만난 것에 대한 반가움을 표현한 것이다.
③ 춘향은 몽룡에 대한 원망은 보이고 있지 않다. 춘향이 '박명하다'라고 말한 것은 한양에 간 몽룡의 소식이 끊어지고 자신이 옥에 갇히게 된 상황과 관계가 있다.
④ 초라한 상을 받았다는 [중략 부분의 줄거리]로 보아 형편없는 음식상을 받아 놓고 포식했다고 하는 어사또의 말은 반어적 표현이라는 것을 알 수 있다.

---

2 답 ②

'일필휘지(一筆揮之)'는 '글씨를 단숨에 죽 내리 씀.'이라는 뜻이다. 이는 순식간에 글을 지었다는 내용과 일치하므로 적절한 표현이라 볼 수 있다.

| 오답 풀이 |

① '문전박대'는 문 앞에서 쫓아낼 듯이 인정 없고 모질게 대함을 뜻하는 말이다. 춘향은 몽룡을 모질게 대하고 있지 않으므로 적절하지 않은 표현이다.
③ '박장대소'는 손뼉을 치며 크게 웃음을 뜻하는 말이다. 어사또를 본 춘향이 손뼉을 치며 크게 웃고 있지는 않으므로 적절하지 않은 표현이다.
④ '동병상련'은 어려운 처지에 있는 사람끼리 서로 가엾게 여김을 이르는 말이다. 춘향이 몽룡을 자신과 같은 처지에 있다고 생각하고 가엾게 여기고 있다고 볼 수 없으므로 적절한 표현이 아니다.
⑤ '역지사지'는 처지를 바꾸어서 생각하여 봄을 뜻하는 말이다. 춘향은 모친이 다칠 것을 염려하여 자신을 만나러 오는 것을 만류하고 있다.

3 답 ③

각 행의 전반부의 '아름다운 술', '아름다운 안주', '촛불', '노랫소리' 등은 모두 탐관오리의 사치스러움을 표현한 것으로 뒤에 이어지는 백성들의 삶과 대비된다.

| 오답 풀이 |

① 이 시는 2행과 4행에 운봉이 제시한 운자를 넣어서 지은 한시이다.
② '백성의 피', '백성의 기름', '백성 눈물', '원망 소리'는 모두 고통받는 백성들의 삶을 표현한 것이다.
④ 각 행의 전반부와 후반부가 대조를 이루고, 1행과 2행, 3행과 4행이 각각 대구를 이루고 있다.
⑤ 어사또가 지은 글 두 귀는 '본관 사또의 정체를 생각하여' 지었다고 하였다. 여기에서 말하는 본관 사또의 정체는 백성을 괴롭히는 탐관오리로서의 정체를 말한다.

4 답 ②

변 사또가 춘향을 데려오라고 명령하는 것은 갈등이 해소되는 실마리라 볼 수 없다. ⓒ은 극적 반전을 위한 위기감을 고조시킨다.

| 오답 풀이 |

① 운봉은 어사출두를 예상하고 준비하고 있는데, 본관 사또는 그런 상황을 전혀 파악하지 못하고 있다. 본관 사또의 어리석음이 두드러지는 부분이다.
③ 암행어사가 출두하면서 상황의 극적인 반전이 일어난다.
④ '모든 수령 도망갈 제 거동 보소.'에 이어 ⓔ이 제시되어 있다. 이는 열거, 대구의 수사법을 사용하여 당황한 수령들이 도망치는 모습을 희화화하여 표현하고 있는 부분이다.
⑤ ⓜ은 문장 안에서 '문'과 '바람', '물'과 '목'의 위치를 바꾸어 사용하여 재미를 주는 표현으로, 당황한 본관 사또의 심정을 효과적으로 드러낸다.

5 답 ②

'마른하늘에 날벼락'은 뜻하지 아니한 상황에서 뜻밖에 입는 재난을 이르는 말로, 갑작스러운 어사출두에 당황하는 변 사또와 아전들의 상황을 나타내기에 적절하다.

| 오답 풀이 |

① '꿩 대신 닭'은 꼭 적당한 것이 없을 때 그와 비슷한 것으로 대신하는 경우를 비유적으로 이르는 말로, 윗글의 변 사또의 상황을 나타내기에 적절하지 않다.

③ '고래 싸움에 새우 등 터진다'는 강한 자들끼리 싸우는 통에 아무 상관도 없는 약한 자가 중간에 끼어 피해를 입게 됨을 비유적으로 이르는 말로, 윗글의 변 사또의 상황을 나타내기에 적절하지 않다.

④ '가지 많은 나무에 바람 잘 날이 없다'는 자식을 많이 둔 어버이에게는 근심, 걱정이 끊일 날이 없음을 이르는 말로, 윗글의 변 사또의 상황을 나타내기에 적절하지 않다.

⑤ '얌전한 고양이 부뚜막에 먼저 올라간다'는 겉으로는 얌전하고 아무것도 못 할 것처럼 보이는 사람이 딴짓을 하거나 자기 실속을 다 차리는 경우를 비유적으로 이르는 말로, 윗글의 변 사또의 상황을 나타내기에 적절하지 않다.

6 | 답 | ④

판소리계 소설에는 평민의 언어와 양반의 언어가 함께 사용되는데, '박 터졌네.'와 같은 비속어는 평민의 언어에 해당한다.

| 오답 풀이 |

① '거동 보소.'는 판소리 공연에서 주로 사용하는 말로, 판소리 사설이 소설로 정착되는 과정에서 같이 기록되어 남게 되었다.

② 의성어나 의태어를 사용하면 상황이 실감 나게 전달되는 효과가 있다.

③ 어사출두를 준비하는 모습을 나타낸 부분은 비슷한 구절을 반복하고 열거하면서 짧은 장면을 길게 표현한다. 이처럼 특정 대상이나 상황 등에 대해 관련된 여러 가지를 나열하거나 덧붙여 반복하고 부연하는 식의 문체를 확장적 문체라고 하는데, 내용 중 흥미로운 대목을 확장적 문체로 표현하여 '장면의 극대화'와 같은 효과를 가져온다. 이는 판소리 공연에서 자주 사용된다.

⑤ 양반의 권위를 상징하는 '탕건'이나 '갓' 대신 술을 거를 때 쓰는 '용수'나 작은 술상을 가리키는 '소반'을 뒤집어쓰고 우왕좌왕하는 수령들의 모습을 통해 양반을 우스꽝스럽게 표현하고 있다.

7 | 답 | ②

춘향이 몽룡이 어사또가 된 것을 알게 되는 장면이 제시되어 있기는 하지만 윗글이 역순행적 구성을 보이고 있는 것은 아니다.

| 오답 풀이 |

① 언어유희란 일종의 말장난을 말한다. '수절이 정절이라.'에서 같은 음을 의도적으로 반복하는 언어유희를 확인할 수 있다.

③ 사건이나 인물에 대해 서술자가 주관적인 생각을 드러내며 개입하는 편집자적 논평이 나타나는 것은 고전 소설의 특징 중 하나이다. 이 글에서는 '춘향의 높은 절개 광채 있게 되었으니 어찌 아니 좋을쏜가.', '세상 사람들이 누가 아니 칭찬하랴.' 등에서 편집자적 논평을 확인할 수 있다.

④ 남원을 떠나는 춘향의 마음을 삽입 시를 통해 표현하고 있다.

⑤ 어사또가 민정을 살핀 뒤 춘향과 함께 서울로 올라가 임금께 큰 벼슬을 받기까지의 과정이 요약적으로 제시되고 있다. 행복한 결말은 한국 고전 소설의 일반적인 특징 중 하나이다.

8 | 답 | ⑤

기생 월매의 딸인 춘향과 양반가의 자제인 몽룡의 사랑이 이루어진 것은 현실의 신분 제약을 넘어선 것이다. 이 작품에서 춘향은 자신이 원하는 사랑을 주체적으로 택하고, 정절을 지킨 끝에 결국 사랑을 이루어낸다. 당시가 신분 제도가 있던 사회였음을 고려할 때, 이는 이루어지기 힘든 일이었다.

| 오답 풀이 |

① 춘향과 어사또의 재회 장면에서 어사또는 춘향의 정절을 시험하고 있으므로 이 부분에서 남성 중심적 사회의 문제점이 해결되고 있다고 볼 수 없다.

② 양반인 어사또의 출세는 유교적 가치관에 바탕을 두고 입신양명을 꿈꾸는 양반들의 소망이 반영된 것이라 볼 수 있다.

③ 어사또가 춘향에게 수청을 요구하는 것은 춘향을 시험하기 위한 것이었다. 또한 이 내용은 여성의 정절이라는 유교적 가치와 관련된 내용이지, 입신양명과 관련된 내용은 아니다.

④ 춘향이 정렬부인이 되었다는 내용은 신분적 제약을 극복하고자 했던 민중의 욕구가 반영된 것으로 볼 수 있다.

9 | 답 | ①

'바람'과 '눈'은 춘향의 정절을 위협하는 시련으로 볼 수 있다. 바람에 무너지지 않고 눈에 변하지 않는다는 말을 통해 정절을 지키겠다는 의지를 보여 주는 것이다.

| 오답 풀이 |

② '변하리까.'는 설의법을 통해 변하지 않겠다는 생각을 강조하고 있는 말로, 어사또의 생각을 묻는 질문이 아니다.

③ 어사또는 춘향을 시험하기 위해 수청을 요구한 것이다. 오히려 상대방을 알아보지 못하고 있는 것은 춘향이다.

④ '층암절벽 높은 바위'와 '청송녹죽 푸른 나무'는 모두 춘향의 높은 절개를 의미하는 말이다.

⑤ '내려오는 관장마다 모두 명관이로구나.'는 반어적 표현이 사용된 말로, 자신에게 수청을 요구하는 어사또를 나무라는 내용이다.

깊이 읽기

1 실질적으로는 양반, 중인, 상민, 천민으로 나뉘는 '반상제'에 따라 신분이 구별되기는 하였으나, 조선의 법적 신분 제도는 사람의 신분을 양민과 천민으로 구분하는 '양천제'라고 하였다.

작품 해제

이 작품은 설화를 바탕으로 창작된 판소리계 소설이다. 인색하고 욕심 많은 옹고집은 도승이 보낸 자신과 똑같이 생긴 짚옹고집에게 모든 것을 빼앗기고 집에서 쫓겨난다. 사람들로부터 소외되고 고생한 옹고집은 자신의 잘못을 뉘우치고 개과천선한다. 옹고집은 부유하지만 불효하고 거지와 승려들을 박대하는 인물로, 윤리와 인정을 저버리고 돈만 중시하는 인물이라고 볼 수 있다. 이러한 옹고집의 모습은 조선 후기 일부 부도덕한 신흥 부자들의 모습으로, 작품 속에서 풍자와 계도의 대상이 되고 있다. 부유하게 살면서도 가난한 이들을 구제하지 않고 외면해서는 안되고, 도덕성을 지녀야 한다는 메시지를 담고 있는 작품이라 할 수 있다. 또한 이 작품에는 여러 설화의 화소가 나타나 있는데, 욕심 많고 인색한 부자가 자신의 집에 찾아온 승려를 괴롭히다 벌을 받는 것은 「장자못 전설」에 담겨 있는 내용이고, 자신과 똑같이 생긴 가짜에게 자리를 빼앗기는 것은 「쥐 둔갑 설화」에서 찾아볼 수 있는 이야기이다.

주제

인간의 참된 도리에 대한 교훈, 개과천선

문제

1 ①　　2 ⑤　　3 ③　　4 ③　　5 ⑤
6 ①

작품 독해

① 짚옹고집　　② 참옹고집　　③ 개과천선
④ 부모　　　　⑤ 재산　　　　⑥ 도리

어휘

1 자수성가　　2 전전걸식　　3 가산

깊이 읽기

1 X　　2 ○

---

1 답 ①

참옹고집은 종을 부르고자 하나 그들이 자신이 진짜인 것을 알지 못하고 짚옹고집의 명령을 따를 것 같아서 아무 말도 하지 못하고 있다. 이로 보아, 다른 사람들이 자신과 짚옹고집 중 누가 진짜인지 구분할 수 있을 것이라고 믿고 있다고 볼 수 없다.

| 오답 풀이 |

② 둘 다 상전(옹고집)인 것 같아서 하인들은 누구의 말을 따라야 할지 몰라 서 있기만 하고 있다.

③ '갑갑하여 죽겠구나.'와 같은 표현에서 참옹고집의 답답한 심정이 드러나 있다.

④ 자신의 조상들에 대해 제대로 밝히지 못하고 있는 참옹고집과는 달리, 짚옹고집은 옹고집의 조상들에 대해 상세하게 이야기를 하고 있다.

⑤ 원님은 집안에 대해 더 상세한 정보를 알고 있는 짚옹고집을 진짜 옹고집이라고 여기고 있다.

2 답 ⑤

ⓐ는 참옹고집과 짚옹고집의 사조를 각기 말하라는 명령이다. 원님이 참옹고집과 짚옹고집 중 누가 진짜 옹고집인지를 가려내기 위해서 분부한 것이다. 참옹고집은 자신의 호적에 관해 별로 상세하게 얘기하지 못하지만, 짚옹고집은 자세하게 집안에 대해 말하여 누가 진짜인지 분간하는 일에서 승리를 거두게 된다. 따라서 ⓐ는 인물들 간에 벌어진 시비를 가려내는 도구로 활용되고 있다.

3 답 ③

[A]에서 성주에게 만일 자신이 배우지 못했고 성주가 명백히 밝히지 아니하면 천여 석의 가산을 잃을 뻔했다며 안도감을 나타내고 있다.(ㄴ) 또한 '네 이 개 같은 녀석아 ~ 그런 마음을 내어 그러할꼬.'에서 짚옹고집은 참옹고집 행세를 하며 참옹고집을 질책하고 있다.(ㄷ)

| 오답 풀이 |

ㄱ. [A]에는 상대를 회유하기 위해 동정심을 자아내는 내용은 없다.

ㄹ. [A]에는 권위자의 견해를 인용한 내용은 없다.

4 답 ③

짚옹고집이 '돈과 곡식을 흩어 사방에 몹시 가난한 사람을 구제한단 말이 낭자하니, 팔도 거지 패와 각 절의 유걸승이 구름 모이듯 모여들'었다고 하였다.

| 오답 풀이 |

① 짚옹고집은 도술을 부려 참옹고집이 집 근처로 왔다는 것을 알아낸 것이지 참옹고집을 집으로 오게 하기 위해 도술을 부린 것은 아니다.

② 짚옹고집이 송사를 이긴 내력에 대해 가족들이 의심을 품는 내용은 나타나지 않는다.

④ 사환은 산에 있는 참옹고집에게 집으로 가자고 했을 뿐 옛일을 떠올리며 눈물을 흘리고 있지는 않다.

⑤ 참옹고집은 집으로 가자는 사환의 말에 갈 마음 없다고 주저했다. 앞장서서 집으로 향했다고 보기는 어렵다.

5 답 ⑤

짚옹고집이 잔치를 연다는 소식에 참옹고집은 분이 나 남의 재물 갖고 제 마음대로 쓰는 놈은 어떤 놈의 팔자냐며 찾아가서 내 집 마지막으로 보고 죽자고 말하고 있다. 이로 보아 참옹고집이 자신의 집을 마지막으로 보고 죽자고 말하는 것은 짚옹고집의 행동 때문에 서러움과 원통함을 느끼며 절망하고 있는 모습이지 잘못을 뉘우치고 있는 모습은 아니다.

| 오답 풀이 |

① 짚옹고집이 재물과 곡식을 흩어 활인 구제하겠다는 것은 부자가 가난한 사람을 구제하는 일을 하는 것으로, 착한 사람이 해야 할 일을 보여 주고 있다.

② 짚옹고집이 참옹고집을 집으로 데려오라고 하는 것은 참옹고집을

집으로 데려와 깨우침을 주어 앞으로 착한 사람으로 살아가도록 하려는 것이다.
③ 참옹고집이 개과천선하여 일가친척이며 친구와 사람들에게 인심을 주장하는 것은 자신의 악행을 반성하고 착한 사람이 되어 행동하는 모습을 제시한 것이다.
④ 참옹고집이 부모 박대하고 유걸 산승 욕보였다는 것은 유교적, 불교적으로 잘못된 행적을 나타낸 것이다.

6 답 ①

㉠은 참옹고집에게 벌을 내려 후세 사람들에게 본보기를 주려는 의도를 말한 것이다. 즉, 참옹고집에게 '한 사람을 벌주어 백 사람을 경계한다는 뜻으로, 다른 사람들에게 경각심을 불러일으키기 위하여 본보기로 한 사람에게 엄한 처벌을 하는 일을 이르는 말.'인 '일벌백계'를 하여 사람들에게 교훈을 주려고 한 것이다.

│오답 풀이│
② '결초보은'은 죽은 뒤에라도 은혜를 잊지 않고 갚음을 이르는 말이다.
③ '호가호위'는 여우가 호랑이의 위세를 빌어 호기를 부린다는 데에서 유래한 것으로, 남의 권세를 빌려 위세를 부림을 뜻하는 말이다.
④ '주마가편'은 달리는 말에 채찍질한다는 뜻으로, 잘하는 사람을 더욱 장려함을 이르는 말이다.
⑤ '아전인수'는 자기 논에 물 대기라는 뜻으로, 자기에게만 이롭게 되도록 생각하거나 행동함을 이르는 말이다.

│깊이 읽기│

1 「옹고집전」에서는 며느리가 스님을 괴롭혀 벌을 받는 내용이 나타나 있지 않다. 또한 「장자못 전설」에서 스님을 괴롭힌 것은 며느리가 아니라 장자이다.

작품 해제
이 작품은 허생이라는 인물을 통해 당대 사회의 모순과 지배 계층인 사대부의 무능과 허위의식을 비판하고 있는 고전 소설이다. 작가의 실학사상과 날카로운 현실 인식, 당대 현실에 대한 비판 의식이 담겨 있다. 비범한 식견과 능력을 가진 허생의 행적을 중심으로 이야기가 전개되고 있는데, 허생의 행위는 크게 세 가지로 나누어 볼 수 있다. 첫 번째는 허생이 매점매석을 하여 많은 돈을 버는 것으로, 이를 통해 그 당시의 취약한 경제 구조를 드러낸다. 두 번째는 허생이 도적 떼를 이끌고 빈 섬으로 들어가는 것으로, 이를 통해 지배층의 무능으로 양민이 도둑이 되는 사회 현실을 비판하면서 이용후생의 실천을 강조한다. 마지막은 허생이 이완 대장과 만나 대화하는 것으로, 허생은 인재 등용·명나라 후손 후대·유학과 무역이라는 세 가지 계책을 제시하지만 이완은 받아들이지 못한다. 이를 통해 의미 없는 북벌론만을 내세우는 무능한 양반 계층을 비판하고 있다.

주제
① 사대부 계층의 무능과 허위의식 비판
② 지배층의 각성 및 실천 촉구

│ 문제 │

1 ③	2 ③	3 ⑤	4 ④	5 ④
6 ④	7 ④	8 ①	9 ⑤	

│ 작품 독해 │

① 말총	② 경제	③ 허례허식
④ 북벌론	⑤ 인재	⑥ 실리

│ 어휘 │

1 교유	2 기근	3 삼고초려

│ 깊이 읽기 │

1 ○	2 X

1 답 ③

이 글에서 허생은 의도했던 대로 매점매석으로 큰돈을 번다. 그리고 도적들을 이끌고 빈 섬으로 가서 새로운 이상국과 관련된 시험을 하고 있다. 하지만 사건이 서술되는 과정에서 과거와 현재가 교차하는 부분은 나타나지 않는다.

│오답 풀이│
① 허생이 안성에서 제주, 빈 섬 등으로 이동하면서 사건이 전개되고 있다.
② 매점매석하는 행동이나 도적들을 구제하는 일과 관련하여 허생이 하는 말이나 행동을 통해 허생의 비범하고 영웅적인 면모가 드러나고 있다.
④ 당대의 취약한 경제 구조와 허례허식의 풍속을 비판적으로 여기는 냉철한 인식이 드러나 있다.
⑤ 허생이 이상국을 실현하기 위한 실천의 과정이 나타나고 있다.

2 탑 ③

상인들이 허생에게 다시 열 배 값을 주고 과일을 되사간 것은 허생이 매점매석 행위를 하여 물건 값이 올랐기 때문이다. 나라의 경제 구조는 오히려 취약하다고 볼 수 있다.

| 오답 풀이 |

① 안성은 경기도와 충청도가 만나는 곳이요, 삼남으로 통하는 길목이라고 하였다.

② 허생이 만 냥으로 물건을 매점하자 그 물건 값이 마구 오르는 데서 나라의 경제 규모가 작고 취약한 것을 짐작할 수 있다.

④ 허생이 도적들을 모아 무인도로 데려감으로써 온 나라의 도적 걱정이 없어졌다고 하였다. 이러한 허생의 행동은 나라의 근심을 해결한 영웅적인 모습이라 할 수 있다.

⑤ 허생이 제주도에서 말총을 몽땅 사들여서 얼마 뒤 망건값이 열배에 이르렀다. 말총은 망건을 만들 때 필요한 재료인데, 말총이 없어져 망건값이 열 배로 오르는 데서 예법을 지키기 위해서라면 값이 크게 올라도 양반들이 그것을 반드시 구입했기 때문임을 추측할 수 있다.

3 탑 ⑤

㉠ 다음에 이어지는 허생의 말에서 '화근'은 글을 아는 사람을 가리킨다. 글을 아는 사람을 빈 섬에서 데리고 나온 데서 허생의 지식인들에 대한 비판적 인식을 짐작할 수 있다. 따라서 ㉠은 백성들에 피해를 주는 일을 막기 위해 애초부터 지식인들을 섬에 남겨 두지 않으려는 것이다.

4 탑 ④

변 씨가 허생에게 이 대장을 데려온 까닭을 자세히 말했다고 하였으므로 허생은 이 대장이 자신을 찾아온 뜻을 알았다. 하지만 허생은 이 대장을 문밖에 오래 세워 두고, 이 대장이 들어올 때도 자리에서 일어나지도 않는다. 즐겁게 술을 대접했다는 내용은 나타나 있지 않다.

| 오답 풀이 |

① 이 대장은 변 씨로부터 허생에 관한 이야기를 듣고 함께 찾아가서 허생을 만난다.

② 변 씨는 허생의 얼굴이 조금도 좋아지지 않은 것을 보고 허생이 만 냥을 다 잃었다고 판단한다.

③ 이 대장은 변 씨에게 일반 백성들이 사는 곳에도 기이한 재주를 가져서 큰일을 함께할 만한 사람이 있지 않겠느냐고 물었다.

⑤ 허생이 와룡 선생 같은 사람을 천거할 테니 조정에 요청해서 그에게 삼고초려하게 할 수 있겠느냐고 묻자 이 대장은 어렵겠다고 한다.

5 탑 ④

㉠은 이 대장이 찾아온 사실을 알고는 있지만 그에 대해 대꾸하지 않는 상황이므로 '잠자코 아무 대답도 하지 않음.'의 뜻을 지닌 '묵묵부답'이 가장 적절하다.

| 오답 풀이 |

① '갑론을박'은 여러 사람이 서로 자신의 주장을 내세우며 상대편의 주장을 반박함을 뜻한다.

② '견강부회'는 이치에 맞지 않는 말을 억지로 끌어 붙여 자기에게 유

리하게 함을 뜻한다.

③ '교언영색'은 아첨하는 말과 알랑거리는 태도를 뜻한다.

⑤ '설왕설래'는 서로 변론을 주고받으며 옥신각신하거나 또는 말이 오고 감을 뜻한다.

6 탑 ④

〈보기〉는 작가가 실학사상에 입각해 선진적인 현실 인식을 갖고 있었지만, 사대부 계층으로서 일정한 한계를 노출하기도 한다는 내용이다. ④처럼 허생이 사대부인 자신과 장사치를 구별해 장사치를 비하하는 데서 박지원의 신분적 인식에서의 한계를 살펴볼 수 있다.

7 탑 ④

허생은 이 대장에게 세 가지 계책을 제시하지만, 여기에 이완 대장과 같은 신임받는 신하가 앞장서서 예법을 따라야 한다는 내용은 나타나 있지 않다.

8 탑 ①

허생은 이 대장에게 세 가지 계책을 제안한다. 특히 청나라에 당한 치욕을 씻기 위한 다양한 방안을 말하고 있으므로 목적을 이루기 위한 실질적인 방안을 제시하고 있다고 할 수 있다. 그런데 이 대장은 사대부라면 누구나 삼가 예법을 지키는데, 누가 변발을 하고 오랑캐 옷을 입으려 들겠냐며 실현 가능성을 고려해 허생의 제안을 거부하고 있다.

9 탑 ⑤

만주족이 조선을 자기들에게 다른 나라에 앞서 복종해 온 나라라며 신뢰하고 있다는 점은 만주족의 조선에 대한 인식을 나타낸 것일 뿐, 명분에 집착하는 사대부들의 태도와는 관련이 없다.

| 오답 풀이 |

① 우리나라 젊은이들을 보내 선비는 빈공과를 보게 하고 다른 사람들은 장사를 하게 해 만주족과 실질적으로 교류하여 허실을 엿보자는 것은 실리를 중시해야 한다는 태도와 관련 있다.

② 허생이 말한 방책들 중 이 대장이 한 가지도 이룰 수 없다고 한 데서 집권층의 무능함을 알 수 있다.

③ 변발과 오랑캐 옷을 입는 일을 예법 때문에 거절한 것은 사대부의 예법을 고수하려는 태도이며 그것은 허생에게는 허례허식에 불과한 모습이다.

④ 허생이 간 곳이 없이 사라지는 미완의 결말은 허생의 이인다운 풍모를 부각하기도 하지만 허생이 제시한 정책이 당시 조선에서는 수용되기 어렵다는 것을 암시한다고 할 수 있다.

〔깊이 읽기〕

2 북벌론이 청나라를 정벌하자는 주장은 맞지만, 북벌론을 주장하는 사람들은 청나라를 오랑캐 나라로 여기며 청의 문물을 수용하려 하지 않았다.

작품 해제

이 작품은 규중 부인의 바느질 도구인 바늘, 자, 가위, 인두, 다리미, 실, 골무를 의인화하여 인간 세태를 풍자한 작품이다. 바느질 도구의 생김새나 특성에 따라 이름을 설정하고 구체적 인물로 의인화하여 생동감 있게 표현하고 있다. 이 작품은 규중의 일곱 벗이 서로 공을 다투는 부분과 일곱 벗이 인간을 원망하는 부분으로 나누어진다. 전반부에서 규중 칠우는 남을 깎아내리며 공치사만 하는 경쟁 관계에 있다가, 후반부에서는 같은 입장이 되어 탄식하고 동정하는 관계로 변한다. 전반부에서 규중 칠우는 풍자의 대상으로, '이기적이고 남을 깎아내리기 좋아하는' 인간들의 모습을 나타내며, 후반부에서 규중 칠우는 인간을 비판하고 풍자하는 역할을 담당하게 된다. 이처럼 이 작품은 일곱 벗을 통해 인간을 풍자하기도 하고 인간이 추구해야 할 바람직한 삶의 자세도 전달하고 있다.

주제

① 공치사를 일삼는 인간에 대한 비판
② 역할과 직분에 따른 성실한 삶 추구

문제

1 ⑤   2 ②   3 ⑤   4 ⑤   5 ③
6 ①

작품 독해

① 척   ② 가위   ③ 감투 할미
④ 다리미   ⑤ 경쟁   ⑥ 원망

어휘

1 ㉡   2 ㉠   3 ㉢

깊이 읽기

1 X   2 ○

1 답 ⑤

'교두 각시'는 '척 부인'에게 '그대 아무리 마련을 잘한들 베어 내지 아니하면 모양이 제대로 되겠느냐?'라고 말하며 척 부인의 공이 자신의 도움이 있어야 가능하다고 이야기하고 있다.

|오답 풀이|

① '울 낭자'는 자신이 '인화 부인'과 유사한 일을 하지만 자신이 일하는 범위가 더 넓기에 자신의 공이 더 크다고 말하고 있다.
② '감투 할미'는 '세요 각시'의 뒤만 따라다니는 '청홍흑백 각시'를 비웃고 있다. '청홍흑백 각시'의 겸손함을 칭찬하고 있는 것은 아니다.
③ '세요 각시'는 '척 부인'과 '교두 각시'의 말이 옳지 않다며, 그들의 공은 자신의 덕이라고 말하고 있을 뿐 그들이 거짓말을 한다고 말하고 있지는 않다.
④ '척 부인'은 실과 비단의 종류를 나열하고 있을 뿐 자신이 하는 다양한 일을 나열하고 있지는 않다.

2 답 ②

일곱 사물의 이름의 근거는 다음과 같다.

㉠ 세요 각시 – 가느다란 바늘의 모양에서 비롯됨.(생김새)
㉡ 척 부인 – '자'를 의미하는 한자 '척(尺)'에서 비롯됨.(한자의 발음)
㉢ 교두 각시 – 두 날이 교차하는 가위의 모양에서 비롯됨.(생김새)
㉣ 인화 부인 – 불에 달구어 사용하는 인두의 쓰임새에서 비롯됨.(쓰임새)
㉤ 울 낭자 – '다리다'의 의미를 갖는 한자 '울(熨)'에서 비롯됨.(한자의 발음)
㉥ 청홍흑백 각시 – 실의 다양한 색깔에서 비롯됨.(생김새)
㉦ 감투 할미 – 감투를 닮은 골무의 모습에서 비롯됨.(생김새)

3 답 ⑤

자로 마름질하고 가위로 잘라 낸다고 하더라도 자신이 꿰매지 않으면 소용이 없다는 뒤의 내용으로 볼 때, 아무리 좋은 것이라도 그것을 다듬고 잘 만들어야 가치를 지니게 된다는 의미의 속담이 들어가는 것이 적절하다. 따라서 아무리 훌륭하고 좋은 것이라도 다듬고 정리하여 쓸모 있게 만들어 놓아야 값어치가 있음을 비유적으로 이르는 말인 '진주가 열 그릇이나 꿰어야 구슬'이 들어가는 것이 적절하다.

|오답 풀이|

① '갈수록 태산'은 갈수록 더욱 어려운 지경에 처하게 되는 경우를 비유적으로 이르는 말이다.
② '가는 날이 장날'은 일을 보러 가니 공교롭게 장이 서는 날이라는 뜻으로, 어떤 일을 하려고 하는데 뜻하지 않은 일을 공교롭게 당함을 비유적으로 이르는 말이다.
③ '울며 겨자 먹기'는 맵다고 울면서도 겨자를 먹는다는 뜻으로, 싫은 일을 억지로 마지못하여 함을 비유적으로 이르는 말이다.
④ '쇠귀에 경 읽기'는 소의 귀에 대고 경을 읽어 봐야 단 한 마디도 알아듣지 못한다는 뜻으로, 아무리 가르치고 일러 주어도 알아듣지 못하거나 효과가 없는 경우를 이르는 말이다.

4 답 ⑤

'울 낭자'는 자신과 인화 부인이 '하는 일이 같고 욕되기도 마찬가지'라고 하면서 사람들이 자신을 함부로 대해 목이 떨어져 나갈 뻔한 일에 대한 불만을 이야기하고 있다. 혼자 욕을 먹는 것에 대해 불만을 말하고 있지는 않다.

|오답 풀이|

① '교두 각시'는 자신을 내어 던지거나 양다리를 잡고 흔드는 사람에 대한 불만을 이야기하고 있다.
② '세요 각시'는 사람의 손톱 밑을 찔러 복수하고 싶지만 감투 할미의 방해로 그렇게 할 수 없어 속상하다고 말하고 있다.
③ '척 부인'은 사람이 게으른 종의 잠을 깨울 때 자신을 사용하는 경우가 많다는 불만을 이야기하고 있다.
④ '인화 부인'은 사람이 자신을 굳은 것을 깰 때 쓰는 것에 대한 불만을 말하고 있다.

5 답 ③

이 글은 자신의 공만을 내세우는 사람들을 비판하면서 역할과 직분에 따른 성실한 삶의 필요성에 대해 이야기하고 있다. 이 글에서 유교적 가부장제 사회에 대한 비판은 확인할 수 없다.

| 오답 풀이 |

① 〈보기〉를 통해 이 글은 한글 수필임을 알 수 있다. 또한 이 글에서는 바느질할 때 사용하는 일곱 가지 물건(바늘, 자, 가위, 인두, 다리미, 실, 골무)을 의인화하여 각 인물들의 심리를 섬세하게 표현하고 있다.

② 이 글의 제재인 '바느질'은 조선 시대 여성들의 삶과 밀접한 관련이 있다.

④ 이 글은 의인화한 사물들끼리 논쟁을 하는 설정이 돋보이는 작품이다.

⑤ 이 글은 바느질에 사용하는 도구를 의인화하여 세태를 우회적으로 풍자한 작품으로, 남을 헐뜯으며 공치사만 하거나 불평하지 말고 자신의 역할과 직분에 따른 성실한 삶을 추구해야 한다는 주제를 담고 있다.

6 답 ①

[A]에서 감투 할미는 '여자'에게 재빨리 사죄하면서 자신을 비롯한 인물들의 잘못에 대해 용서를 구하고 있다. 이러한 감투 할미의 대응에 '여자'는 감투 할미의 공을 높게 평가하며 금주머니를 짓고 그 가운데 넣어 늘 몸에 지니고 다니겠다고 한다. 이를 바탕으로 감투 할미는 처세술에 능한 인물이라고 평가할 수 있다.

| 오답 풀이 |

② 감투 할미가 상황에 맞지 않는 말과 행동으로 웃음을 유발하지는 않는다.

③ 여자에게 즉시 용서를 구하는 감투 할미를 강직한 인물이라고 평가할 근거는 없다.

④ 감투 할미가 여자에게 사죄를 하는 것을 자신의 손해를 감수하는 행위로 볼 수는 없으며 다른 사람에게 이익을 주기 위한 행동도 아니다.

⑤ 감투 할미에게 권력이 있다고 볼 수는 없으며, 권력을 이용해 약한 사람을 괴롭히는 모습은 제시되어 있지 않다.

깊이 읽기

1 궁정 수필은 궁중에서 생활하던 여인들이 궁중에서 일어났던 일에 대해 쓴 수필을 말한다.

10 흥보가

작품 해제

이 작품은 오늘날까지 전해지는 판소리 다섯 마당의 하나로, '흥부가', '박타령'이라고도 불리는 우리나라의 대표적인 판소리 작품이다. 흥미로운 내용과 해학적 표현, 생동감 넘치는 묘사와 익살 등이 돋보이며 조선 후기의 사회상을 반영하고 있다. 형제간의 우애와 인과응보에 따른 권선징악의 주제를 나타내고 있는데, 그 이면에는 당대 사회의 문제점을 비판적으로 바라보는 시선이 담겨 있다. 「흥보가」의 배경이라 할 수 있는 조선 후기는 신분 외에도 경제력이 중요한 기준이 되고, 부익부 빈익빈 현상이 심화된 시대였다. 이러한 조선 후기의 사회상을 선악과 빈부의 대립 구조로 실감나게 포착하고 있다. 흥보는 고운 심성을 지니고 있지만 생활력이 없고 가난한 몰락한 양반이며, 놀보는 인정 없고 고약하여 인륜 도덕도 지키지 않고 물질만을 추구하는 물질 만능주의의 인물이다. 이러한 흥보와 놀보의 모습을 통해 조선 후기 사회 현실의 문제점을 해학적이고 풍자적으로 드러내고 있다. 또한 운문체와 산문체가 혼합되어 있고 일상적인 대화의 말투와 현재형 시제, 비속어, 의성어, 의태어 등을 사용하여 장면을 생동감 있게 표현하고 있다.

주제

① 형제 간의 우애와 권선징악
② 조선 사회의 부조리(빈부 간의 갈등)

문제

1 ④   2 ⑤   3 ④   4 ③   5 ②
6 ②

작품 독해

① 매품   ② 걱정   ③ 실망
④ 물질   ⑤ 양반   ⑥ 매품팔이

어휘

1 궁핍   2 절량   3 정화수

깊이 읽기

1 X   2 ○

1 답 ④

흥보는 병영 영문에 잡힌 죄수를 대신해 매를 맞기로 하고 돈을 받은 후 기뻐하며 집으로 돌아온다. 돈의 출처를 묻는 마누라에게 흥보가 사실대로 설명하고 있는 것으로 볼 때, 매를 맞기로 한 일을 마누라가 알게 될까 우려하고 있는 것은 아님을 알 수 있다.

| 오답 풀이 |

① 흥보는 양식이 떨어졌다며 나중에 갚을 테니 곡식을 빌려 달라고 호방에게 부탁하였다.

② 흥보는 매품을 팔기로 하고 마삯에 해당하는 돈 닷 냥을 먼저 받자 '얼씨구나 돈 돈.'하며 좋아라 하였다.

③ 흥보 마누라는 흥보에게 '어떻게 해서 생겨난 돈인지 좀 압시다.' 하고 물었다.

⑤ 흥보 마누라는 흥보를 걱정하여 '곤장 한 대를 맞고 보면 죽도록 골병 된답디다.'라고 하며 흥보의 매품팔이를 말리고 있다.

2 답 ⑤

문맥을 고려할 때, ㉠에는 아무리 어려운 경우에 처하더라도 살아 나갈 방도가 생긴다는 의미의 속담이 들어가는 것이 적절하므로 '하늘이 무너져도 솟아날 구멍이 있는 법'이 가장 적절하다.

| **오답 풀이** |

① '백지장도 맞들면 낫다'는 쉬운 일이라도 협력하여 하면 훨씬 쉽다는 말이다.

② '모로 가도 서울만 가면 된다'는 수단이나 방법은 어찌 되었든 간에 목적만 이루면 된다는 말이다.

③ '서당 개 삼 년에 풍월(을) 읊는다'는 서당에서 삼 년 동안 살면서 매일 글 읽는 소리를 듣다 보면 개조차도 글 읽는 소리를 내게 된다는 뜻으로, 어떤 분야에 대하여 지식과 경험이 전혀 없는 사람이라도 그 부문에 오래 있으면 얼마간의 지식과 경험을 갖게 된다는 것을 비유적으로 이르는 말이다.

④ '수염이 대 자라도 먹어야 양반이다'는 배가 불러야 체면도 차릴 수 있다는 뜻으로, 먹는 것이 중요함을 비유적으로 이르는 말이다.

3 답 ④

'돈을 못 보면 삼강오륜이 끊어지니'는 돈이 없으면 삼강오륜도 지킬 수 없다는 의미이므로 돈에 의해 유교적 가치관이 흔들리는 현실과 함께 유교적 덕목보다 경제력이 중시되었던 당대의 사회적 분위기를 확인할 수 있다.

| **오답 풀이** |

① 흥보는 궁핍하여 곡식을 얻으러 가면서도 양반으로의 체면을 걱정하여 호방에게 존대를 할지 하대를 할지 고민하며 말끝을 흐리고, '양도가 절량되어서'에서처럼 한자를 사용하여 양반으로의 체면을 살리고자 한다. 이와 같이 처지에 맞지 않게 체면을 차리는 흥보의 모습이 웃음을 유발한다.

② '돈 봐라 돈.', '가지 마오' 등의 어구가 반복되면서 리듬감이 조성되고 있다.

③ 흥보와 흥보 마누라는 글에서만 쓰는 특별한 말이 아닌, 일상적인 대화에서 쓰는 말을 사용하여 사실적인 느낌을 주고 있다.

⑤ 경제적으로 몰락한 양반인 흥보가 아전인 호방에게 제대로 하대를 하지 못하는 모습에서 양반의 권위가 약화되고 있던 당대의 현실을 짐작할 수 있다.

4 답 ③

㉢에는 매품을 팔러 병영에 간 흥보가 돌아오지 않자 걱정하며 기다리는 흥보 마누라의 마음이 담겨 있다. 흥보의 상황을 짐작하고 허탈해하는 것은 아니다.

| **오답 풀이** |

① ㉠은 흥보가 병영으로 가면 먹을 것을 구해 올 수 있으리라는 자식들의 기대가 담겨 있다.

② ㉡은 매품을 팔지 못해 가족들을 잘 먹이지 못하게 된 상황에 대한

흥보의 아쉬운 마음이 담겨 있다.

④ ㉣은 매품을 팔아 몸이 상하지는 않았는지 걱정하며 얼른 확인해 보고 싶은 흥보 마누라의 마음이 담겨 있다.

⑤ ㉤에서 흥보 마누라는 옷을 헐벗어도 좋고 굶어 죽어도 좋다며 흥보가 매를 맞지 않고 무사히 돌아온 것에 대해 기뻐하고 있다.

5 답 ②

〈보기〉는 판소리의 주요 특징 중 해학적 요소에 관한 설명이다. 이 글에서는 극심한 가난으로 매품팔이를 할 수밖에 없는 처지를 웃음을 유발하는 상황으로 표현하고 있다. ⓐ에서는 볼기를 파는 가게라는 뜻의 '볼기전'으로 흥보가 볼기를 까고 엎드려 있는 모습을 우스꽝스럽게 표현하고 있고, ⓒ에서는 앞의 사령이 말한 '곯았소'의 '곯다'를 계란에 덧붙여 표현하는 언어유희를 통해 해학을 느끼게 하고 있다.

6 답 ②

㉮는 매품을 팔러 가는 흥보에게 자식들이 사오라고 하는 음식이다. 매품을 팔러 가는 아버지에 대한 걱정이나 집안의 사정을 생각하지 않는 철없는 자식들의 모습을 보여 준다. ㉯는 흥보가 매품을 팔러 간 뒤 무사하게 돌아오기를 기원하기 위한 것으로 흥보에 대한 흥보 마누라의 애정과 관계가 깊다.

> **깊이 읽기**
>
> 1 판소리는 광대 한 사람이 고수의 북장단에 맞추어 서사적인 이야기를 소리와 아니리로 엮어 몸짓을 곁들이며 구연하는 우리 고유의 민속악이라고 하였다. 즉, 창자 혼자 공연하는 것이 아니라 창자와 고수 두 사람이 공연한다.

고전 시가

I. 나라를 향한 마음

01 **백설이 잦아진 골에** 106~107쪽

작품 해제

이 작품은 고려의 몰락에 대한 한탄과 우국의 마음을 노래한 시조이다. 이 작품을 지은 이색은 고려의 유신으로, 이 작품은 고려의 국운이 쇠퇴하고 조선을 건국하려는 신흥 세력이 점점 커지고 있는 고려 말의 시기에 창작되었다. 이와 같은 시대적 상황을 고려하면, '백설'이 잦아지고 '구름'이 험하게 일고 있는 것은 고려의 유신이 사라져 가고 조선 왕조 건국을 추진하는 신흥 세력이 많아지고 있는 고려 말의 상황을 표현하고 있다고 이해할 수 있다. 또한 지조와 절개를 상징하는 '매화'를 시어로 활용하고 있는데, 고려에 충절을 다할 우국지사를 '매화'로 표현하여 '매화'가 나타나지 않음을 한탄하며 나라를 걱정하는 마음을 드러내고 있다. '백설'과 '매화', '구름'이라는 소재의 대비를 통해 자신이 충성을 다했던 고려의 국운이 쇠락해 가고 조선 왕조 건국을 추진하는 신흥 세력이 득세하는 당시의 혼란스러운 상황에 대한 한탄과 나라를 걱정하는 마음을 드러내었다.

주제

고려의 국운 쇠퇴에 대한 한탄과 우국충정

> **백설**이 잦아진 골에 **구름**이 머흐레라 □ → △ : 대조
> 고려의 유신   조선의 신흥 세력
> 반가온 **매화**는 어느 곳에 픠엿는고
> 절개와 지조의 충신. 우국지사
> 석양에 홀로 셔 이셔 갈 곳 몰라 하노라
> 기울어 가는 고려 왕조를 의미함.   지식인의 고뇌와 안타까움

독해 연습

1 (1) 골짜기   (2) 피었는가
2 (1) 한탄   (2) 백설, 매화, 구름
3 ㄱ, ㄴ

실전 확인

1 ①   **2** ②

핵심 정리

① 구름   ② 고려   ③ 우국지사
④ 고려   ⑤ 고려

독해 연습

2 (1) 이 시는 고려의 유신인 이색이 지은 작품으로, 고려 말에 창작되었다. '석양'은 해 질 무렵을 뜻하는 말로, 이 시에서 기울어가는 고려 왕조를 의미한다. 화자는 고려의 국운이 쇠퇴하는 현실에 한탄하고 있다.

(2) 이 시는 고려의 국운 쇠퇴에 대한 한탄과 우국충정을 노래한 작품으로, '백설'은 고려의 유신, '매화'는 우국지사를 나타내고 '구름'은 조선 왕조 건국을 추진하는 신흥 세력을 나타낸다.

3 '매화'는 절개와 지조를 지닌 충신, 우국지사를 의미하며, '구름'은 조선 왕조 건국을 추진하는 신흥 세력을 가리킨다. 이 시에서 화자가 현실적 고난을 극복한 내용은 드러나지 않는다.

실전 확인

1 답 ①

의인법은 사람이 아닌 것을 사람인 것처럼 표현하는 방법이다. 이 시에서 대상을 의인화하여 표현한 부분은 없다.

| 오답 풀이 |
② '백설', '매화', '구름'과 같은 자연물을 활용하여 시상을 전개하고 있다.
③ 이 시는 평시조로, 각 장은 4음보로 이루어져 있으며 이를 통해 안정된 운율을 형성하고 있다.
④ '백설이 잦아진 골에 구름이 험한' 상황을 언급한 뒤, 그 상황에 대한 화자의 정서를 드러내고 있다.
⑤ '백설'과 '매화'는 각각 고려의 유신, 우국지사를 상징하는 긍정적 시어로, '구름'은 조선의 신흥 세력을 상징하는 부정적 시어로 사용하고 있다.

2 답 ②

'구름이 머흐레라'는 조선 왕조 건국을 추진하는 신흥 세력들이 고려 말에 득세한 상황을 나타내는 표현이다. 고려에서 조선으로의 역사적 전환기에서 화자는 고뇌하는 모습을 보이고 있다. 따라서 화자가 현실을 수용하고 있다고 보기는 어렵다.

| 오답 풀이 |
① '백설이 잦아진' 것은 백설이 점차 없어지는 상황이므로 국운이 쇠퇴해 가는 고려의 현실을 나타낸다.
③ '매화'는 절개와 지조를 상징하는 소재로, 고려에 충절을 다하는 우국지사를 가리킨다.
④ '석양'은 기울어 가는 저녁의 때를 가리키는 말로, 신흥 세력의 득세로 인해 몰락해 가는 고려의 현실을 의미한다.
⑤ '갈 곳 몰라 하노라' 즉 어디로 가야 할지 모르겠다는 것은 고려 망국의 현실에서 어떻게 해야 할지 모르는 당대 지식인의 고뇌를 드러낸 것이다.

작품 해제

이 작품은 죽어서도 변치 않을 굳은 절개를 노래한 시조이다. 이 작품을 지은 성삼문은 사육신(死六臣)의 한 사람으로, 이 작품은 그가 단종의 복위를 꾀하다가 발각되어 잡혔을 때 자신의 충절을 밝히며 지었다고 알려져 있다. 아무리 어지럽고 불의한 세력이 세상에 가득하더라도, 자신은 끝까지 지조와 절개를 지키겠다는 굳은 의지를 드러내고 있다. 자신이 죽은 후에 '낙락장송'이 되어 '백설'로 뒤덮인 상황에서도 푸른빛을 발하겠다고 노래하고 있는데, '백설'은 불의한 세력, 즉 부당하게 왕위를 찬탈한 세조의 일파로 볼 수 있으며 '낙락장송'은 굳은 절개를 지닌 화자를 나타낸다고 볼 수 있다. 이처럼 충절을 상징하는 소나무의 이미지를 활용해 자신의 지조를 부각하고 있으며, 흰 눈과 푸른 소나무의 색채 대비가 두드러진다. 죽음을 두려워하지 않고, 온 세상이 모두 세조를 섬길지라도 자신만은 '봉래산 제일봉'의 소나무처럼 단종에 대한 굳은 절개를 지키겠다는 의지가 돋보이는 작품이다.

주제

죽어서도 변하지 않을 굳은 절개

이 몸이 주거 가셔 무어시 될고 하니
<u>죽은 다음 되려는 것에 대한 자문</u>　　　　　○↔△ : 대조
봉래산(蓬萊山) 제일봉(第一峯)에 낙락장송(落落長松) 되야 이셔
　　　하늘과 땅에 가득할 때　　　변함없는 절개와 지조를 상징함.
백설(白雪)이 만건곤(滿乾坤)할 제 독야청청(獨也靑靑)하리라
시련. 부정적 세력. 왕위를 찬탈한 수양 대군 일파　　홀로라도 절개를 굳게 지킴.

독해 연습

1 (1) 무엇이　(2) 때

2 (1) ○　(2) X

3 ㄱ, ㄴ

실전 확인

1 ②　　　**2** ⑤

핵심 정리

① 백설　　　② 화자

독해 연습

2 (2) '백설'은 시련, 고난, 부정적 세력 등을 의미한다. 화자는 '백설'을 부정적인 대상으로 인식하고 있으며, 이 시조가 지어진 상황을 고려할 때 '백설'은 왕위를 찬탈한 수양 대군 일파를 의미한다고 볼 수 있다. 화자는 죽어서 '낙락장송'이 되겠다고 이야기하고 있다.

3 '낙락장송'은 변함없는 절개와 지조를 상징하는 시어이다. 또한 '낙락장송'의 푸른빛은 '백설'의 흰빛과 대비를 이루고 있다. 하지만 화자가 보호하고자 하는 대상은 아니다.

실전 확인

1 답 ②

㉠에서는 자신이 죽은 후의 모습에 대해 스스로 질문을 던지고, ㉡에서는 이에 대한 대답으로 봉래산의 낙락장송이 되어 독야청청하겠다는 내용을 제시하고 있다.

2 답 ⑤

'무어시 될고 하니'는 자신이 죽은 후의 모습을 가정하여 자문하는 말로, 죽은 이후의 상황에 대한 걱정을 나타내고 있는 것은 아니다.

|오답 풀이|

① '낙락장송'은 우뚝 솟은 소나무를 가리키는 말로, 화자의 절개와 지조를 나타낸다.

② '백설'은 시련과 고난, 불의한 세력을 나타내는 부정적 시어로 사용되었다. 즉 세조를 추종하는 세력으로 볼 수 있다.

③ '만건곤하다'는 하늘과 땅에 가득하다는 뜻으로, 백설이 만건곤한 것은 온 세상이 세조를 추종하는 세력들로 뒤덮인 상황을 나타낸다. 또한 '독야청청하리라'는 항상 푸르겠다는 뜻으로, 단종에 대한 지조와 절개를 끝까지 지키겠다는 화자의 의지를 표상한다. 즉 화자는 온 세상이 세조를 추종하는 세력들로 뒤덮이더라도 단종에 대한 충절을 지키겠다는 굳은 의지를 표현하고 있다.

④ 눈의 하얀색과 소나무의 푸른색의 대비를 통해 단종에 대한 지조를 지키겠다는 화자의 의지가 효과적으로 드러나 있다.

작품 해제

이 작품은 유배된 임금에 대한 안타까움과 슬픔을 노래한 시조이다. 이 작품은 세조에게 왕위를 찬탈당하고 폐위된 단종이 영월로 유배될 때 단종을 호송하는 임무를 맡았던 왕방연이 돌아오는 길에 지은 것이라고 알려져 있다. 초장에서는 이별한 임과의 거리를 '천만 리'라고 극대화하여 이별의 상황을 강조하여 표현하였고, 중장과 종장에서는 흐르는 강물에 자신의 감정을 이입하여 강물도 자신의 마음 같아서 울면서 밤길을 흘러간다고 표현하고 있다. 즉 단종을 유배지로 호송하고 돌아오면서 느낀 죄책감과 안타까움, 슬픔 등의 감정을 냇물에 이입하여 애절한 마음을 나타내고 있는 것이다.

주제

임금(유배된 단종)과 이별한 애절한 마음

천만 리 머나먼 길에 고은 님 여의옵고
<u>화자와 임과의 정서적 거리감</u>　　<u>단종</u>　<u>이별하옵고</u>
내 마음 둘 데 업서 냇가에 안쟈시니
<u>슬픔, 안타까움, 죄책감</u>
저 믈도 내 안 같아서 우러 밤길 가는구나
<u>감정 이입의 대상</u>　<u>마음</u>　　　<u>울면서 밤길을 흘러감. 애통함.</u>

| 독해 연습 |

1 (1) 앉았더니 (2) 물

2 (1) ○ (2) X

3 ㄱ, ㄷ

| 실전 확인 |

1 ④   **2** ③

| 핵심 정리 |

① 임   ② 냇가   ③ 물

| 독해 연습 |

2 (2) 화자는 저 물이 내 마음 같아서 울면서 밤길을 간다고 표현하고 있는데 이는 화자가 흐르는 물을 바라보며 슬프고 애통한 자신의 심정을 이입하고 있는 것이다. 흐르는 물을 바라보며 아름다운 자연의 섭리를 깨닫고 있는 것은 아니다.

3 이 시는 화자의 슬프고 애통한 감정을 시냇물이 울며 흘러간다고 표현하며 청각적 이미지를 활용하여 감각적으로 형상화하였다. 또한 '믈도 내 안 같아서 우러 밤길 가는구나'에서 화자의 감정을 물에 옮겨 넣어 마치 물이 화자의 정서를 함께 느끼는 것처럼 표현하는 감정 이입의 방법을 활용하고 있다. 하지만 유사한 문장 구조의 반복을 통해 시상이 전개되고 있지는 않다.

| 실전 확인 |

1 답 ④

'냇가'는 화자가 앉아 흘러가는 물을 보고 있는 공간으로, 화자는 흘러가는 물에 슬프고 애통한 자신의 감정을 이입하고 있다. '냇가'가 화자와 단종 사이를 가로막는 방해물로 작용하고 있지는 않다.

| 오답 풀이 |

① '천만 리'는 한양에서 영월까지의 멀고 먼 거리를 나타내는 표현으로, 화자와 임과의 심적 거리감을 표현한다.

⑤ '안'은 화자의 마음을 뜻하는 것으로, 화자는 단종과 이별하여 슬프고 안타까워하며, 흐르는 물도 자신의 마음과 같아서 울면서 밤길을 간다고 하였다.

2 답 ③

㉠은 화자가 느끼는 안타까움과 죄책감 등의 괴로운 심정을 이입하고 있는 대상이다. ⓐ(새)에는 시름이 많은 화자의 정서가 직접 투영되어 있으며, ⓓ(촛불)에는 이별의 슬픔이라는 화자의 감정을 이입하여 촛불이 이별을 하여 눈물을 흘리고 있다고 표현하였다.

| 오답 풀이 |

ㄴ. 이 작품은 검은 까마귀와 하얀 백로를 대조하여 겉과 속이 다른 대상을 비판하고 있다. 겉만 보고 남을 성급하게 평가하기보다 자신을 먼저 성찰할 것을 말하고 있는 시조이다. 여기에서 '까마귀'는 긍정적 대상, '백로'(ⓑ)는 겉과 속이 다른 부정적 대상이다. ⓑ(백로)에 화자의 감정을 투영하고 있지는 않다.

ㄷ. 제시된 부분은 연시조인 「오우가」의 제3수로, 변하지 않는 바위를 예찬하고 있다. ⓒ(바위)에 화자의 감정을 투영하고 있는 것은 아니다.

04 내 마음 버혀 내여   112~113쪽

작품 해제

이 작품은 임금에 대한 마음을 노래한 정철의 시조이다. 화자는 자신의 마음을 베어 내어 달을 만들어서 임금이 계신 궁궐에 가 비추고 싶다고 이야기하며 임금을 그리워하는 마음을 우회적으로 형상화하여 드러내고 있다. 이 작품은 임에게 전달하기 어려운 추상적인 개념인 '마음'을 임이 확인할 수 있는 구체적 대상인 '달'로 형상화하여 표현한 것이 돋보인다. 또한 여성 화자의 목소리로 임에 대한 사랑과 그리움을 표현하였는데, 이처럼 여성 화자를 내세워 임금을 향한 신하의 변치 않는 충성과 절개를 노래한 작품을 '충신연주지사'라고 한다.

주제

연군의 정

내 마음 버혀 내여 뎌 둘을 만들고져
<u>임을 사랑하는 마음</u>   <u>임에 대한 화자의 마음</u>
구만 리 장천(長天)에 번드시 걸려 이셔
      <u>임금이 계신 한양 땅</u>
고은 님 계신 곳에 가 비최여나 보리라
<u>임금</u>   <u>임에 대한 화자의 사랑</u>

| 독해 연습 |

1 (1) 베어 내어 (2) 달

2 (1) X (2) ○ (3) X

3 ㄱ, ㄴ

| 실전 확인 |

1 ④   **2** ①

| 핵심 정리 |

① 내 마음   ② 구체적   ③ 구체적

| 독해 연습 |

2 (1) 화자가 자신의 마음을 달로 만들어 임 계신 곳에 가 비추어 보고 싶다고 하는 것으로 보아 화자가 현재 임과 떨어져 있음을 짐작할 수 있다.

(3) 화자가 임을 야속하게 생각하며 원망하는 내용은 제시되어 있지 않다.

3 '둘'은 임에 대한 화자의 마음을 담고 있으며, 추상적인 개념인 마음과 달리 임이 확인할 수 있는 구체적인 대상이다. 임금이 백성에 대해 선정을 베푸는 일과는 거리가 멀다.

실전 확인

1 답④

㉠은 임이 계신 곳과 그만큼 멀리 떨어져 있음을 강조하기 위해 활용된 표현이다. ④에서 '열 손가락'은 열 개의 손가락을 가리킨다는 점에서 '열'은 사실적 의미로 쓰였다고 할 수 있다.

| 오답 풀이 |

① '천만 리'는 화자와 임과의 심리적 거리감을 나타내기 위해 활용된 표현이다.
② '일백 번'은 몇 번을 다시 죽는다 해도 신념이 변함없을 것이라는 화자의 뜻을 부각하는 표현이다.
③ '천리(千里)'는 이별한 임과의 거리감을 부각하기 위해 활용된 표현이다.
⑤ '백 년'은 한평생을 의미하는 표현이다.

2 답①

이 시와 〈보기〉는 모두 추상적인 대상을 구체적 사물로 형상화하여 표현하였다. A에서는 추상적 대상인 '내 마음'을 베어 내어 '달'로 만들고 싶다고 하였고, B에서도 '밤', 즉 시간이라는 추상적 개념을 구체적인 사물로 인식하여 베어 내어 넣었다가 펴겠다고 표현하였다.

| 오답 풀이 |

② B에서는 '서리서리', '굽이굽이'와 같은 음성 상징어를 사용하고 있지만, A에는 음성 상징어가 사용되지 않았다.
③ A와 B는 모두 임에 대한 그리움을 담고 있지만, 역설적인 표현을 사용하여 그리움을 표현하고 있지는 않다.
④ A에서는 임과 화자 사이의 심리적 거리감을 '구만 리'라고 표현하였다. 반면 B에서는 임과 화자 사이의 심리적 거리감을 수치로 표현하고 있지 않다.
⑤ A에서는 환하게 비치는 달이라는 시각적 이미지를 활용하고 있을 뿐 청각적 이미지는 활용하지 않았다.

깊이 읽기   114쪽

1 ○   **2** ○

Ⅱ. 자연과 함께하는 삶

05 십 년을 경영하여   116~117쪽

작품 해제

이 작품은 자연과 하나되어 자연 친화적인 삶을 살아가고자 하는 마음을 담은 송순의 시조이다. '나'와 '둘', '청풍'이 각각 '초려 삼간'의 한 칸씩 차지한다고 하여 자연과 인간을 나누지 않고 자연과 친화하고자 하는 정서가 잘 표현되어 있다. '초려 삼간'은 세 칸밖에 안 되는 초라라는 뜻으로 아주 작은 집을 이르는데, 이를 통해 화자가 소박한 삶에 만족감을 느끼는 안분지족의 삶을 노래하고 있음을 알 수 있다. '나'와 '둘'과 '청풍'이 초가 삼간 속에서 하나되는 물아일체의 삶과 자연 속에서 안빈낙도하는 소박한 삶의 태도가 드러나 있는 작품이다.

주제

자연과 하나되며 안빈낙도하는 삶의 추구

십 년을 경영하여 초려 삼간(草廬三間) 지여 내니
　　오랜 시간 동안 준비하여　　소박한 삶을 즐기는 안분지족, 안빈낙도의 태도가 드러남.
「나 ᄒ 간 둘 ᄒ 간에 청풍(淸風) ᄒ 간 맛겨 두고,
　화자(인간)　　　　의인법　　　　「 」: 자연과 하나되는 물아일체의 경지
강산(江山)은 들일 데 업스니 둘러 두고 보리라.
「 」: 인간과 자연이 어우러지는 자연 친화의 삶　　　　　: 자연

독해 연습

1 (1) 지어 내니   (2) 없으니

2 (1) 청풍   (2) 만족감

3 (1) ㉡   (2) ㉢   (3) ㉠

실전 확인

1 ③   **2** ⑤

핵심 정리

① 초려 삼간   ② 달   ③ 강산
④ 물아일체

실전 확인

1 답③

중장에서 '나'와 '둘', '청풍'이 '초려 삼간'의 각각 한 칸씩을 맡는다고 한 것은 자연과 더불어 살고자 하는 화자의 마음을 표현한 것으로, 물아일체의 태도가 나타난다. 인간의 삶과 자연을 구분하려는 것으로 볼 수 없다.

| 오답 풀이 |

① '십 년을 경영하여 초려 삼간 지여 내니'라는 표현에서 화자가 오랜 시간을 준비하여 초가삼간을 지었음을 알 수 있다.
② 작은 '초려 삼간'을 지었다는 데에서 화자가 소박한 삶에 만족감을 느끼는 안분지족의 태도를 보이고 있음을 알 수 있다.
④ 자연물인 '청풍'을 인격화하여 방(한 칸)을 맡긴다고 표현하였다. '청풍'을 사람처럼 표현하여 친근감이 느껴진다.

⑤ 종장은 아름다운 자연을 병풍처럼 둘러 두고 보겠다는 발상이 돋보이는 표현으로, 자연과 함께하고 싶은 자연 친화적인 태도가 드러나 있다.

2 답 ⑤

이 시에서는 자연과 인간을 나누지 않고 자연과 친화하고자 하는 화자의 태도가 드러난다. 따라서 ㉠은 화자가 긍정적으로 보는 대상이라고 할 수 있다. 〈보기〉는 매화를 예찬하는 시조로, 겨울바람이 불어와도 매화에게서 '봄뜻'을 앗을 수 없다고 이야기하고 있다. 따라서 ⓐ를 화자가 긍정적으로 보고 있다는 설명은 적절하지 않다.

06 짚방석 내지 마라   118~119쪽

작품 해제

이 작품은 자연 속에서 느끼는 안빈낙도와 소박한 풍류를 그리고 있는 한호의 시조이다. 화자는 낙엽에 앉아 자연을 즐기며 소박한 술과 나물을 먹고자 하는, 소박하게 풍류를 즐기는 자연 친화적 태도를 보이고 있다. 초장과 중장은 서로 대구를 이루고 있는데, 초장과 중장에서 인위적인 것(짚방석, 솔불)과 자연적인 것(낙엽, 달)을 대조하여 자연스러운 것을 좋아하는 화자의 자연 친화적인 삶의 태도를 부각하고 있다. 또한 소박한 술과 안주를 먹으며 풍류를 즐기는 데에서 안빈낙도의 태도를 보여 준다. 이처럼 이 시조는 '낙엽', '솔불'과 같은 주변의 친숙한 소재를 활용하여 자연 친화적 태도와 안빈낙도의 즐거움을 잘 드러내고 있는 작품이다.

주제

산촌 생활 중에 느끼는 소박한 풍류, 안빈낙도

> 짚방석(方席) 내지 마라 ~~낙엽(落葉)~~인들 못 안즈랴
>   설의법
> 솔불 혀지 마라 어제 진 ㉤ 도다 온다
>   대구
> 솔불이 없어도 달이 있기 때문에 어둡지 않음.
> 아희야 박주산채(薄酒山菜)ㄹ만졍 업다 말고 내여라
>   대유법. 소박한 삶의 태도가 드러남.   ◻ : 인위적인 소재
>   ◻ : 대조
>   ◯ : 자연적 소재

독해 연습

1 (1) 켜지   (2) 없다

2 (1) ◯   (2) ◯   (3) X

3 ㄱ. 짚방석   ㄴ. 자연적   ㄷ. 소박

실전 확인

1 ③   2 ④

핵심 정리

① 자연적   ② 박주산채   ③ 낙엽

④ 짚방석   ⑤ 안빈낙도

2 (1) 안빈낙도는 넉넉하지 않은 생활을 하면서도 편안한 마음으로 도를 즐겨 지키는 것으로, 화자는 현재 자연 속에 머물며 자연 친화적이고 소박한 삶의 태도를 보이고 있다.

(3) 화자는 변변하지 않은 술과 나물인 박주산채라도 좋으니 내오라고 하고 있다. 이는 소박한 것에도 만족해 하는 안분지족과 안빈낙도의 태도를 나타내는 것으로, 농촌 현실에 대해 안타까워하고 있는 것과는 거리가 멀다. 또한 농촌에 박주산채가 떨어졌다는 내용은 언급되어 있지 않다.

1 답 ③

이 시에서 '낙엽'이나 '달'과 같은 자연적 소재를 활용하고 있기는 하지만 이와 같은 자연물에 인격을 부여하여 주제 의식을 드러내고 있지는 않다.

| 오답 풀이 |

① 보잘것없는 술과 안주를 의미하는 '박주산채'로 그것과 밀접하게 연관된 관념인 소박한 풍류를 나타내고 있다.

② 짚방석, 낙엽, 솔불, 달 등 생활 주변의 친숙한 소재를 활용하여 시상을 전개하고 있다.

④ 인위적인 소재와 자연적인 소재가 대립적으로 사용되면서 화자가 지향하는 자연 친화적인 가치관이 드러나고 있다.

⑤ 초장과 중장에서 비슷한 문장 구조를 반복하여 자연 친화적이고 안빈낙도하는 삶의 태도를 강조하고 있다.

2 답 ④

이 시는 산촌 생활에서 느끼는 소박한 풍류를 이야기하고 있고, 〈보기〉 역시 전원에서 즐기는 풍류를 표현한 작품이다. 따라서 두 작품 모두 전원을 배경으로 풍류를 즐기는 삶의 태도가 드러나 있다.

| 오답 풀이 |

① 〈보기〉에서 화자는 자연 속에서 풍류를 즐기다가 나귀에 몸을 싣고 돌아온다. 하지만 이 시에는 공간 이동은 나타나지 않았다.

② 이 시와 〈보기〉 모두 자연 속에서 자연을 즐기고 있지만, 자연에서 노동하는 모습을 그리고 있지는 않다.

③ 이 시와 〈보기〉의 화자는 모두 자연 속에서 지내고 있다. 자연 속에서도 임금의 은혜를 잊지 않고 찬양하는 사대부 시조가 많긴 하지만, 이 시와 〈보기〉에서 임금의 은혜를 찬양하는 내용은 나타나 있지 않다.

⑤ 이 시와 〈보기〉의 화자는 모두 속세에서 벗어나 자연에서 생활하며 이에 만족하고 있을 뿐 삶의 고뇌로 현실에서 도피하려는 모습은 나타나 있지 않다.

07

산촌에 눈이 오니

120~121쪽

작품 해제

이 작품은 작가인 신흠이 인목 대비 폐위 사건으로 춘천에 유배 되었을 때 지은 시조로 알려져 있다. 겨울의 산촌을 배경으로 자연을 벗하며 사는 모습이 형상화되어 있는 작품이다. 산촌에 눈이 내려 외부와의 연결이 끊어진 상황에서 한 조각의 달을 벗 삼아 조용히 살아가고자 하는 화자의 마음을 표현하였다. 세상 과 연결되는 통로인 시비를 열지 말라는 표현에서 속세를 멀리 하고 자연에 묻혀 살아가고자 하는 마음이 드러나 있다고 볼 수 있다. 이 작품을 유배지에서 창작했다는 것을 고려하면 유배지 에서 느끼는 고독을 간접적으로 표현한 것으로 볼 수도 있다.

주제

자연에서의 은거 생활

▨ : 세상과 연결되는 통로 역할을 하는 소재

산촌(山村)에 눈이 오니 **돌길**이 무처셰라
자연. 화자가 사는 곳　　세상과의 연결이 끊어짐.

시비(柴扉)를 열지 마라 날 츠즈리 뉘 있으랴
세상과의 단절　　설의법(찾을 사람이 없다.)

밤중만 일편명월(一片明月)이 긔 벗인가 하노라
한 조각의 밝은 달. 화자의 유일한 벗임.　자연 친화적인 태도

독해 연습

1 (1) 묻혔구나 　(2) 찾을 이가 　(3) 누가
2 (1) 산촌 　(2) 돌길
3 (1) X 　(2) X 　(3) ○

실전 확인

1 ⑤　　　**2** ②

핵심 정리

① 돌길　　② 단절　　③ 시비

독해 연습

2 (2) 산촌에 눈이 와서 돌길이 묻혔다고 하였는데, 여기에 서 '돌길'은 세상과 연결해 주는 통로 역할을 하는 소재이 므로 돌길이 묻힌 것은 세상과의 연결이 끊어진 것으로 볼 수 있다.

3 (3) 중장의 '날 츠즈리 뉘 있으랴'에서 쉽게 판단할 수 있 는 사실을 의문의 형식으로 제시하여 강조하는 설의법을 사용하여 화자의 상황을 효과적으로 드러내었다.

실전 확인

1 답 ⑤
이 시에서 자신의 감정을 대상에 이입하여 마치 대상이 그렇 게 느끼고 생각하는 것처럼 표현하는 감정 이입의 방식은 사 용되지 않았다.

| 오답 풀이 |
① 이 시는 정형시로, 4음보의 규칙적인 운율이 나타나 있다.
② 자연에서 한 조각의 밝은 달을 자신의 벗이라고 여기는 데서 화자 의 자연 친화적인 태도가 드러난다.
③ 산촌에 눈이 내려 돌길이 묻혀 있는 데서 세상과의 연결이 끊어진 화자의 상황을 알 수 있다.
④ '날 츠즈리 뉘 있으랴'라는 설의적 표현을 통해 찾아올 사람이 없는 자신의 상황을 강조하고 있다.

2 답 ②
'돌길'은 화자가 거처하는 '산촌'과 인간 세상을 연결하는 통 로 역할을 한다. 이 돌길이 눈에 묻혔다고 말하고 있는데 이 는 산촌과 인간 세상을 연결하는 통로가 단절되었음을 의미 한다.

| 오답 풀이 |
① '산촌'은 현재 화자가 위치하는 공간으로, ㉯에 해당한다.
③ '시비'는 ㉮에 위치한 것이 아니며, 인간이 자연에 미친 부정적인 영향을 드러내는 것이 아니라 ㉯와 통하는 문이라는 의미를 지니고 있다.
④ '츠즈리'는 인간 세상에서 화자를 만나러 올 사람이므로, ㉮에 위치 하는 인물로 볼 수 있다. 화자가 추구하는 이상적인 인물이라고 볼 근거는 나타나 있지 않다.
⑤ '일편명월'이 ㉯에 위치한 소재인 것은 맞지만, ㉮에서의 삶으로 돌 아가고 싶은 화자의 소망을 드러내는 존재는 아니다. 화자가 ㉮에 서의 삶으로 돌아가고 싶은 소망을 표현하고 있지는 않다.

오우가

122~123쪽

작품 해제

이 작품은 다섯 자연물(물, 바위, 소나무, 대나무, 달)을 예찬한 6 수의 연시조이다. 각 자연물의 특성을 예찬의 근거로 제시하며, 자연물의 특징에서 인간의 덕을 끌어내어 예찬하고 있다. 〈제1 수〉는 문답법을 활용하여 다섯 벗을 소개하고 있다. 〈제2수〉는 자주 변하는 속성을 지닌 구름·바람과 달리 깨끗하고 그친 적 없는 물의 영원성을, 〈제3수〉는 순간적인 꽃·풀과는 달리 변하 지 않는 바위의 영원성을 예찬하고 있다. 〈제4수〉는 눈서리를 이겨 내고 땅 깊이 뿌리 곧은 소나무의 지조를, 〈제5수〉는 언제 나 푸르른 대나무의 지조와 욕심 없음을 예찬하고 있다. 〈제6수〉 에서는 광명의 존재이면서 과묵함의 미덕을 지닌 달을 예찬하 며 마무리하고 있다. 이 작품은 윤선도가 56세 때 해남 금쇄동 에 은거할 무렵에 지었다고 알려져 있다. 윤선도는 20여 년을 귀양살이로, 10여 년을 은거 생활로 보냈는데 자연을 벗 삼으려 는 노력을 하며 자연을 자기 수양의 본보기로 삼고자 하였다.

주제
다섯 자연물(오우)의 덕을 예찬함.

내 벗이 몇인고 하니 수석(水石)과 송죽(松竹)이라
    └── 문답법   : 화자가 벗으로 의인화한 자연물들
동산에 둘 오르니 그 더욱 반갑구나
두어라 이 다섯밖에 또 더하야 무엇하리 〈제1수〉
    물, 바위, 소나무, 대나무, 달   설의법(만족감 표현)   ▶ 다섯 벗 소개
                     깨끗하다
구름 빛이 조타 하나 검기를 자주 한다 ┐   □: 부정적
    가변성-자주 변함.   │ 대구법
바람 소리 맑다 하나 그칠 때가 많구나 ┘   ○: 긍정적
조코도 그칠 적 없기는 믈뿐인가 하노라 〈제2수〉
    깨끗하면서도 쉽게 변하지 않음(불변성, 영원성).   ▶ 물의 영원성

꽃은 무슨 일로 피면서 쉬이 지고
                              대구법
풀은 어찌하여 푸르는 듯 누렇게 되니 ┘
아마도 변치 아니하기는 바위뿐인가 하노라 〈제3수〉
    변하지 않는 것은   ▶ 바위의 영원성

「더우면 꽃 피고 추우면 닙 디거늘」
    └── 쉽게 변함. ──┘   「 」: 대구법
솔아, 너는 어찌 눈서리를 모르느냐
              시련, 고난   「 」: 의문법
구천에 불휘 곧은 줄을 그로 하여 아노라 〈제4수〉
    소나무의 지조와 절개를 의미함.   ▶ 소나무의 절개

나무도 아닌 것이 풀도 아닌 것이
곧기는 누가 시켰으며 속은 어찌 비였는고
    곧으면서 속이 비어 있는 대나무의 특징
저렇게 사철에 푸르니 그를 좋아하노라 〈제5수〉
    변하지 않는 지조와 절개   대나무   ▶ 대나무의 겸허함과 절개
                     달
작은 것이 높이 떠서 만물을 다 비추니
              달의 속성
밤중에 광명(光明)이 너만 한 게 또 있느냐
    달-절대적 위치에서 어둠을 밝혀 주는 광명의 존재
보고도 말 아니하니 내 벗인가 하노라 〈제6수〉
    과묵함과 포용의 덕. 달의 과묵한 모습을 예찬함.   ▶ 달의 광명(포용)과 과묵함

독해 연습

1 (1) 지거늘 (2) 뿌리
2 (1) 물, 소나무 (2) 예찬
3 (1) ⓛ (2) ⓙ (3) ⓒ

실전 확인

1 ④   **2** ⑤

핵심 정리

① 깨끗하고   ② 변하지 않는 지조

달을 뜻한다.
(2) 〈제2수〉에서는 자주 변하는 속성을 지닌 구름, 바람과 대조하여 물의 영원성을 예찬하고 있다.

실전 확인

1 답 ④
〈제2수〉 중장의 '바람'은 맑기는 하지만 그칠 때가 많은 속성을 가진 것으로, 쉽게 변하는 존재이다. 이는 불변의 존재인 '믈'과 대비되는 부정적 존재로 볼 수 있다.

| 오답 풀이 |
①, ② 〈제1수〉 초장의 '내 벗'은 종장의 '이 다섯', 즉 오우를 의미하는데, 이어지는 〈제2수〉와 〈제4수〉를 통해 볼 때, 이들은 교훈을 주는 도덕적 존재임을 알 수 있다.
③ 〈제2수〉의 '구름'은 깨끗하기는 하지만 쉽게 검게 변하는 존재로, '믈'과 대비되는 부정적 존재이다.
⑤ 〈제2수〉의 '믈'은 깨끗하면서 변하지 않는 존재로 화자가 지향하는 도덕적 가치를 지닌 존재이다.

2 답 ⑤
'불휘 곧은 줄'은 '뿌리가 곧은 줄'이라는 의미이다. 이 시에서는 눈서리를 이겨 내고 뿌리가 곧은 소나무의 속성을 통해 쉽게 굽히지 않는 강인한 지조와 절개를 표현하고 이를 예찬하고 있다. 이것이 소나무의 욕심 없는 태도를 나타내는 것은 아니다.

| 오답 풀이 |
① 초장의 '더우면 꽃 피고'와 '추우면 닙 디거늘'이 대구를 이루고 있다.
② 더우면 꽃이 피고 추우면 잎이 떨어지는 것은 대부분의 꽃이나 나무가 갖는 보편적인 속성이다.
③ 중장의 '솔'은 눈서리가 내려도 잎이 떨어지지 않는 존재이다. 이는 초장의 '꽃', '닙'의 속성과 대비되는 '솔'의 특징이다.
④ 중장의 '눈서리'는 잎이 떨어지게 만드는 외적 조건에 해당한다고 볼 수 있으며, 이는 '솔'이 극복해야 할 시련과 고난이기도 하다.

독해 연습

2 (1) 이 시의 〈제1수〉에서 다섯 벗을 소개하고 있다. 수석(水石)은 물과 돌, 송죽(松竹)은 대나무와 소나무, 둘은

깊이 읽기   124쪽

1 ○   **2** ○

Ⅲ. 사랑과 그리움

09 묏버들 가려 것거
126~127쪽

작품 해제
이 작품은 임과 이별한 여인의 슬픔과 그리움, 임에 대한 사랑의 마음을 노래한 시조이다. 3장 6구 45자 내외의 기본적인 평시조의 형식을 따르고 있으며, 4음보의 일정한 음보를 반복하고 일정한 글자 수(3·4조 또는 4·4조)를 반복하여 운율을 형성하고 있다. 임과 헤어지게 되었으나 마음만은 임의 곁에 머물고 싶은 화자의 애틋한 마음을 자연물(묏버들)을 통해 그려 내고 있다. 또한 초장에서 '보내노라'와 '임의손대'의 순서를 바꾸어 표현하여 임에게 보내는 그리움과 사랑의 마음을 강조하였다. 이 시조는 조선 선조 7년(1574), 연분을 나눈 최경창이 상경하게 되자 홍랑이 그를 배웅하며 버들과 함께 건네준 것으로 전해지고 있다.

주제
임에게 보내는 사랑, 임에 대한 그리움

> 도치법
> 묏버들 가려 것거 보내노라 임의손대
> 화자의 분신, 화자의 마음을 전하는 매개체
> 자시는 창밖에 심거 두고 보소서
> 주무시는
> 밤비에 새잎곧 나거든 나인가도 여기소서
> 새잎이   임을 향한 당부(화자의 소망)

독해 연습

1 (1) 꺾어 (2) 주무시는 (3) 심어 두고
2 (1) 묏버들 (2) 이별
3 ㄴ, ㄷ

실전 확인

1 ④   **2** ④

핵심 정리

① 묏버들   ② 분신   ③ 사랑

실전 확인

1 답 ④
이 시의 화자는 임에게 묏버들을 보내면서 그것을 곁에 두고 자신을 보듯이 봐달라고 당부하고 있다. 자신과 임이 떨어져 있어도 임이 자신을 잊지 않고 기억해 주기를 바라는 마음을 묏버들에 담은 것이다.

| 오답 풀이 |
① 임과의 이별을 이야기하고는 있지만 그 원인에 대해서는 언급하지 않았다.
② 만남을 기대하거나 확신하는 내용은 드러나지 않는다.
③ 현재의 상황에서 묏버들을 보고 나를 본 것처럼 여겨 달라는 바람을 이야기할 뿐 과거 이야기를 하지는 않는다.

⑤ 어쩔 수 없이 이별의 상황을 인정하고 있다고 볼 수는 있지만 임의 앞날을 축복하는 내용은 없다.

2 답 ④
'심거 두고 보소서'는 임이 자신이 보내는 묏버들을 항상 옆에 두고 보면서 자신을 잊지 말고 생각해 주길 바라는 화자의 마음을 표현한 것이지, 이별을 거부하는 화자의 마음을 솔직하게 표현하고 있는 것이라고 보기는 어렵다.

| 오답 풀이 |
① '묏버들'은 화자가 임에게 자신의 마음을 전하는 매개물로, 화자는 자연물을 통해 자신의 감정을 표현하고 있다.
② '것거 보내노라 임의손대'에서 화자가 임의 곁에 있지 않고 임과 이별하게 된 상황임을 짐작할 수 있으며 이와 같은 상황에서 화자는 자신의 마음을 노래하고 있다. 이처럼 이 시는 유교적 가치관을 주로 노래한 사대부들의 시조와는 달리 사랑과 이별에 대한 문제를 노래하며 인간의 기본적인 감정을 솔직하게 표현하였다.
③ 본래 '임의손대 보내노라'라고 써야 할 것을 앞뒤 순서를 바꿔 표현하였다. 이와 같은 도치법은 내용을 강조하는 효과를 주며 섬세한 표현 방법이라 할 수 있다.
⑤ '나인가도 여기소서'에서는 임이 항상 자신을 생각해 주기를 바라는 마음이 담겨 있으며 이것은 임에 대한 사랑을 드러낸 표현이다.

10 동지ㅅ돌 기나긴 밤을
128~129쪽

작품 해제
이 작품은 부재하는 임에 대한 사랑과 기다림을 노래한 황진이의 시조이다. 임을 기다리는 여인의 간절한 마음을 호소력 있게 형상화한 이 시조는 추상적 개념인 시간을 구체적 사물로 형상화한 참신한 발상과 표현이 돋보이는데, 임과 떨어져 있는 시간을 잘라 내어 줄이고 그 잘라 낸 시간을 임과 재회할 때에 붙여 길게 늘이고자 한다고 표현하고 있다. 또한 이 시조는 아름다운 우리말의 묘미를 잘 살리고 있다. '서리서리 너헛다가'와 '구뷔구뷔 펴리라'에서와 같은 우리말 음성 상징어의 활용과 대조적 표현은 우리말의 아름다움을 살린 표현으로, 여성 특유의 섬세한 감각이 잘 드러나 있다.

주제
임을 기다리는 애틋한 마음

> 추상적인 개념 '시간'을 구체적인 사물처럼 표현함.
> ➡동지(冬至)ㅅ돌 기나긴 밤을 한 허리를 버혀 내어
> 임이 곁에 없는 부정적인 시간   : 음성 상징어 사용, 우리말의 묘미를 잘 살린 표현
> 춘풍(春風) 니불 아레 서리서리 너헛다가
> ➡어론 님 오신 날 밤이여든 구뷔구뷔 펴리라
> 임과 함께하는 긍정적인 시간   굽이굽이

독해 연습

3 ㄱ. '동지ㅅ둘 기나긴 밤'은 임이 없는 부정적인 시간이고, 이와 대조되는 긍정적 시간은 임과 함께하는 '어론 님 오신 날 밤'이다.

ㄴ. 임이 없는 밤은 너무 길어서 그 시간을 이불 아래에 넣어 두었다가, 임이 오신 날 밤에 그 시간을 펴겠다고 말하고 있으므로 '너헛다가'와 '펴리라'가 대조를 이루고 있다.

실전 확인

1 답 ②

색채어는 빛깔을 나타내는 말로, 이 시에서는 색채어가 사용되지 않았다.

| 오답 풀이 |

① 이 시는 평시조로, 각 장은 4음보로 이루어졌으며 이를 통해 율격을 형성하고 있다.

③ 시간의 한가운데를 베어 내어 이불 속에 넣었다가 임이 오시면 펴겠다고 하며 시간이라는 추상적인 개념을 구체적인 사물처럼 표현하였다.

④ '동지'나 '춘풍' 외에는 주로 고유어를 사용하였으며 우리 말의 멋을 잘 살린 조선 시대 기녀 시조의 특징을 보여 준다.

⑤ 음성 상징어는 의성어나 의태어와 같이 소리나 상태를 표현한 말로, '서리서리'와 '구뷔구뷔'가 이에 해당한다.

2 답 ③

미래의 시간인 '어론 님 오신 날 밤'도 시간적으로는 밤이므로 시각적으로 밝은 시간이라는 설명은 적절하지 않다.

| 오답 풀이 |

①, ② 현재는 임이 곁에 없는 시간으로 화자에게 부정적인 시간이고, 미래는 임과 함께하는 시간으로 화자에게 긍정적인 시간이다.

④ 현재는 임이 부재하는 현실의 시간이고, 미래는 임이 오기를 바라는 화자의 소망이 반영된 시간이다.

⑤ 화자는 임이 없는 현재의 시간을 베어 내고 싶다 하며 시간이 빨리 가기를 바라고 있으며, 이 베어낸 시간을 임이 오시는 밤에 펴겠다는 것은 임과 오랜 시간을 함께하고 싶은 마음을 표현한 것이다.

11 어이 못 오던다

작품 해제

이 작품은 오지 않는 임에 대한 원망과 그리움을 해학적으로 표현한 사설시조이다. 화자는 초장에서 임이 오지 않는 까닭을 물은 뒤, 중장에서는 임이 오지 못하는 가상적 상황을 제시하며 그 때문에 오지 못하냐고 묻고 있다. 임을 오지 못하게 하는 장애물들을 상상하여 이를 열거와 연쇄의 방법을 활용해 표현하였다. 이러한 물음에는 임이 오지 않는 것에 대한 답답함과 오지 않는 임에 대한 의구심, 원망의 마음이 담겨 있다고 할 수 있다. 종장에서는 한 달이 서른 날인데 자신을 보러 올 하루가 없냐고 한탄함으로써 오지 않는 임에 대한 원망과 탄식을 드러내고 있다.

주제

임에 대한 그리움과 원망, 임을 기다리는 안타까운 마음

⬛ : 임을 오지 못하게 하는 장애물

어이 못 오던다 무슨 일로 못 오던다
└ '못 오던다'를 반복하여 궁금증을 강조함.
「너 오는 길에 무쇠로 성(城)을 쌓고 성 안에 담 쌓고
기다리는 대상
담 안에 집을 짓고 집 안에 뒤주 놓고 뒤주 안에 궤를
놓고 궤 안에 너를 결박하여 놓고 쌍배목 외걸쇠에
용거북 자물쇠로 수기수기 잠갔더냐 네 어이 그리 아
「 」: 연쇄법, 열거법, 점강법을 사용하여 해학적으로 표현함.
니 오던다」
임이 오지 못하는 이유를 추측함.
흔 둘이 셜흔 늘이여니 날 보라 올 하루 업스랴
└ 오지 않는 임에 대한 원망

독해 연습

2 (2) 화자는 한 달이 서른 날인데 그 중에 나를 보러 올 하루가 없냐고 한탄하고 있을 뿐 한 달을 기다린 끝에 임과 만났다는 내용은 제시되어 있지 않다.

실전 확인

1 답 ③

ㄷ. 앞 구절의 끝 부분을 다음 구절의 처음에 이어받아 표현

하는 연쇄법은 중장에서 사용되었다.

ㄹ. 내용적으로 연결되거나 비슷한 어구를 여러 개 늘어놓으
며 표현하는 열거법은 중장에서 사용되었다. 중장에서
는 '무쇠 성－담－집－뒤주－궤－쌍배목 외걸쇠－용거
북 자물쇠'가 열거되고 있다.

│오답 풀이│

ㄱ. 표현의 효과를 높이기 위하여 실제와 반대되는 뜻의 말을 하는 것
을 반어라고 한다. 이 시에는 반어적 표현이 사용되지 않았다.

ㄴ. 중장에서는 임이 오시는 것을 방해하는 장애물(무쇠 성－담－집－
뒤주－궤－쌍배목 외걸쇠－용거북 자물쇠)들이 열거되었는데, 규
모가 큰 것부터 점차 작은 것으로 이동하고 있다. 이와 같은 표현
방법은 '점강법'이다. 반면 작은 것에서 큰 것으로 확대하며 열거하
는 것은 '점층법'인데 이 시에는 사용되지 않았다.

2 답 ⑤

A에서는 오지 않는 임에 대한 원망의 감정이 드러난다. 하
지만 B에서는 임에 대한 간절한 그리움을 이야기할 뿐, 임
에 대한 원망의 감정을 드러내지는 않는다.

│오답 풀이│

① B는 평시조로, 각 장이 4음보인 규칙적인 음보율을 보이고 있다.
하지만 A는 사설시조로, 비교적 자유로운 음보율을 보이며 특히 중
장이 매우 긴 것이 특징이다.

② A와 B 모두 오지 않는 임을 기다리는 마음을 담은 것으로, 화자의
현재 처지를 긍정적인 상황으로 보기는 어렵다.

③ A와 B 모두 오지 않는 임에 대한 간절한 그리움과 기다림을 표현하
고 있는데 이를 해학적으로 표현하고 있는 것은 A이다.

④ A의 '흔 돌이', B의 '지는 잎' 모두 세 글자로, 평시조와 사설시조
모두 종장의 첫 구절은 3글자이다.

12 가시리

132~133쪽

작품 해제

이 작품은 사랑하는 사람을 떠나보내는 화자의 슬프고도 애절
한 마음이 잘 형상화되어 있는 고려 가요이다. 우리 민족의 전
통적인 정서인 '이별의 정한(情恨)'을 노래한 작품으로, 화자는
이별의 상황을 어쩔 수 없이 받아들이고 있다. 1연과 2연에서는
떠나는 임에 대한 하소연과 애원, 원망의 심리가 드러나고, 3연
과 4연에서는 임을 붙잡지 못하는 이유를 제시하며 이별을 받아
들이지만 임이 떠나더라도 바로 돌아오라는 간절한 소망을 드
러내며 시상을 마무리하고 있다. 이 작품에서는 각 연이 끝날
때마다 '위 증즐가 대평성대'라는 후렴구가 반복적으로 사용되
고 있다. 이 후렴구는 이별을 노래하는 분위기와 어울리지 않는
데, 이는 이 작품이 궁중 속악으로 채택되면서 후에 후렴구가
추가되었기 때문이다. 이러한 후렴구가 반복적으로 사용되면서
운율을 형성하고 시에 통일성을 부여하며, 연이나 장을 구분하
는 역할을 한다.

주제

이별의 정한(情恨)

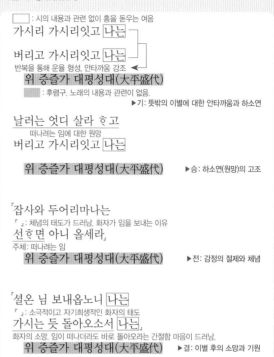

│독해 연습│

1 (1) 어찌   (2) 서러운

2 (1) ○   (2) ○   (3) ✕

3 ㄱ, ㄷ

│실전 확인│

1 ④   **2** ②

│핵심 정리│

① 이별   ② 체념   ③ 소망   ④ 소극적

│독해 연습│

2 (3) 화자는 떠나는 임에게 하소연하고 있지만 임이 서운
하면 아니 올까 봐 적극적으로 임을 붙잡지 못하고 체념
하는 태도를 보이고 있다.

│실전 확인│

1 답 ④

이 시의 1연에서는 '가시리잇고'를 반복하면서 갑작스럽게 닥
친 이별의 상황에 대한 안타까움을 표현하고 있다. 2연에서
는 자신은 어찌 살라고 떠나느냐며 떠나는 임에게 하소연을
하고 있다. 이는 1연의 감정이 더욱 고조된 것으로 볼 수 있
다. 3연에서는 임을 잡아 두고 싶지만 서운한 마음이 들면 돌

아오지 않을까 두렵다는 말을 하면서 감정을 절제하고 체념하는 모습을 보인다. 4연에서는 임을 보내겠다고 말하며 이별 상황을 수용하는 한편 임에게 빨리 돌아오라고 호소하고 있다. 임이 떠나더라도 바로 돌아오라는 염원이 드러난다.

2 답 ②

'대평성대'는 후렴구의 일부로 나라가 안정되고 평화롭기를 기원하는 마음을 표현한 것인데, 이별의 정한을 노래한 시가의 내용과는 거리가 멀다. 이는 이 시가 조선 시대에 궁중 음악으로 사용되면서 추가된 내용으로 볼 수 있다. '위 증즐가 대평성대'와 같은 고려 가요의 후렴구는 반복적으로 사용되어 리듬감을 형성하며 연이나 장을 구분하는 기능을 하기도 한다.

| 오답 풀이 |
① '가시리 / 가시리 / 잇고'와 같이 3음보의 율격을 보이고 있다.
③ 고려 가요의 후렴구는 연(장)과 연 사이에 위치하면서 각 연을 구분하는 역할을 한다.
④ 이 시에서 노래하는 '이별의 정한'은 인간의 가장 보편적인 감정의 하나이다.
⑤ '위 증즐가'는 의미가 없는 후렴구의 일부로, 〈보기〉를 통해 볼 때 악기 소리를 흉내 낸 것으로 짐작할 수 있으며 흥을 돋우는 것을 목적으로 한다.

깊이 읽기   134쪽

1 X   **2** X

1 조선 전기에는 사대부들이 주로 시조를 썼지만, 기녀들도 시조 창작자로 참여하였다고 하였다.

2 조선 전기 여성 작가들이 지은 시조는 인간의 솔직한 정서를 아름다운 우리말의 묘미를 잘 살려 표현하였다고 하였다. 따라서 한자어의 아름다움을 살려 창작하였다는 것은 적절하지 않다.

Ⅳ. 삶의 애환과 현실 비판

13 두터비 파리를 물고   136~137쪽

작품 해제
이 작품은 두꺼비, 파리, 백송골 등에 빗대어 인간 사회를 우회적으로 풍자한 사설시조이다. 파리는 피지배층인 백성을, 두꺼비는 백성들을 괴롭히고 착취하는 관리를, 백송골은 상부의 중앙 관리 또는 외세를 의미한다고 볼 수 있다. 두꺼비는 약자에게는 강하고 강자에게는 약한 태도를 보이고 있는데, 초장과 중장에서는 힘없는 파리를 괴롭히다가 자신보다 강한 백송골에 놀라 두엄 아래로 자빠진다. 이것은 힘없는 서민을 괴롭히다가 강한 권력자 앞에서 비굴해지는 모습을 익살스럽게 풍자하고 있는 것이다. 종장에서는 자빠지고도 스스로를 날래다고 합리화하며 허세를 부리는 두꺼비의 모습을 통해 지배층의 허장성세를 풍자하고 있다.

주제
지배층의 횡포와 허세에 대한 풍자

> 두터비 파리를 물고 두엄 우희 치달아 안자
> └─ 백성
> 탐관오리, 부패한 지방 관리
> 건넛산 바라보니 백송골(白松鶻)이 떠 있거늘 가슴
> 두꺼비보다 더 강한 존재. 고위층. 중앙 관리
> 이 섬뜩하여 풀떡 쮜여 내닫다가 두엄 아래 잣바지거고
> 강자를 무서워함. – 두꺼비의 비굴함이 드러남.
> 『 』: 강자 앞에서는 비굴한 두꺼비의 모습을 희화화함.
> 모쳐라 날랜 나일망정 어혈질 뻔 하여라 → 자화자찬(自畵自讚),
> 두엄 아래 나자빠지고도 스스로를 날래다고 합리화하는 두꺼비   허장성세(虛張聲勢)

독해 연습
1 (1) 위에   (2) 떠   (3) 자빠졌구나
2 (1) 두터비(두꺼비)   (2) 합리화
3 ㄱ, ㄷ

실전 확인
1 ⑤   2 ⑤

핵심 정리
① 백성   ② 두터비(두꺼비)   ③ 백송골
④ 풍자   ⑤ 약자

독해 연습

3 ㄴ. 파리를 물고 있던 두꺼비가 백송골을 보고 놀라 자빠지지만, 이는 백송골이 파리를 지키려는 의도를 가지고 한 행동은 아니다.

실전 확인

1 답 ⑤
이 시는 파리를 물고 있던 두꺼비가 백송골이 떠 있는 것을

보고 놀라 두엄 아래 자빠지는 모습을 시간 순서대로 제시하고 있을 뿐 유사한 문장 구조를 반복하고 있지는 않다.

| 오답 풀이 |
① 파리를 물고 있다가 백송골을 발견하고 놀라 두엄 아래 자빠지는 두꺼비의 모습은 해학적이다. 이 시는 '두터비'라는 부정적 대상을 희화화하고 있다.
② '두엄', '풀떡', '잣바지거고' 등 서민적인 일상어를 사용하였다.
③ 종장의 두꺼비의 말을 인용한 부분을 통해 두꺼비를 의인화하고 이를 바탕으로 양반의 허세를 풍자하고 있음을 알 수 있다.
④ 중장의 '풀떡'은 '펄쩍'이라는 의미로, 갑자기 가볍고 힘 있게 뛰어오르는 모양을 나타내는 의태어이다.

2 답 ⑤
종장에서는 '두터비'가 '날랜 나일망정'이지 하마터면 피멍이 들 뻔하였다고 말하고 있는데, 이는 '백송골'을 보고 놀라 두엄에 자빠지고도 스스로를 날래다고 자화자찬하며 자신의 행동을 합리화하는 것이지 반성하는 체하는 것은 아니다.

| 오답 풀이 |
① '두터비', '백송골', '파리'는 모두 동물이라는 점에서 이 시조는 동물을 활용하는 우의적 표현을 사용하였음을 알 수 있다.
② '두터비'가 '파리'를 문 것은 탐관오리 같은 권력자가 힘없는 백성을 괴롭히고 있는 현실을 우의적으로 나타낸 것이다.
③ '두터비'가 '백송골'을 보고 놀라는 상황은 자신보다 힘센 권력자를 만났을 때 놀란 나머지 자빠지는 상황으로까지 이어진다는 점에서 약자에게는 횡포를 부리고 강자에게는 꼼짝 못하는 권력자의 부정적인 모습을 우의적으로 드러낸다고 할 수 있다.
④ '백송골'에 놀라 두엄에 자빠지는 '두터비'의 모습은 풍자하는 대상을 희화화하는 장면으로 볼 수 있다.

---

14 고시 8 138~139쪽

작품 해제
이 작품은 다산 정약용의 고시(古詩) 27수 중 한 수로, 울음소리를 그치지 않는 제비의 모습을 통해 조선 후기 사회 지배층의 횡포와 피지배층의 고통을 우의적으로 풍자한 한시이다. '제비'는 지배 계층에 수탈당하는 평민이나 농민을, '황새'와 '뱀'은 백성들을 수탈하는 지배층을 의미하고 있다고 볼 수 있다. 화자와 '제비'가 대화하는 듯한 구조를 취하고 있으며, 현실의 삶의 모습을 제비의 상황에 빗대어 풍자하고 있다. 화자는 제비의 입을 빌어서 힘없고 의지할 데 없는 약한 백성들을 수탈하는 당시 관리들의 횡포를 드러내고 비판하면서, 핍박받는 백성들에 대한 연민의 마음을 은근하게 표현하고 있다.

주제
지배층의 횡포에 대한 비판과 백성의 고통

제비 한 마리 처음 날아와
<small>피지배층. 지배 계층에 수탈당하는 백성</small>
지지배배 그 소리 그치지 않네. ▶그치지 않는 제비의 울음소리

말하는 뜻 분명히 알 수 없지만

집 없는 서러움을 호소하는 듯
<small>삶의 터전을 빼앗긴 백성들의 서러움</small> ▶집 없는 서러움을 호소하는 듯한 제비
"느릅나무 홰나무 묵어 구멍 많은데

어찌하여 그곳에 깃들지 않니?"
▶느릅나무와 홰나무 구멍에 살지 않는 이유에 대한 물음
제비 다시 지저귀며

사람에게 말하는 듯 ▶사람에게 대답하는 듯한 제비
<small>◯ : 백성들의 보금자리, 삶의 터전</small>
"느릅나무 구멍은 황새가 쪼고
<small>「 」:지배층의 횡포—가렴주구(苛斂誅求)</small>
홰나무 구멍은 뱀이 와서 뒤진다오."
<small>△ : 횡포를 일삼는 지배층 ▶지배 계층의 횡포를 호소하는 제비</small>

독해 연습
1 (1) 울음 (2) 서러움 (3) 질문
2 ㄷ, ㄹ

실전 확인
1 ② **2** ③

핵심 정리
① 백성 ② 뱀 ③ 비판/풍자

독해 연습
2 ㄱ. 화자가 연민을 느끼고 관심을 보이고 있는 대상은 제비이다. 황새는 부정적인 존재이다.
ㄴ. 황새는 제비를 괴롭히는 대상이지만, 제비가 황새에게 저항 의지를 표현하고 있지는 않다.

실전 확인

1 답 ②
이 시는 화자와 제비가 대화하는 형식을 활용하여 현실 상황을 비판하고 있다.

| 오답 풀이 |
① 이 시는 화자와 제비의 대화 상황을 설정하여 제비가 느릅나무와 홰나무 구멍에 살지 않는 이유를 묻고 있기는 하지만 쉽게 판단할 수 있는 사실을 의문 형식으로 표현하여 그 의미를 강조하는 설의법은 사용되지 않았다.
③ 제비의 입을 빌려 백성들을 수탈하는 관리들의 횡포를 드러내고 있는 것이지 화자가 처한 상황을 부각하고 있는 것은 아니다.
④ '지지배배'에서 청각적 심상을 활용하고 있지만, 촉각적 심상을 활용하여 소재의 특성을 제시하고 있지는 않다.

⑤ 당대 서민의 삶을 표현하고 있기는 하지만 긍정적으로 표현하고 있지는 않다. 또한 해학적 표현도 나타나지 않는다.

2 답 ③

ⓒ은 '제비가 지지배배하는 소리의 의미를 사람이 분명히 알 수는 없지만'이라는 의미이다. 말할 수 없을 정도로 지배층의 횡포가 극심하다는 것을 의미하는 표현은 아니다.

| 오답 풀이 |
① ㉠(제비)은 지배 세력으로부터 착취당하는 백성들을 의미하고, 황새와 뱀은 백성들을 괴롭히는 지배 세력을 의미한다.
② ㉡의 그치지 않는 제비의 울음소리는 백성의 고통이 지속됨을 표현하는 것이라고 추측할 수 있다.
④ ㉣의 느릅나무 구멍과 홰나무 구멍은 백성들의 삶의 터전을 의미한다.
⑤ ㉤의 황새가 쪼고 뱀이 와서 뒤져서 깃들 곳이 없는 제비의 모습은 지배층의 횡포로 고통받는 백성의 모습을 나타내고 있다.

---

15 댁들에 동난지이 사오
140~141쪽

작품 해제
이 작품은 시정(市井)의 상거래 모습을 해학적인 어조로 익살맞게 표현한 사설시조로, 대화 형식으로 구성된 점이 특징이다. 중장은 게의 형태나 구조와 같은 특징적인 모습을 한자어를 사용하여 장황하게 묘사하고 있으며, '아스슥'과 같은 감각적 표현을 사용하여 생동감을 더하고 있다. 종장에서는 손님들이 어려운 말로 허세를 부리는 장사꾼의 태도를 꼬집는데, 이는 쉬운 우리 말을 두고 굳이 어려운 말을 사용하는 현학적인 태도를 풍자하고 비판하는 것이다. 서민의 감정과 모습을 눈에 보이듯이 사실적으로 그려 생동감이 넘치며, 독자의 웃음을 자아내게 만드는 해학성이 돋보이는 작품이다.

주제
현학적 태도에 대한 비판

게젓 장수의 말
댁들에 동난지이 사오 저 장사야 네 황화 그 무엇
사람들아(장수가 외치는 소리)   댁들(손님)의 말
이라 웨는다 사자
                        두 눈
「외골내육(外骨內肉) 양목(兩目)이 상천(上天) 전행
겉은 단단하고 속은 부드러운 살이 있음. 다리   하늘로 향해 있음.
(前行) 후행(後行) 소(小)아리 팔족(八足) 대(大)아리
                    작은 다리가 여덟 개, 큰 다리가 두 개
이족(二足) 청장(淸醬) 아스슥하는 동난지이 사오」
「 」: 게젓 장수의 말 – 한자어를 사용하여 어렵게 이야기함. 현학적 태도
장사야 하 거북이 웨지 말고 게젓이라 하렴은
어렵고 장황하게 이야기하는 게젓 장수의 현학적인 태도를 비판함.

독해 연습
1 (1) 외치느냐 (2) 다리
2 (1) ○ (2) ○ (3) X
3 ㄱ, ㄴ, ㄷ
실전 확인
1 ①   2 ④
핵심 정리
① 게젓   ② 한자어

독해 연습

2 (3) 장수는 게젓에 대해 한자어를 사용하여 어렵게 이야기하고 있다.

3 ㄱ. 초장에 '댁들에'에서 돈호법을 사용하고 있다.
ㄴ. 중장에서 게젓 장수가 한자어를 사용하여 게를 장황하게 묘사하고 있다.
ㄷ. 장수와 사람들이 말을 주고받는 형식으로 이루어져 있다.
ㄹ. '아스슥'과 같은 감각적인 표현을 사용하고는 있으나, 계절감을 나타내는 시어는 활용하고 있지 않다.

실전 확인

1 답 ①

중장의 '아스슥'은 게젓을 깨물어 먹을 때 나는 소리로, 의성어이다. 이와 같은 감각적인 표현을 통해 생동감을 더하고 있다.

| 오답 풀이 |
② 게의 모습을 설명하고 있으나 게를 의인화하고 있지는 않다.
③ 이 시에 반어법은 사용되지 않았다.
④ 이 시에서는 과거를 회상하고 있지 않다.
⑤ 게젓 장수의 현학적인 태도를 익살맞게 꼬집고 있기는 하지만, 고달프게 살아가는 서민들의 삶을 해학적으로 표현하고 있는 것은 아니다.

2 답 ④

종장의 내용은 손님이 장수에게 어렵고 장황하게 말하지 말라고 하는 것이지 물건에 대해 잘 몰라 추가 설명을 요청하고 있는 것이 아니다.

| 오답 풀이 |
① 초장은 '동난지이'를 사라고 소리치는 '장사'의 말로 시작되고 있다.
② 초장에는 '장사'에게 무엇을 파느냐고 묻는 손님의 말이 제시되어 있다.
③ 중장에서 '장사'는 게를 어려운 한자어로 장황하게 묘사하며 게젓에 대해 설명하고 있다.
⑤ 종장에서 손님은 '장사'에게 '거북이 웨지 말라'고, 즉 어려운 한자 말을 쓰지 말고 쉽게 이야기하라고 하고 있다.

작품 해제

이 작품은 늦은 밤까지 잠을 참으며 일을 해야 하는 여성의 애환을 담고 있는 민요이다. 잠을 의인화하여 잠을 상대로 화자의 생각을 늘어놓고 있으며, 잠이 오는 상황을 해학적으로 표현하였다. 잠이 염치없이 자신을 찾아와 괴롭히는 것에 대해 원망조의 넋두리를 늘어놓으며, 잠을 이겨 내며 일해야 하는 삶의 애환을 익살과 해학을 통해 풀어내고 있다.

주제

잠을 이겨 내며 바느질을 해야 하는 삶의 고달픔

<u>잠</u>아 잠아 짙은 잠아 이내 눈에 쌓인 잠아
중심 소재 → 잠을 의인화하여 작중 청자로 설정함.

염치 불구 이내 잠아 겹치 두덕 이내 잠아
잠의 욕심이 언덕처럼 쌓였다는 뜻

어제 간밤 오던 잠이 오늘 아침 다시 오네 ▶기: 염치없이 찾
아침에 일어나도 자꾸 졸린 것을 익살스럽게 표현함. 아오는 잠

「잠아 잠아 무삼 잠고 가라 가라 멀리 가라」
무슨 잠이냐? 어떻게 된 잠이냐? 「 」: 잠이 멀리 물러가기를 바라는 마음

세상 사람 무수한데 <u>구태</u> 너는 <u>간 데 없어</u>
구태여, 하필이면 잠 갈 데가 없어

원치 않는 이내 눈에 <u>이렇듯이 자심하뇨</u>
잠에 대한 원망

주야에 한가하여 월명 동창 혼자 앉아

<u>삼사경</u> 깊은 밤을 헛되이 보내면서
밤 11시~새벽 3시(한밤중)

잠 못 들어 한하는데 그런 사람 있건마는
화자와 대조되는 상황에 있는 사람

무상 불청 원망 소리 올 때마다 듣난고니 ▶승: 바쁜 자신
잠이 올 때마다 싫은 소리를 함. 듣는 것이냐? 을 찾아오는 잠
에 대한 원망

<u>석반</u>을 거두치고 <u>황혼이 될 듯 말 듯</u>
다 먹고 되자마자

낮에 못한 남은 일을 밤에 하려 마음먹고

언하당 황혼이라 <u>섬섬옥수</u> 바삐 들어
여성 화자임을 드러냄.

등잔 앞에 고개 숙여 <u>실 한 바람 불어 내어</u>
한 발 정도 길이의 실을 풀어 내어

드문드문 질긋 바늘 두엇 뜸 뜰 듯 말 듯

난데없는 이내 <u>잠</u>이 소리 없이 달려드네 ▶전: 저녁을 먹고
잠이 계속해서 밀려듦. 바느질을 시작
하자마자 또다시 몰
<u>눈썹</u> 속에 숨었는가 눈알로 솟아 온가 려드는 잠
해학적 표현

이 눈 저 눈 왕래하며 <u>무삼 요술</u> 피우는고
무슨 요상한 수단(잠이 쉽게 물러가지 않음.)

<u>맑고 맑은 이내 눈이 절로절로 희미하다</u> ▶결: 잠 때문에
밤까지도 잠을 이겨 내며 노동에 시달려야 하는 삶의 모습이 드러남. 눈이 희미해짐.

독해 연습

1 (1) ○ (2) ✕

2 ㄱ, ㄴ

실전 확인

1 ④ **2** ②

핵심 정리

① 잠 ② 바느질 ③ 애환 ④ 해학

---

1 (2) 화자는 잠에게 잠 못 들어 힘들어하는 사람에게나 찾아 가라고 할 뿐, 그 사람에게 공감을 표현하고 있지는 않다.

실전 확인

1 답 ④

이 시에서 후렴구는 나타나 있지 않다.

| 오답 풀이 |

① 이 시에서는 잠을 의인화하여 작중 청자로 설정하고 있다.

② 잠을 참으면서 일해야 하는 삶의 애환이 담겨 있는 노래이다. 화자는 원하지 않는데도 계속해서 자신을 찾아오는 '잠'을 의인화하여 원망하고 있다. 그러나 자신의 신세를 한탄만 하지 않고 익살스럽고 해학적으로 표현하고 있다.

③ 잠을 작중 청자로 설정하고 염치없이 자신을 찾아와 괴롭히는 것에 대해 원망조의 넋두리를 늘어놓고 있다.

⑤ 한가하게 지내며 잠 못 들어 괴로워하는 사람과 잠을 참으며 일해야 하는 자신의 처지를 대조하고 있다.

2 답 ②

㉮의 '월명 동창'에 혼자 앉은 사람은 화자가 아니라 잠 못 들어 힘들어 하는 사람이다. 따라서 이를 통해 화자의 처지를 짐작하기는 어렵다. ㉯의 '무인동방'을 통해 화자가 임이 없이 홀로 지내고 있음을 짐작할 수 있다.

| 오답 풀이 |

① ㉮에서는 '잠'을, ㉯에서는 '귓도리'를 반복하여 운율을 형성하고 있다.

③ ㉮의 '원망 소리'는 화자가 잠이 올 때마다 싫은 소리를 하는 것이고, ㉯의 '슬픈 소리'는 귓도리가 구슬프게 우는 소리이다.

④ ㉮의 '섬섬옥수'는 여인의 고운 손을, ㉯의 '사창'은 여인이 머무는 방을 가리킨다는 점에서 두 작품의 화자가 모두 여성임을 짐작할 수 있다.

⑤ ㉮의 '소리 없이 달려드네'는 잠이 달려 들어 잠이 온다는 의미이고, ㉯의 '깨우는구나'는 귓도리 울음소리 때문에 잠을 못 이룬다는 의미이다.

---

1 ✕ **2** ○

1 사설시조는 초장·중장이 제한 없이 길며 종장도 길어진 시조이지만 초장·중장·종장의 3장 구조는 유지하고 있다.

메모